COLLECTION FOLIO

Louis Calaferte

Septentrion

Denoël

Louis Calaferte est né le 14 juillet 1928. Après une expérience directe de la vie, il publie son premier livre, *Requiem des innocents,* en 1952, puis, l'année suivante, *Partage des vivants.* Il consacre alors quatre ans à la rédaction de *Septentrion,* fresque autobiographique destinée à rendre compte de ses expériences passées et à dessiner l'avenir de ses options intellectuelles et spirituelles. En raison de sa nature, l'ouvrage a été condamné à ne paraître qu'en édition dite « hors commerce » et ce n'est que vingt ans plus tard qu'il sera réédité chez Denoël. Après un silence de cinq ans (1963-1968), Louis Calaferte recommence à publier un récit *Rosa Mystica* et un recueil de textes *Satori.*

Il est aujourd'hui l'auteur de seize récits ou recueils de nouvelles, d'ouvrages de poésie, de pièces de théâtre, de carnets et d'un essai, *Les Sables du temps.*

Louis Calaferte vit actuellement dans les environs de Dijon où il consacre une partie de son temps à la peinture.

A notre image, les livres ont effectivement leur destin. Lorsque celui-ci est étrange, ainsi que ce fut le cas pour ce livre qui, vingt et un ans après son interdiction, ne dut sa résurrection qu'à la volonté d'un véritable éditeur, Gérard Bourgadier, on découvre que les travaux de l'esprit et les hommes sont étroitement liés selon les œuvres qu'ils ont à signifier.

L. C.

à

Adrien Sani

poète des récifs,

frère aimé des bons et des mauvais jours

sans qui ce livre

n'aurait peut-être pas été écrit

et à

TOI

qui fus toujours présente.

JE SUIS LE PREMIER ET LE DERNIER.
ÉCRIS DANS UN LIVRE CE QUE TU VOIS

Jean le Théologien : *Révélation*

CE LIVRE EXTRAIT DES TÉNÈBRES.

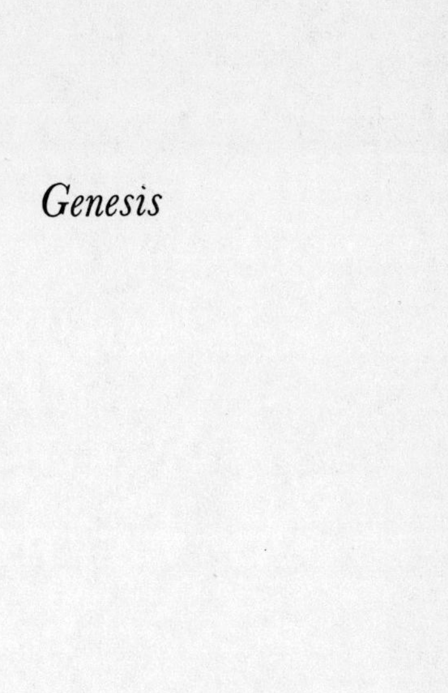

Genesis

1

Au commencement était le Sexe.

Sauveur. Chargé d'immortalité. Il y a la Bête. Héroïque. Puissante. Et au-delà de la Bête il n'y a rien. Rien sinon Dieu Lui-même. Magnifique et pesant. Avec son œil de glace. Rond. Statique. Démesurément profond. Fixe jusqu'à l'hypnose. Tragique regard d'oiseau. Allumé et cruel. Impénétrable de détachement. Rivé sur l'infini d'où tout arrive.

Le monde s'ouvre comme un énorme utérus en feu. Le monde est femelle, comme l'est la Création. Et putain, impudique, comme l'est la femelle. Père. Fils. Esprit. Triangle sacré du pubis. Le sexe-roi. C'est partout la famine. Étreindre. Prendre. Jouir. Le monde est vautré, nu, offert à la fornication dans sa splendeur maligne et dans sa purulence, tous ses abcès ouverts. Sous les yeux mêmes de l'innocence qui cherche.

Dans ce néant placide, la principale préoccupation est de mettre le cap chaque jour sur un point, précis ou non, connu ou non, sans qu'il soit même question d'aborder quelque part. Et louons, glorifions le Seigneur qui nous porte en son sein comme une écharde vénéneuse ! Nul ne peut dire encore quel est l'enjeu final, ni ce que nous trouverons en bout de course. Le bûcher déjà flambant, la rémission des péchés et le repos du grand pardon ou, octroyée en récompense à titre privé, une jeune et solide putain au con prestigieux, sélectionnée entre toutes pour sa bonne humeur et son savoir-faire.

Allons toujours ! Soyons confiants ! La fourmilière est en effervescence. Torpeur funèbre. Torpeur rouge de la foule qui va droit devant elle à l'aveuglette, les yeux bouffis de sang, vivant sous un soleil usé un âge déjà mort pétrifié dans le temps. Roule. Roulements. Rouages. Relayez-vous. Au coude à coude. Armée du deuil. De l'expiation. Tenez-vous prêts au cri strident de la sirène-massue enfilée droite comme un phallus de briques dans le plein ventre du ciel congestionné. Chaque minute compte pour une vie, comme vous savez. Sonneries-dynamites des réveils en transe. Explosent à la même heure sur le sommeil du monde abasourdi. Et le monde se dresse, chancelant sur ses jambes nues. Le monde urine en cadence. Il est sept heures. Ou la demie. Sept heures de quoi ? La demie de quoi, au juste ? Ce n'est pas la question. Ce n'est jamais la question. Nous sommes en retard de dix siècles, ou plus. Des tonnes d'eau s'évacuent par la tuyauterie avec la mousse savonneuse, s'écoulent avec les déchets de crasse héréditaire et, par-ci par-là, un soupçon peut-être de révolte entrevue. Mais il faudrait le temps d'y réfléchir.

Ne songez présentement qu'à ramasser en hâte les habits de la veille qui traînent sur la chaise. Harnais de cuir clouté, mors et licol. Endossez vaillamment l'uniforme et boutonnez, sanglez, que l'extérieur au moins soit sans bavure. Et s'il advenait qu'une puce diabolique se soit glissée la veille au soir dans les doublures chaudes, prenez aussi la puce, il n'y a pas de raison. Il faut aller au bout des choses. L'éternité reconnaîtra les siens.

Pour l'instant, vous me surprendriez vraisemblablement dans un passé vieux déjà de quelques années, écrivant des nuits entières, des jours entiers, parfois à demi brisé de fatigue, le corps cassé d'être resté plié en deux au-dessus de la table, l'estomac douloureux et dans la bouche l'écœurement sec du tabac. Claustré pendant des semaines d'affilée dans mes chambres d'hôtel successives et, en tout dernier lieu de cette période singulière où je commençais d'écrire, dans la chambre à coucher du minuscule appartement où j'étais venu m'installer avec une femme, rédigeant un livre sur lequel je fondais tous mes espoirs. Livre qui ne verrait jamais le jour, du moins sous sa forme originelle. Mais en l'écrivant j'étais persuadé qu'il atterrirait bientôt sur la planète avec la force d'une météorite, laissant loin derrière lui tous ceux que j'avais pu ingurgiter en vrac au cours de sept ou huit ans de quête intellectuelle désordonnée.

Comment expliquer aujourd'hui cette rage de lecture qui me tenait continuellement sous pression, cette faim de découverte, cette fébrilité vis-à-vis de tout ce qui était imprimé ? Le choc que j'imaginais devoir se produire un jour, que je souhaitais ardemment, n'avait jamais lieu. Ce qui ne m'empêchait pas de renouveler l'expérience aussi souvent qu'elle se présentait.

Et je me dis maintenant, observant ma démarche d'un autre œil, qu'il était bon que je lise toutes ces inepties en guise d'exercice préparatoire avant de me présenter moi-même sur la piste. C'est là ma conclusion intime quand il m'arrive d'y repenser. Mais qui aurait pu prévoir que je serais un jour au programme, cueillant les sifflets, les rires et les bravos, car j'ai oublié de dire que mes prédispositions naturelles me pousseraient plutôt vers les pirouettes du clown, gueule enfarinée, plâtrée de mensonges rouges livides, et toujours volontaire pour les coups de pied au cul.

Clown et trapèze volant. Rire et mort. Voilà mon emploi. Qui aurait pu prévoir, mon doux Sauveur!

Dès que j'avais un livre, mon premier soin était de m'enfermer avec dans ma chambre d'hôtel comme pour une séance d'initiation, et je ne décrochais pas avant d'en avoir terminé, qu'il eût deux cents ou mille pages. Lire les paroles qu'un homme, dont on ne connaît généralement ni le visage ni la vie, a écrites tout spécialement à votre intention sans oser espérer que vous les liriez un jour, vous qui êtes si loin, si loin sur d'autres continents, d'une autre langue. Peut-être habite-t-il actuellement une grande maison de campagne au bord du Tibre ou un quarante-septième étage dans New York illuminé, peut-être est-il en train de pêcher l'écrevisse, de piler la glace pour le whisky de cinq heures, de caresser sa femme sur le divan, de jouer avec ses enfants ou de se réveiller d'une sieste en songeant à tout ce qu'il voulait mettre de vérité dans ses livres, sincèrement persuadé de n'avoir pas réussi bien que tout y soit quand même, presque malgré lui. Il a écrit pour vous. Pour vous tous. Parce qu'il est venu au monde avec ce besoin de vider son sac qui le reprend périodiquement. Parce qu'il a vécu ce que nous vivons tous, qu'il a fait dans ses langes et bu au sein, il y a de cela trente ou cinquante ans, a épousé et trompé sa femme, a eu son compte d'emmerdements, a peiné et rigolé de bons coups dans sa vie, parce qu'il a eu faim de corps jeunes et de plats savoureux, et aussi de Dieu de temps à autre et qu'il n'a pas su concilier le tout de manière à être en règle avec lui-même. Il s'est mis à sa machine à écrire le jour où il était malheureux comme les pierres à cause d'un incident ridicule ou d'une vraie tragédie qu'il ne révélera jamais sous son aspect authentique parce que cela lui est impossible. Mais il ne tient qu'à vous de reconstituer le drame à la lumière de votre propre expérience et tant pis si vous vous trompez du tout au tout sur cet homme qui n'est peut-être en fin de compte qu'un joyeux luron mythomane ou un saligaud de la pire espèce toujours prêt à baiser en douce la femme de son voisin. Qu'il ait pu écrire les deux cents pages que vous avez sous les yeux doit vous suffire. Qu'il soit l'auteur d'une seule petite phrase du genre : « A quoi bon vous tracasser pour si peu, allez donc faire un somme en attendant », le désigne déjà à nous comme un miracle vivant. Même si vous deviez oublier cette phrase aussitôt lue et n'y repenser que le jour où tout va de travers, à commencer par le réchaud à gaz ou la matrice de votre femme. Et si par hasard vous avez la prétention de devenir écrivain à votre tour, ce que je ne vous souhaite pas, lisez attentivement et sans relâche. Le Littré, les articles de dernière heure, les insertions nécrologiques, le bulletin des menstrues de Queen Lisbeth, lisez, lisez tout ce qui passe à votre portée. A moins que, comme ce fut souvent mon cas, vous n'ayez même pas de quoi vous acheter le journal du matin. Alors descendez dans le métro, asseyez-vous au chaud sur le banc poisseux — et lisez ! Lisez les avis, les affiches, lisez les pancartes émaillées ou les papiers froissés dans la corbeille, lisez par-dessus l'épaule du voisin, mais lisez !

Si votre bonne étoile est avec vous, vous avez une chance de trouver une connasse à la traîne qui ait la chatte en éruption, ce qui vous assurera le lit en espérant mieux. Mais, une fois casé par la Providence généreuse, *n'oubliez pas de lire !*

Ensuite, préparez-vous aux déboires, aux refus, aux doutes, aux appréciations contradictoires, aux jugements cinglants, aux conseils des uns et des autres qui trouveront toujours quelques pertinentes suggestions à apporter à votre travail sans avoir eux-mêmes rien fait qui vaille qu'on en parle. Apprêtez-vous à entendre les plus énormes chapelets de conneries qui puissent sortir d'une cervelle humaine. Autant de vains mots qu'il vous appartiendra de traduire à rebours si vous valez quelque chose. Le manuscrit que vous trimbalez sous votre bras fera fonction d'évacuation de toute la bile, de tous les ratages de ceux à qui vous le montrerez par faiblesse. Vous n'obtiendriez pas de meilleur résultat en ouvrant à fond le robinet de vidange.

Ces étapes franchies, rentrez chez vous, prenez un bout de pain et de fromage, mangez de bon cœur, rotez de même, et si par bonheur vous avez une femme sous la main, tirez un coup posément, en toute liberté d'esprit : vous êtes sur la bonne voie. A quelques encablures du nouveau monde. La brise du matin ne manquera pas de vous pousser vers le goulet du port. C'est si naturel...

Je me jetais sur les livres comme s'ils devaient nécessairement me livrer la clef de moi-même. Et la serrure avec. Lisant à bride abattue. Dans le métro. Dans la rue. Au bistrot. Dans mon lit. Sur les bancs des squares, au milieu des pigeons et des cris d'enfants, les soirs d'été ou le dimanche après-midi. Et jusque dans les chiottes des usines qui m'employaient, culottes baissées, accroupi au-dessus du trou, une branche nouvelle de marronnier en bourgeons ventrus se balançant au-dessus de ma tête sur le ciel blanc bleuté qui tapissait les claires-voies de la toiture.

Quoi d'étonnant à ce que certains auteurs et leurs livres conservent pour moi une odeur de crésyl, de désinfectant, une odeur de merde humaine? La mienne et celle de tous les ouvriers, apprentis, employés, bureaucrates, qui venaient chier dans ce lieu étroit, sombre, gluant sous le pied. Là où femmes et hommes se déculottaient plusieurs fois par jour. Poussaient leurs ventres. Vidaient leurs vessies. Examinaient une fois de plus le détail curieux d'une malformité secrète. Avaient des démêlés avec leur prostate. Leur constipation. Leur blenno. Ou bien, au contraire, se laissaient aller à caresser distraitement leur sexe, comme ça, sans préméditation, du bout des doigts, parce que ce n'est pas désagréable et qu'il n'est pas défendu d'y toucher lorsqu'on se retrouve en tête à tête puisque le Père Tout-Puissant qui savait ce qu'Il faisait vous l'a planté au bon endroit. Geste de bonne humeur. Tout en pensant au prix exorbitant des légumes, à la popote du soir, aux dettes en retard, au prochain film d'amour du dimanche suivant, ou même à la Très Sainte Vierge telle qu'elle est représentée dans les pages du catéchisme, blanche et lumineuse, telle qu'elle restera gravée à jamais dans des millions de mémoires. Ce qui n'empêche pas, que je sache, de prendre un réel plaisir à vider jusqu'au bout ses intestins avec de brefs intervalles de repos entre deux expulsions bien venues, de jeter un coup d'œil par en dessous pour voir ce qu'il en sort et d'en respirer franchement l'odeur. Odeur d'accalmie heureuse au milieu de la journée de travail avilissant. Illusion de liberté sauvegardée.

Dans toutes les usines où je suis passé, lorsqu'il ne fallait pas en demander la clef à un gardien ou à un contremaître, les chiottes étaient occupées sans interruption ou presque. Refuge facile. Sensation d'échapper provisoirement à la contrainte des horaires et à la surveillance humiliante qui pèse sur vous. Délicieuse, irremplaçable odeur d'isolement volé au cours des huit heures de servage quotidien.

C'est aux cabinets que j'ai lu le plus abondamment pendant toute une époque qui s'étend à peu près sur dix ans. Je m'y rendais environ sept ou huit fois par jour avec le plus de naturel possible, prétextant un dérangement chronique et suscitant de la part de mes compagnons de travail les plaisanteries que l'on devine. C'était ma manière à moi de m'offrir gratis à la barbe des autorités quelques joyeux moments d'indépendance royale. Le verrou tiré, j'étais sûr qu'on ne viendrait pas me déloger avant la demi-heure suivante. Quelquefois même je ne me donnais pas la peine de faire le simulacre du déculottage, bien que pour une raison inconnue je me sois toujours senti plus à l'aise, dans la posture adéquate, le pantalon en boule sur les chaussures, les fesses nues, le sexe vacant entre les cuisses, le ventre libre, dégagé jusqu'au nombril. L'usine et ses contingences, son bruit, sa graisse, son atmosphère de prison déguisée, ses hommes crasseux, pauvres, disparaissaient alors dans un lointain imperceptible, et je rouvrais le livre à la page où je l'avais laissé pendant la précédente séance qui remontait parfois à moins d'une demi-heure. J'entamais ma lecture aussi serein que si je m'étais trouvé dans un coin de la grande bibliothèque seigneuriale au rez-de-chaussée du manoir de famille, les pieds sur les chenets devant le feu de bûches pétillant, le verre de vieil armagnac à portée de la main, un cigare de bonne taille entre les lèvres, confit de chaleur et de bien-être dans le fauteuil de cuir brun patiné par l'âge. Même sans livre, et pour peu qu'il y eût un siège à couvercle, chose rare dans les cabinets réservés aux ouvriers, je tirais ma révérence, rigolant tout seul en pensant que j'étais bel et bien en train de m'accroupir au-dessus de la Sacro-Sainte Société organisée, celle qui a lu Platon, Darwin et les Droits de l'Homme ; le globe terrestre exactement situé en la circonstance dans l'embouchure étroite du trou embrenné par tout le résidu fécal humain des cent années écoulées, la construction de l'édifice datant à peu près de cette époque.

Idée en apparence saugrenue mais pleine d'humour, si l'on se met à l'approfondir, et qui effleure par le biais la métaphysique débonnaire. Pères et grands-pères avec leurs moustaches cirées, leurs melons noirs, leurs supports-chaussettes et leurs faux cols à ressort avaient donc fait halte en ces lieux avant d'aller échouer dans la tombe sous les fleurs du dimanche. Étonnantes variétés de diarrhées, suites de selles compactes ou sinueuses, douloureuses, plaisantes, angoissées, sans que le cœur y soit, évacuées à la sauvette, les soucis journaliers nouant le boyau en plein travail ; ou lâchées sans précipitation, selon les règles de la nature, avec le temps de souffler ou même de griller une cigarette. Quoi qu'il en soit, enjouée ou morose, toute cette matière chaude et fumante avait dégouliné par le trou noir sur la calvitie du monde engorgé qui ne comprenait pas ce qui lui arrivait et ne pouvait néanmoins se soustraire à la position incommode où il était allé se fourrer par mégarde. Et le monde, jugeant à cela qu'il n'est point encore tout à fait divin, se voit acculé à l'obligation urgente d'assumer cette responsabilité supplémentaire des fonctions organiques de ses habitants les plus distingués, dotés chacun, par erreur sans doute, non seulement d'une âme à préserver des impuretés, mais au surplus d'un système digestif, d'un gros intestin capricieux et d'un trou du cul parfaitement réglementaire, sans insister sur la capsule surrénale qui est ici hors de propos.

Songer aux lignées de générations qui ont plus ou moins séjourné dans ces édicules où vous-même allez aujourd'hui renouveler les mêmes gestes pour la même raison bien simple que nous sommes invariablement conçus d'après un moule identique, est un moyen comme un autre d'aperception de la fameuse communion cosmique. *N'est-il pas vrai ?* Que ne donnerait-on pas de nos jours pour avoir dans l'album une image de Shakespeare le Grand ruminant quelques-unes de ses plus percutantes répliques tout en posant culotte au grand air dans un cadre élisabéthain, comme cela a probablement dû lui arriver à lui aussi. Lancé dans cette direction, rien ne vous empêche plus ensuite de faire, clopin-clopant, le tour des célébrités passées ou présentes, Jésus ou Krishna y compris, que vous aimeriez surprendre pour votre édification dans le plus parfait naturel ; nulle d'entre elles, Jésus ou Krishna y compris, n'ayant jamais été dispensée de cette nécessité impérieuse, indice d'une santé florissante à défaut d'autre chose. Panorama d'un genre particulier, mais qui peut également s'étendre avec profit à vos amis et connaissances, aux membres de votre famille ou de votre entourage professionnel ou encore à la femme que vous aimez présentement et qui est bien obligée, la pauvre, d'en passer par là au moins une fois par jour, fût-elle à vos yeux la grâce personnifiée et la délicatesse même. Pourquoi ne pas envisager les choses dans *toute* leur réalité ? La femme qu'on prend entre ses bras n'est-elle pas la même que celle qui est assise à cheval sur le siège, grattant peut-être du bout de l'ongle un point noir sur sa cuisse nue pour passer le temps ? Comment se conduit-elle, seule avec elle-même entre les quatre murs, la chasse d'eau au-dessus de sa tête ? Quelles manies a-t-elle dans cette position, quelles grimaces ou quels vices bénins ? Voici un des aspects de cette femme, et pas le moins concluant, dont vous serez toujours privé.

Sans rien à lire pour m'occuper, enfermé dans le réduit, je laissais vagabonder ma pensée à son gré sur mille petits faits réjouissants d'ordre divers, tel le souvenir d'une paire de jambes de femme impeccablement calquées dans les bas couleur chair, rencontrées le matin même ou la veille en me rendant au travail. Jambes fermes. Jeunes. Modelées. En tout point parfaites. Excitantes. Le dessin du muscle long jouant à chaque pas, tendu à hauteur du mollet. Noué. Relâché. Mouvant. Profitant de sa souplesse. De sa vie. Morsure sous la chair. Ligne frissonnante et dure qui ébauche des ombres et des reliefs mobiles, fuyants, à peine imprimés dans la peau. Sursaut nerveux du col des bêtes échauffées qui va se perdre en glissant sous la jupe. Ce qui, une fois de plus, aiguille infailliblement l'imagination vers la touffe et le petit con inconnu qui vous échappe parmi tant d'autres, transbahuté dans le mouvement de la marche rapide, reposant, paupières closes, comme un œil assoupi, sur le fond renforcé de la culotte légère. De quoi a-t-il l'air, ce con de passage ? Belette des Andes ? Ramassé sur lui-même, ventripotent, obtus ou cocasse ? A moins qu'il ne s'agisse d'un de ces cons méditatifs qui, loin de somnoler, profitent du trajet qu'on leur impose et de l'air qui leur arrive par en dessous pour se souvenir tout à leur aise de certaines odeurs fluides connues d'eux seuls qui s'enchaînent automatiquement à des sensations précises de désirs, de jouissances ou de déceptions. Réminiscences personnelles du domaine connesque. Les images négatives défilant à une allure de rêve étiré dans une salle de projection clandestine en forme de pas de vis munie d'un dispositif d'alerte assuré par les deux lumignons ovariens. Jacinthes mauves allumées au bout du couloir. Un seul fauteuil au milieu de la salle. Rotatif devant l'écran circulaire. Et, prélassé sur le velours comateux, un seul spectateur bouche ouverte. Le con. Le con en personne, assistant, radieux, à sa propre odyssée.

A partir de là, l'imagination fait front à l'ouragan d'équinoxe d'automne avec influence des lunes et grandes marées submergeantes qui conviennent par excellence à l'embarquement sur les chalutiers de brume ou au repos dans la chaumière.

Ceci ou cela nous amenant à considérer les cabinets comme un lieu propice à la méditation. Ou à la simple rêverie, est-il besoin de le préciser ?

Il était néanmoins fort rare que je n'eusse pas un livre avec moi. C'est dans ces conditions d'inconfort que je plongeai pour la première fois dans Balzac avec *la Peau de Chagrin*, *Jésus-Christ en Flandre*, *Melmoth réconcilié* et *l'Élixir de longue Vie*. Et ce fut pareil pour l'hallucinante *Maison des Morts* dont je ne me rappelle plus comment il put arriver jusqu'à moi, mais que je ne consentis à lâcher qu'à la toute dernière ligne.

Quantité d'autres bouquins eurent comme lieu d'accueil ce décor inattendu. Je peux citer pour mémoire les Rousseau, les Zola, les Maupassant et deux ou trois livres de Virginia Woolf qui me laissèrent une impression de pelouses interdites. Posséder un livre de plus, le mettre dans ma poche et m'en aller avec à mon travail avait véritablement pour moi la valeur d'un symbole de puissance inaliénable. Le poids de conséquence d'un rite religieux.

Les livres me donnaient confiance. Sentiment assez indéfinissable. Ils représentaient une force sûre, un secours permanent. Toujours réceptif, un livre ! A la première lecture on a laissé une marque à telle ou telle page, le coin plié, c'est le passage qui répondait à une préoccupation, à un doute. Le dialogue est ininterrompu. D'autant plus vaste qu'on y ajoute tout ce qu'on veut. L'auteur n'a fait que poser les jalons indispensables. A vous de faire la tournée d'inspection.

La frénésie de lire me vint, je crois, vers les quinze ans. Je me revois fort bien, assis dans un autobus, faisant ma première incursion littéraire avec un livre de nouvelles d'un auteur strictement inconnu dont je n'ai jamais su le nom. C'était un livre à bon marché qu'on avait dû me prêter ou que j'avais dû trouver chez le quincaillier de mon quartier qui, si inhabituel que cela paraisse, installait sur le trottoir devant sa vitrine, à côté des cuvettes émaillées, des brocs, des beurriers en terre rouge et des pots à confiture, des casiers de livres d'occasion qui passaient de main en main d'un bout à l'autre de l'année par tous les habitants du quartier avant de revenir à la quincaillerie, un peu plus défraîchis si possible, tachés de vin, de graisse, de café, de traces de doigts, les pages arrachées, décousues, et pour la plupart agrémentés en marge de dessins obscènes. Il y avait surtout des romans policiers et un grand nombre d'ouvrages illustrés sur les positions recommandées pour favoriser et perfectionner l'art du coït. On y trouvait par hasard quelques bons et authentiques romans ou essais dont il eût été curieux de suivre les pérégrinations qui les avaient conduits jusque-là. Pendant un an ou deux, j'ai bien dû m'arrêter presque chaque matin devant ces casiers et y choisir des livres.

Coïncidence singulière qui ne vaut sans doute pas qu'on épilogue, mais littérature et solitude sont les deux mots qui m'ont le plus intrigué lorsque je les ai entendus pour la première fois.

Il y eut une époque où, dans les livres, le sens d'une bonne partie des mots m'échappait. Grâce au seul moyen de la lecture, je me suis lentement familiarisé avec un vocabulaire élargi que je n'avais jamais employé ni entendu employer autour de moi. Cette façon ardue d'appréhender la langue m'a laissé un immense amour des mots. Amour presque physique de l'image. Riche. Pleine. Charnelle. Le mot est avant tout un cri. C'est par un cri que nous nous manifestons au monde. *Expression!* C'est-à-dire besoin incontrôlable de faire entendre sa voix. Les mots sont faits pour scintiller de tout leur éclat. Il n'y a pas de limite concevable à leur agencement parce qu'il n'y a pas de limite à la couleur, à la lumière. Il n'y a pas de mesure à la mesure des mots. Il ne viendrait à personne l'idée de mettre un frein à la clarté nue de midi en été. Les mots. Silex et diamant. Votre rôle est de fouiller là-dedans à pleines mains au petit bonheur. Pourvu que ça rende le son qui est en vous au moment où vous écrivez. Vous rencontrerez toujours un de ces singes maniaques pour vous expliquer gravement que ce que vous prenez ordinairement pour des lustres de Venise ne sont que de vulgaires chandelles usagées. Devant ces démonstrations savantes empreintes de *mesure*, pétez-lui au nez d'un air jovial et bon enfant — qu'il comprenne que la leçon a porté !

En lisant, je m'enfouissais *sous* le texte, comme une taupe. J'ai aimé les écrivains. Tous les écrivains. D'un amour de béatitude. Respect. Admiration. Envie. Imagination. Et superstition aussi. Tout cela composait cette espèce de tendresse bizarre que je leur accordais spontanément.

J'essayais de rassembler le plus d'indices possible sur la vie de chacun. Merveilleuse, attendrissante époque pour moi sur ce plan où la foi absolue transposait tout et me tenait lieu d'intelligence et de sens critique. Je m'en souviens comme d'un âge d'éther où il faisait bon s'endormir en plein air sous les étoiles et se laisser conduire par la main vers cet ensorcellement imaginaire que je recréais à volonté. Je passais le plus clair de mon temps dans l'intimité des écrivains sans en connaître un seul. Fanatique et amoureux. Idolâtre. Subissant comme les autres toute la journée les engueulades des chefs d'ateliers ou du chef du personnel, supportant l'atmosphère du travail en usine auquel je n'ai jamais pu m'acclimater, meurtri dans mon amour-propre, ne pouvant répliquer sous peine d'être mal noté, tenu à l'œil et chargé des boulots les plus emmerdants de la boîte, il me suffisait pourtant de me souvenir tout à coup d'une description d'un bureau d'écrivain que j'avais lue quelque part, et instantanément la colère fondait. Je me mettais à battre des ailes au-dessus du parc zoologique, une caisse de boulons neufs sur les épaules ou la pompe de graissage dans la main droite. Par je ne sais quel processus de projection, je me sentais métamorphosé, n'ayant rien de commun avec toute cette misère, toute cette veulerie entretenue, morbide. Que j'y fusse provisoirement mêlé n'était plus alors selon moi qu'un accident fortuit. Je me coulais dans la peau de mon second personnage que je ne perdais jamais de vue : l'écrivain que j'aurais voulu être. (A noter que je ne me suis jamais autant pris pour un écrivain qu'à l'époque bienheureuse où je n'avais rien écrit.) Pas de la même trempe que ce tas de larbins foireux ! Telle était ma conclusion au sortir d'un accrochage sérieux avec l'un des chefs. Et surenchérissant dans mon langage, j'ajoutais mentalement : « Bande de sales pouilleux que vous êtes tous, vous ne vous doutez pas de quoi je suis capable. Attendez seulement que l'occasion me soit donnée de prouver ce que je vaux en réalité, et ce jour-là, chef ou pas, je vous ferai avaler mon foutre si ça me chante ! Il y a belle lurette que j'ai bifurqué sur la voie de garage presque sans m'en apercevoir moi-même. Mais je ne l'ai encore dit à personne. C'est pourquoi j'ai l'air de vous ressembler. Sur ce, bon voyage, et ne m'en veuillez pas de vous quitter si tôt, mais j'ai un rendez-vous de la plus haute importance à la septième borne astrale avec un nommé Schopenhauer le Misogyne, un nouveau pote à moi qui aurait tendance à se payer la gueule du monde avec ce grain d'humour impénétrable que j'apprécie tant. Bonsoir. »

Si je parle si longuement des livres, c'est qu'ils favorisèrent en moi une sorte de système d'autodéfense à l'égard de ma condition. Manœuvre d'usine, l'avenir ne me promettait rien qui vaille et j'avais peur. Une peur alarmante. Je pourrais d'un jour à l'autre me retrouver dans la même position, ou plus bas encore, sans subir à nouveau ce sentiment d'infériorité qui me hantait. La réalisation, la réussite, la fonction sociale et même l'argent n'ont plus de sens pour moi aujourd'hui — ou disons qu'ils en ont un tout différent. *Je danse sur un autre pied.*

La lecture contribuait à tempérer au fond de moi cette anxiété, dont j'ai longtemps souffert, de n'être qu'un raté. J'avais beau miser indéfiniment sur le lendemain ou l'année suivante, les jours se succédaient sans changement notable. Usine. Dégoût. Rancœur contre tout le monde et contre *le* monde. Manque d'argent. Envie de me payer moi aussi des costumes, des vacances, un appartement, une soirée au restaurant ou au théâtre. A plusieurs reprises dans ma vie, je me suis demandé si, oui ou non, j'allais finir dans la peau d'un mendigot ou d'un petit employé subalterne. Ce genre de confrontation avec soi-même est affreuse. C'est l'échéance. Lorsqu'on arrive ainsi au point mort de l'échec on est fatalement seul, et, qui plus est, sans argent. Je n'ai trouvé de soutien à ce moment-là que dans les livres de quelques rares auteurs qui avaient songé à ne pas broder sur le thème, à raconter simplement leurs propres déboires, leurs propres faillites, leurs expériences navrantes et solitaires à la portée de tout homme placé dans le même cas.

Les livres avaient sur moi un pouvoir hypnotique. Longtemps, mes rêves de la nuit ont été encombrés de librairies aux proportions fabuleuses où j'étais accueilli en ami bienvenu, où l'on mettait à ma disposition des bibliothèques cachées contenant des éditions introuvables.

Un rêve surtout m'a frappé parce qu'il concernait mon désir le plus ardent et qu'il s'est souvent représenté. Je suis brusquement dans l'arrière-boutique d'une de ces librairies où les livres font corps avec l'homme, vivent dans leur silence, se resserrent sur soi comme pour vous habiller, vous enlever au monde de la détresse. Chaque livre est le calice d'une cérémonie ancienne. Les reliures ont ici leur pleine signification : veiller à ce que le travail de l'esprit ne soit jamais contaminé. Le libraire est un vieil homme un peu voûté, moins grand que moi, les cheveux blancs, deux ou trois rides en biseau au milieu du visage. Nous

nous voyons pour la première fois, mais il est bien évident que nous nous connaissons depuis nombre d'années. Il me sourit. Il sait pourquoi je viens. Nous n'échangeons pas une parole. La boutique repose dans le calme, dans une lumière de toile hollandaise. Lumière d'ambre et d'or mat. Brune de miel. Nulle autre clarté ne conviendrait mieux. Le vieil homme se penche lentement près d'un grand meuble à tiroirs. Il en ouvre le dernier, celui du bas. Je sais et je ne sais pas ce qu'il contient. Je dois feindre la surprise pour plaire à ce vieillard qui m'est infiniment sympathique, à qui je porte depuis le début une amitié chaleureuse. Mais, par ailleurs, je suis trop ému, trop secoué pour me bien contrôler lorsque je vois se détacher, seul sur le fond du tiroir, un livre qui porte mon nom. Mon premier livre. Mon livre. *Le livre!* Édité. Pareil aux milliers d'autres que j'ai lus et enviés pendant des années. Le vieux, toujours courbé, relève un peu la tête sur le côté. Ses yeux me sourient. Il a l'air de me dire : « Hein! cette fois, ça y est! » Cela lui semble tout naturel. Je m'approche pour voir si le titre est bien celui que j'ai choisi, que j'aime, celui que je me suis répété tous les soirs en me couchant pour me donner confiance. Et le rêve s'interrompt. Coupure nette. Chaque fois. Sur la même image. Soit que je me réveille, soit que le noir se fasse comme si l'on tirait un rideau, soit que je passe à un autre rêve.

La journée du lendemain en restait comme éclairée. Je vivais dans le prolongement de ce climat. C'était une *bonne* journée.

Bien entendu, j'interprétais comme un signe favorable le fait d'avoir vu mon nom imprimé sur un volume. Jour d'allégresse. Ce qui m'arrivait rarement en ce temps-là.

J'en profitais pour dérouler en grand mes antennes

extra-lucides. Celles du sexe plaquant en quelque sorte l'accord final. Je faisais un détour par la prairie humide, du côté des fleurs sauvages. Choisissant régulièrement le moment où je mâchais à belles dents une grosse bouchée de pollen parfumé pour téléphoner au secrétariat de l'usine afin de m'excuser de mon absence motivée par un inexplicable malaise qui m'avait pris dans la nuit sans que rien l'eût laissé prévoir la veille au soir. De peu de gravité, je pense. L'affaire de vingt-quatre ou quarante-huit heures au pire. Transmettez à la Direction générale, oui, mademoiselle, textuellement, j'y tiens beaucoup. Ajoutez à l'intention personnelle de M. Igoliogobulus, notre Directeur-gérant, que, cette année, le pollen courant est de toute première qualité. Celui des boutons-d'or en particulier. Je dis bien : boutons-d'or — petites fleurs innocentes qui ornent symboliquement la braguette tant soit peu voyante de notre frère David, lequel est justement en train de se vautrer dans l'herbe à mes côtés, me faisant signe de vous présenter ses compliments d'usage. Trop occupé à mastiquer un bouquet de xylothropes lunaires pour prendre lui-même l'appareil, mais se sent tout disposé à vous attendre ce soir à la sortie de votre travail, disons six heures, six heures et demie. Paierait les frais de la soirée et se ferait un devoir de vous raccompagner en taxi sans vous peloter plus qu'il n'est convenable. Quant à moi, mademoiselle, je me sens déjà en voie d'amélioration. Serai sûrement sur pied dès ce soir à la nuit tombante. Disponible. Peux vous consacrer une nuit entière avec coups à répétitions, si vous voyez où je veux en venir. Vous ferai profiter d'une expérience patiemment acquise. La vie est splendide prise dans un certain sens. Et je ne vous cacherai pas plus longtemps que votre cul que je vois chaque matin par la baie vitrée du standard téléphonique à l'entrée de l'usine est pour moi un objet de curiosité insatiable qui me traverse l'esprit plusieurs fois par jour sans que j'y mette pourtant de complaisance spéciale, au contraire, n'ayant jamais encore eu l'occasion d'apercevoir votre physique, la Direction prévoyante se doutant du danger que représenteraient pour d'humbles ouvriers de ma sorte une dizaine de paires d'yeux et de nichons bandés, sans parler de l'épaisseur, de la forme ou de l'expression des lèvres. En vertu de quoi elle vous a installées, vous et les autres, le dos tourné à l'entrée, commettant tout de même une grave erreur, car, à mon sens, rien n'est moins anonyme qu'un cul de femme quand on a le temps de se familiariser avec, ce qui est le cas pour le vôtre depuis bientôt six mois que je le retrouve à sa place matin, midi et soir, si l'on compte pour rien les heures que j'ai passées à l'imaginer dans mes mains se promenant en cadence de droite à gauche sur le bout de mon gland, partie terminale du pénis, comme il est dit en anatomie. Un aveu entraînant l'autre, laissez-moi vous dire un mot de cette érection matinale imprévue qui se manifeste en ce moment même dans la cabine du téléphone public d'où j'appelle, rien qu'en vous évoquant, assise sur votre tabouret métallique, telle que je vous ai toujours vue, les fesses saillantes dans le tissu plaqué de la robe à fleurs qui se creuse légèrement en suivant la fente que je me plais à imaginer longue, charnue, étroite, un peu grasse et garnie de poils courts jusqu'au bourrelet de l'ouverture que je me propose d'écarter un jour ou l'autre avec toute la science requise. Dans l'attente, soyez assurée que cette image de vous restera vivace en ma mémoire et que je m'efforcerai par quelques lignes d'en communiquer à mes semblables le contenu émotif, car, si vous ne le saviez pas encore, je suis au bord de l'accouchement d'un monstre à visages multiples dont l'un d'eux aura très exactement la forme de ces fesses admirables, évasées sous les hanches, devenues avec le temps dans le fouillis des souvenirs comme la synthèse permanente de toutes les croupes féminines qui m'ont accroché l'œil au passage. Écrivain, voilà mon ambition. C'est l'origine du malaise qui me retiendra aujourd'hui, une fois de plus, loin de mes activités habituelles. Ayant rêvé livres, je ne me sens plus le cœur à gambader dans la cage d'un air guilleret avec les autres. Ce matin, alors que j'étirais le bras pour bloquer cette saloperie de réveil, il m'est brusquement venu à l'idée que je pourrais dormir deux heures de plus sans que ma vie en soit brisée, que je pourrais boire mon café au lit, choisir un bon livre, le déguster mot à mot et même prendre quelques notes dans l'éventualité où je serais tenté de commencer prochainement à écrire. Menus travaux que je remets toujours par manque de temps. Les idées perdues sont pourtant difficilement rattrapables. Passons encore pour les idées, à peu de chose près toujours les mêmes, mais les sensations ! Les sensations, hein ! Quoi de plus volatil ? Fumée et moins que fumée. Du vent, comme disait l'Ecclésiaste qui s'y connaissait. Il me faudrait à chaque instant un crayon et un papier, où que je sois, au graissage des motrices, dans le monte-charge, au sous-sol ou dans le poste de vérification. Ai-je une seule chance de convaincre quelqu'un de chez vous de cette évidence pourtant absolue ? Non, bien sûr. Donc, par déduction, il est non moins évident que je dois m'octroyer çà et là, de mon propre chef, des journées de détente si je veux qu'un jour la peinture soit brossée de ce capharnaüm étourdissant qui vous broie la cervelle en même temps que les oreilles. Le bruit, les machines et les odeurs n'étant qu'un amalgame de sensations momentanées, ainsi d'ailleurs que la rangée impressionnante des fesses du standard qui, abstraction faite des sensations, redeviendraient ce qu'elles sont — un banal incident de l'anthropogénie. Thème qui mériterait que nous l'approfondissions ensemble, vous et moi, un de ces soirs. *Je suis un esprit tellement curieux !* Je n'ai du reste plus une seconde à perdre. Saluez de ma part mes camarades de l'atelier Nord. Tous mes vœux les accompagnent. L'huile lubrifiante est dans la remise à gauche au fond du couloir. La trousse à outils accrochée par sa gaine extensible au huitième clou en partant du haut. Et naturellement, hier au soir, j'ai pendu ma dépouille de trépassé dans mon vestiaire, mais proprement, sur le cintre numéroté que la Direction nous alloue afin que nous en fassions le meilleur usage. Je n'ai gardé sur moi que mes organes reproducteurs. Je ne pense pas que l'on puisse y voir un trait de mauvais esprit de ma part. Auquel cas, vous me préviendriez des dispositions à prendre. Merci de votre sollicitude. Et allez vous faire foutre jusqu'à la moelle, vous, votre usine, vos disciplines consenties, votre pointage, votre chaîne roulante, vos équipes de relève, vos boulons crantés, votre tableau d'absence, vos records de production et vos salaires garantis. Je vous donne même, par anticipation, ma médaille de travailleur si toutefois vous trouvez encore preneur.

Je désertais. Traînant tard au lit. Grillant les cigarettes les unes derrière les autres. La fenêtre de ma chambre ouverte s'il y avait un ruisselet de soleil. Nu sur le lit. Bien. Conscient de tout mon corps. De son poids. De sa réalité heureuse. Le sang circule. Arrose. Draine. Le cœur tape. Régulier. La peau a chaud. C'est la vie bonne. Et Dieu par-dessus tout cela. Qui distribue tout cela. Cœur. Sang. Chaleur. Mille et mille fois merci ! Mille fois mille mercis ! A moi d'en profiter. La vie n'a pas, la vie n'a jamais eu un sens expiatoire. La manière de vivre, c'est d'entonner le credo à pleine voix, et tant pis si la voix est fausse à hurler, ce n'est vraiment pas ça qui est important.

J'écoutais en dilettante les bruits concassés de la rue, en bas, le piétinement auquel j'avais volontairement décidé de me soustraire pour un jour.

Plus d'habillement en hâte à la dernière seconde. Plus d'escaliers débaroulés quatre à quatre. Coup d'œil nerveux sur la pendule dans le hall moite de l'hôtel. Goût vaporeux, écœurant, des cafés au lait de la clientèle. Sur la banquette en peluche rouge de l'entrée, le chat castré, énorme, qui n'a pas fini de dormir, lui, moins con, ventre en l'air, sans roupettes, pauvre eunuque, à l'image même du monde. Le noir pisseux à la verse, au bistrot de l'angle, dans le verre à pied épais, un soupçon de rouge à lèvres sur le bord, la bouche peinte d'une femme qui a bu avant vous. Ses lèvres. Au même endroit que les vôtres. Contact. Sucette. Un patin dans l'abstrait. Quel âge pouvait-elle avoir ? Huit chances sur dix pour que ce soit une jeune vendeuse ou une sténo des bureaux environnants. Encore toutes fraîches. Fringantes. Bien tenues. Pas du tout répugnant de boire dans le verre. Pourquoi ? On en fait bien d'autres une fois au lit sans se connaître davantage. Parfum vague du rouge. Plutôt sucré. Même odeur que dans les cimetières de campagne. Ou près d'un mort de trois jours en pièce close. Léger. Léger. Une saveur d'âme. Cette femme qui vous a précédé. A passé sa nuit à quoi faire ? A dormir, peut-être, et c'est tout. N'arrivent pas à se faire cloquer toutes chaque nuit. S'allongent dans les draps, solitaires. Est-ce qu'elles y pensent longtemps avant de s'endormir ? Les doigts glissant le long des sexes, distraits. Pianotant un rêve irréalisable. Petite démence de nuit. Des milliers, des milliers, des milliers de ventres disponibles chaque nuit dans une ville. Ne refuseraient probablement pas la visite. Un bon membre d'homme. Des tas qui ne demanderaient en somme qu'à vous mordiller le bout en pompant ferme avec leur petite poire aspirante. Si l'on pouvait entrer un peu partout dans les chambres, à toute heure, en passant, sans anicroche. Dire : voilà c'est moi, j'étais dans le quartier, j'en ai profité pour monter. Tomber le pantalon et se les farcir incognito. Dévorer leurs petites moules poilues, lichettes de bas en haut, doucement, et mordre, chien-chien, comme un bonbon liqueur, pour le plaisir commun, sans histoire, sans excuse, sans parlote. Même pas voir leurs gueules démaquillées, ne même pas savoir si elles ont un regard, un sourire, un brin d'âme ou quoi ou qu'est-ce. Rien que leur trou carmin déplié dans un projecteur approprié. Et puis, baste ! Une fois le jus lâché, un bon somme, la pine encore raide contre leurs fesses. Terminus pour tout le monde. Ou s'en aller poliment sur la pointe des pieds pour ne pas les déranger de leur béatitude épanouie de femme parfaitement ramonée comme il est prouvé qu'elles en ont besoin de temps à autre. Manger un morceau en sortant. Menu froid. Retrouver des copains sur une banquette de brasserie. Sicelli, Martin, Wierne ou un autre, et discuter poésie ou problèmes occultes, détendu, juste le goût aigrelet du con sur la langue, et rincette de vin blanc sec pour faire passer le tout. Sec et limpide. Le rut dans l'anonymat. Mais rien à faire. Fariboles. Chimères. Songe-creux du temple vaginal.

La fantaisie en verve au réveil devant des empreintes de lèvres sur un verre de café bouillant. Croisillons menus de la peau comme une peinture de fou visionnaire à l'univers barricadé, impénétrable. Émouvant, toutefois. Oh, combien émouvant !

Quelle vie ce serait d'aller trouver une de ces femmes qui boivent au comptoir leur café du matin, pressées, finissant de se coiffer et de se maquiller dans la grande glace du fond, entre les bouteilles ! S'avancer vers elle. Montrer qu'on a de quoi. Le gros paquet. Qu'on s'en fout *vraiment*. Et que diriez-vous, *mademoiselle*, d'une randonnée de quelques semaines dans les pays enchanteurs que vous ne connaîtrez jamais ? La mer, matin et soir. Corps au soleil. La sieste et l'amour tant qu'on veut. En plein après-midi, à l'heure où le patron vous réclame habituellement pour dicter le courrier. L'effet que cela produirait dans le bistrot. Si elles seraient nombreuses à se laisser embarquer facilement. En emmener une. Correct jusqu'au bout. Lui faire attendre le moment qu'elle aurait accepté implicitement. Rien pour rien. Se dire, en la regardant se déshabiller la première fois, que ce n'est qu'un échange. Le troc. Que nous le savons l'un et l'autre. Que nous sommes là pour ça. Le juste prix de ce que chacun peut donner. Pouvoir se permettre cela une fois dans sa putain de vie. Changer de peau. Peut-être aussi de nom, par la même occasion. Laissez-moi me présenter : je m'appelle Wilfrid Murdock Espérandieu. Que dites-vous de cela ?

Plus de déjeuner vite avalé entre midi et une heure, au restaurant proche du travail, frites recuites, molles, par paquets dans le chaudron de graisse bleue luisante, les tables bourrées les unes contre les autres, cohue, la nappe papier imbibée de gras, taches de vin mauves, l'angle déchiré pour la note, la bonniche en sueur, les pieds plats, cheveux volages et mousse de pellicules sur le col noir, la commande hurlée à travers la salle comble, enfumée, guichet au fond, les piles d'assiettes des autres qui attendent la plonge dans l'eau huileuse des bacs de cuisine. Tableau familier d'une grande fatigue, d'une grande usure insurmontable. Et le terrible instinct de nutrition qui domine tout. Manger. Ingestion. Carnage incessant. La nature se digère elle-même pour se reproduire. Des tonnes de cadavres froids dépecés dans le jus, sur les tables. Transfert des forces. Vaste orifice buccal en mouvement perpétuel. Dents, panses, boyaux et trous du chose. Un cycle. Salières, le poivre en grains, pain et moutarde passés de main en main par-dessus la tablée. Coude à coude du repas communautaire. Deux cents mâchoires cariées broyant le steak à nervures blanches, suçant la purée, l'épinard, les choux farcis des restes de la veille, les hors-d'œuvre variés, des rondelles de n'importe quoi trempées dans la sauce vinaigrette. Un vieux qui salive aux commissures, caissier depuis soixante et onze ans dans la même banque. A vu passer des millions, des milliards. A un sou près. Choisit tous les jours sur la carte les pommes vapeur et un fromage *avec une noisette de beurre*. Brouhaha général. Rumeur des conversations. Qu'ont-ils donc encore à se dire ? Il n'est cependant rien arrivé dans leurs vies depuis ce matin, depuis hier. Depuis l'âge grec. Se connaissent tous à fond. Habitués. Ont leur serviette en rond dans le casier. Leur litre de vin étiqueté. Leur place retenue. Comme au cimetière. Font des échanges gracieux d'assiette à assiette. Commentent la nourriture de la semaine. Perdent leurs cheveux, un peu chaque jour. Se voûtent. Ils engraissent. Glissent en douceur vers la mort. Toujours en mastiquant la même interminable bouchée, viande et légumes, pour laquelle ils se battent héroïquement contre eux-mêmes. Crèvent un jour, la bouche pleine. N'avaient pas pris le temps d'avaler. Leurs gueules congestionnées de chaleur. Tous tassés. Bousculés. Dociles. Soucieux. Vantards. Bien mis. Le costume de lainage mince un peu usé, frotté aux manches, aux revers, miroitant. La chemise qui fera encore pour aujourd'hui, soulignée au col, aux poignets. Décents néanmoins. Entretenus à la brosse, au détachant, à l'antimite pour que ça dure le maximum. La serviette passée dans l'encolure, dépliée en triangle sur la poitrine. Les pieds qui puent au ras du sol, mais c'est l'usage. La sueur fait partie du bonhomme. Entre les fesses aussi. Et sous les bras. Le jeune couple qui se pelote, furtif, cuisse contre cuisse sous la tombée de la nappe, bandant tous les deux, là sur leurs chaises, sagement, encadrés de toutes parts. Sourient de ça. Entre eux. Connivence. Se sont à peine vus ce matin en partant. Ne se reverront que ce soir, tard. Elle dandine. Frotte sur le siège. Discret. Imperceptible. Laisserait volontiers tout tomber, nouilles au blanc et dessert, pour aller en tirer un en vitesse, debout ou à quatre pattes s'il le fallait, pourvu que l'envie passe. Jette autour d'elle des regards, les yeux vides, cette seule pensée en tête. Et le client d'en face, corpulent, qui lorgne les nichons de la fille, l'air de rien, sérieux, la fourchette dans la bouche. Font des discours. Ils improvisent. Parlent d'eux-mêmes et choisissent leur langage quand une femme baisable vient s'asseoir à leur table. N'ont tous que le cul pour point de mire en définitive. Quelques femmes, engageantes, qui ergotent, pas timorées, à égalité avec les mâles dans la discussion sur le sujet d'élite : le sexe. Le sexe et ses contours obscurs qu'on aborde quand même prudemment, en allusions, en savoir-faire, tout en gloussant pas mal, sans oser trop aller plus loin. Elles donnent leur avis, ouvertement. Se prononcent pour le plaisir pur et simple. Le coït nature. Une queue est une queue et rien n'est meilleur que de l'avoir où il faut. Pourquoi se priver ? Elles ont franchi la pudeur de leur sexe aux approches de la quarantaine. Voyant venir la ménopause, la cellulite, le poids des chairs, qu'on ne bandait plus autant sur leur passage. Elles ont remisé leurs sentiments toujours si prompts à s'enflammer. Frémissent du cœur, mais en sourdine. Veulent se raccrocher à l'ultime chance : la queue toute seule. Plus d'accessoires. Pouvoir jouir avec un homme dedans. Dernier moyen de se faire ferrer jusqu'aux extrêmes limites de l'âge. Qu'en pensez-vous ? Moi, rien personnellement. Je mâchonne un morceau de foie de veau persillade, ou n'est-ce peut-être que le cordon ombilical d'une guenon qu'on a passé à la sauteuse. Je suis incurablement seul dans ce chaos miniature. De l'autre côté du mur invisible qui m'empêche d'aller vers eux. Par distraction je pique un ravioli saignant dans l'assiette de ma voisine, l'esprit ailleurs. Nos couverts se touchent, c'est la raison. Elle s'évertue aussitôt à me persuader qu'elle ne m'en veut pas du tout de cette bévue. Sans doute suis-je un original, elle l'avait remarqué. A ma façon, oui. Produit naturel d'une jument et d'un paratonnerre, si le registre de l'état civil est exact. Ne vous en faites pas pour moi. Mon étoile brille dans le caniveau d'en face. Je n'ai qu'à aller la ramasser. Prétexte à bavardage. Sous-entendu de sa part dès le début qu'il n'est pas impossible que nous finissions cet entretien dans les cuisses l'un de l'autre. Tous les originaux qu'elle a connus dans sa vie. A peine adolescente déjà. Pense qu'elle a un fluide qui les attire. Les aimait surtout pour leur tempérament artiste et l'aide spirituelle qu'elle leur apportait. Une sorte de mère incestueuse, ajoute-t-elle, riant sous cape, gorge chaude. Leur dispensait à tous son réconfort. Sa présence stimulante. *Et ma bite, madame, vous stimulerait-elle ?* A besoin de se consacrer aux autres. Exclusivement. De les révéler à eux-mêmes dans certains cas. Connaît par expérience les chicanes de la vie. Sait demeurer à sa place dans les coulisses du génie. Ne surgir qu'au moment opportun. Adore les arts. La musique plus spécialement. Bach. Mozart. Cimarosa. Incontestablement douée pour le piano. *Et pour la masturbation, chère madame ?* A malheureusement dû abandonner ses études. La vie est ce qu'elle est. Se meurt également pour un Rubens, un Corot, pour un détail de fresque ancienne. Souffre horriblement de l'épaisseur de ses contemporains. Nature excessive s'il en est. Vibre d'un rien. S'étonne elle-même de sa fragilité. Cherche maintenant, à l'instar de ses sœurs, l'homme adéquat qui maçonnerait le nid d'amour, rideaux de cretonne et panoplie soporifique de la forteresse conjugale. Saurait créer un climat tempéré favorable au développement de sa pensée. Une existence montée sur pantoufles fourrées. Sa voix savonneuse clapote à mon oreille dans le remous confus. Manivelle. Moulin sourd. Inflexions par instants rocailleuses, que je connais bien. Ne vous donnez pas la peine. Tout cela coule des ovaires. A la verticale. Comme si vous me parliez avec votre con en porte-voix. C'est tout ce que je retiendrai de notre conversation. Elle se penche, s'approche, frôleuse. Je donnerais cher pour qu'elle le pose tout cru sur le bord de son assiette, voir dans quel état il se trouve et au besoin prendre sa température. Maigrelette dans le tailleur à basques, démodé, gris perle. Je l'observe en gros. Le bijou de famille vieil or piqué au revers. Les seins déprimés, aplanis. Le squelette tout de suite. Type de l'hystérique vagissante dès qu'elles ont réussi à vous le saisir. S'en servent ensuite comme si elles l'avaient annexé. Sèches et dures. Excellent coup de reins Regroupées autour de leur sexe comme point central de transmission. Marchent sur les nerfs avec décharges pyrotechniques à haute fréquence. On doit, à mon avis, pouvoir passer deux mains dans l'intervalle des cuisses et au moins autant dans son machin en forçant un peu. Elles l'ont généralement disproportionné par rapport à leur taille. Tout indiqué pour un jour de fringale, mais voyez comme tournent les événements, je ne me sens pas momentanément dans les dispositions voulues. *Puis-je vous offrir quelque chose, jeune homme?* En bonne part. Comment donc! Ça fait une éternité que je n'ai pas bu de cognac. Jamais assez sur moi pour me permettre cette dépense supplémentaire. Dans un grand verre ballon, et du meilleur. Ça poussera les œufs en sauce blanche annoncés sur la carte comme tétons de chamelle garantis d'origine. Si vous pouviez me passer les cigares, ce serait parfait. Merci. *Parlez-moi encore un peu de vous.* Votre voix me rappelle de si doux souvenirs qu'elle entretient un léger frémissement localisé en dessous des couilles dans le prolongement du tube. Exactement ce qu'il faut pendant la dégustation d'un alcool fort. Pour un peu, je me sentirais capable de passer une revue de détail de toutes les chattes qui me sont tombées entre les mains depuis que je m'y intéresse. La première me causa une telle surprise que je me contentai de l'admirer, regrettant de n'avoir point apporté une loupe ou une paire de jumelles pour l'examiner de plus près. Croyez-le ou non, j'étais si ébahi qu'il ne me vint pas à l'esprit d'y mettre seulement le petit doigt. Bien que ce fût un con très ordinaire, il me fit une si forte impression qu'après des années je le revois comme si c'était hier, tapi dans sa niche, presque timide, rose comme un bifteck. Troublant, non ? Elle en profite à présent qu'elle est arrivée à m'accrocher, depuis le temps qu'elle poussait des tentatives, chaque jour, quand j'entrais dans le restaurant. La salle se vide par écoulements. Hormis le cliquetis des couverts qu'on s'empresse d'enlever des tables, c'est presque le silence. Ambiance idéale pour une digestion lente. Et le ronron de la connasse à côté de moi qui s'imagine que je vais la prendre par le bras et la conduire à l'hôtel, encore qu'elle soit plutôt du genre à ramener le type chez elle, à lui faire visiter son appartement, soupeser ses bibelots, et lui jouer une polonaise avant de passer à l'essentiel. *Aimez-vous la tragique détresse de Chopin ?* — un doigt dans le cul jusqu'à la deuxième phalange. Gazouillez et bandez tout à votre aise, chère douce amie, le cognac aidant, je viens de décider que je n'irais pas au travail cet après-midi. Ils ont l'habitude. Un feu de jeunes sarments s'allume en moi sous la quatrième côte à gauche du thorax. Je ne suis déjà plus qu'un brasier ardent. Le vieux baril de poudre qui s'y trouve entreposé depuis la guerre des Boers ne va pas tarder à exploser sous l'effet de la chaleur. J'aurai alors, le temps d'un éclair, la nette vision panoramique du monde et de tout ce qu'il contient, les clefs de boîtes à sardines aussi bien que votre sexe pétulant qui ne manquera pas d'être au rendez-vous. Tous ustensiles que je dois absolument faire entrer dans le livre que je veux écrire. Je dois donc me retirer au plus vite dans la solitude de ma chambre afin de ne rien perdre de cet instant de grâce qui m'est envoyé périodiquement. Lors de ces crises, je deviens incantatoire, prophétique, incendiaire, anormal, éthéré, hydropique, avorton, ivrogne, saltimbanque, divin, je pète à l'arôme demandé, retourne mon épiderme comme un gant, la phraséologie pisse à gros bouillons de ma veine cave perforée que j'ai clouée dans l'encrier au bout de la plume, pisse à gros bouillons un jus noir, noir-sang, noir-atroce, où s'ébattent sans fin des crapauds pustulents à têtes de torturés cyniques, des clous plein les gencives, le crachat sur la Face, tatoués du triangle de la Trinité, de l'Œil et de l'Étoile, dévidant par leurs bouches moussues de salive le bobineau du fil à plomb. Dans la vase du fond, je me retrouve parfois moi-même brisé en morceaux, étendu sans vie dans toutes les régions de mon désespoir, tenant entre mes mains crispées le poids de mes anciennes paroles flétries, et autour de mes cadavres éparpillés les femmes que j'ai abandonnées dansent une gigue de douleur, jupes relevées sur leurs cuisses, le ventre ballonné, sexe lourd entre leurs jambes, comme une grappe d'œufs pendant sur leurs chevilles enflées d'eau. Elles ont, au préalable, écrasé mes visages à coups de pavés. Un rire déchiqueté reste au bord de mes lèvres. Je repose contre terre, inerte, sur le goudron mouillé de sang. Le mensonge germe dans chacune de mes narines. Un rameau de ciguë qui porte en guise de fleurs les corps tués de mes fœtus dont je n'ai pas voulu. Mes entrailles sorties baignent dans un sirop lacrymal. J'ai pleuré par les yeux des autres tout le mal que j'ai fait et tout se retrouve pour m'accabler dans cette rue déserte de mes morts innombrables. Voyez le travail de sape que la putréfaction a déjà accompli sur moi. Si je ne ferme jamais les paupières, c'est qu'elles sont trouées de coups d'épingles. Mes yeux peuvent rouler sur la table d'un instant à l'autre. Voulez-vous voir l'intérieur de ma boîte crânienne ? La dernière fois que je l'ai ouverte devant témoins, c'était pour dénicher un couple de chauves-souris qui y forniquaient jour et nuit depuis des années. Raffut abominable que la morphine elle-même était impuissante à calmer. Il y a toujours quelques chenilles ou quelques vers blancs qui s'en échappent au cours de la nuit pendant mon sommeil. Je les retrouve à demi écrasés sur l'oreiller en me réveillant. La peste est en moi. Et comme Dieu y est aussi, cela provoque un ravage continuel. Mais peut-être est-Il Lui-même contaminé ? Je ne sais. Je suis plein de villes démolies, éventrées, plein de bouches tordues par l'anxiété et la peur de l'homme, plein de visages et de corps abîmés par le travail et la famine. La seule musique que je puisse produire a le son des prières et des suppliques d'angoisse. Je ne me sers que du tocsin des morts, mon instrument préféré. Tout être qui m'approche repart en me laissant la meilleure moitié de lui-même. C'est une bien grande épreuve que de vouloir écrire, chère madame. Croyez-moi : ne vous en mêlez jamais, par pitié.

Sorti de ma crise, je vous promets de vous faire signe à la première occasion, car vous aurez du mal à me reconnaître. Je suis chaque fois un homme entièrement nouveau. Il m'arrive même d'être amnésique ou de changer de tête, d'habitudes, de goûts, d'amis, de maîtresses, de souvenirs. Comportement déroutant qui déçoit beaucoup en général les personnes qui me sont fidèlement attachées. *Mais y en a-t-il encore ?* En tout cas, nous tâcherons de reprendre la conversation où nous l'avons laissée, je veux dire dans ma braguette à hauteur du troisième bouton environ. Je rechercherai dans ma mémoire la date et le lieu de ce tête-à-tête qui s'est déroulé il y a un siècle ou plus quand je n'étais qu'un modeste petit ouvrier d'usine qui osait se permettre de décrocher un beau matin, libre et joyeux, sur une simple sensation aussi irréelle que celle d'un rêve où il était question de livres, d'atmosphère impalpable et autres subtilités d'un système nerveux déréglé incompatible avec la situation d'un homme qui a son pain à gagner.

Impossible de faire de tels rêves qui ne correspondraient à rien, voici ce que j'en déduisais. Et ces espèces de vertiges qui te saisissent sans que tu t'y attendes, ne sont-ils pas significatifs, eux aussi ? Tu es dans la rue et soudain quelqu'un qui n'est pas toi vient de briser la glace du poste d'appel. La sonnerie hurle. Résonne sur la ville entière. C'est la nuit profonde. Vide. La foule t'écrase, te bouscule, mais elle n'est plus composée que de fantômes en vestons croisés et robes de printemps. Ils sont morts. Tous. A la même seconde. Terrassés par un mal étrange qui n'a pas encore de nom. Par le mal qui est le tien et celui de ta race éprouvée. Ils continuent leur promenade du soir dans la fraîcheur bienfaisante, bras dessus bras dessous, sans comprendre que c'en est fini pour eux. Ils entrent dans les cinémas, dans les boîtes, dans les cafés, ils prennent des taxis, des ascenseurs, se grattent les fesses sans y penser, se curent les dents, jacassent, vont pisser aux W.-C. du sous-sol, jettent dix francs dans la soucoupe en sortant, commandent des glaces, des omelettes pour six personnes, des grillades, des assiettes de caviar frais, signent des chèques, distribuent des pourboires, visent les cuisses de la femme assise en face d'eux, ils pensent à leur travail du lendemain, à leur maîtresse qui va avorter dans la semaine, ils prennent le dernier demi de bière avant de rentrer chez eux, deuxième ou troisième étage du tombeau de famille, mais ils sont morts. Déjà froids. Leurs âmes sont accrochées au fer forgé des balcons de la rue. Farandole incolore. Comme il fait glacial et sombre! Ils t'ont laissé seul dans la nuit profonde. Vide. Au mégaphone une centaine de voix ivres murmurent, dégorgent, transmettent des ordres diaboliques dans un code asexué qui est le tien depuis ta plus tendre enfance. Voix liturgiques. Au pied de la statue de l'Immaculée qui entend les prières. Comment discerner ce qui se dit dans ce tohu-bohu de maladresses? Est-ce moi ou mon frère jumeau qui se tient bras en croix sur la colline? Il faudrait une machine à écrire ultra-rapide et vingt mille feuilles de papier pour enregistrer sur le moment même l'hémorragie des images. Si la foule se réveille, tout est perdu. D'ici à demain ce langage incohérent ne sera plus que lettre morte. Il faudrait ramasser tout de suite le petit cadavre frais de l'enfant écrasé par l'autobus rouge et disséminer adroitement dans le texte quelques morceaux de sa cervelle répandue avec la poussière de la rue. D'ici à demain, on aura lavé l'asphalte et il n'y paraîtra plus. Ne jetez pas les fœtus, ni les bouts d'ulcères. Ça peut servir. On laisse déjà se perdre trop de choses importantes sans le vouloir quand on a le projet d'écrire.

Projet que je retardais par peur. Entamer un livre m'impressionnait. Il me semblait que si j'avais pu démarrer, le reste serait venu tout seul.

Se décider. Écrire et laisser tomber tout autre travail. Envoie-les tous au bordel, l'usine, la direction, le patron de l'hôtel avec ses notes mensuelles, son règlement de police, ses regards suspicieux après minuit, les femmes de chambre, ces harpies, qui scrutent les taches sur le mur dégueulasse pour savoir si oui ou non on a eu l'audace de faire de la cuisine dans la piaule, l'épicier, le buraliste, le bistroquet et ce salaud de crémier à gueule bouffie de graisse, qui lève un doigt au-dessus de sa tête, sentencieux, insolent, et désigne la pancarte au mur quand on lui demande d'attendre un peu pour une note de rien du tout. Un jour de crédit, un client parti, quelque chose de cette veine qu'il s'est donné la peine de peindre en couleur, le con, à la veillée probablement, sur la toile cirée de la table de cuisine, entre sa femme et ses gosses qui s'emmerdent. Envoie-les tous aux gogues ! Pour ce que ça changera ! Tu te débrouilleras toujours ensuite pour bouffer à peu près régulièrement à droite ou à gauche. C'est bien le diable si tu n'arrives pas à tenir le coup, à taper les gens de quelques billets par semaine.

Je battais mentalement le rappel des relations, des connaissances. Supputant ce que chacun serait en mesure de me donner, de me prêter, avec quelle facilité et combien de fois de suite. Je devais me rendre à l'évidence : les types sur lesquels j'aurais pu compter, une poignée en tout, se trouvaient à peu de chose près dans le même dénuement que moi. A tirer le diable par la queue vingt jours sur trente. Des dettes partout. Jamais sûrs de manger le lendemain. Pour les autres, la majorité, j'imaginais déjà leurs grimaces constipées, le petit recul qui les ferait sursauter quand le moment serait venu de leur lâcher le morceau. Cette désapprobation dans leurs yeux. Ça aurait pu marcher une fois en passant, en leur servant une histoire de quittance en attente à régler d'urgence, une note infime que j'avais totalement oubliée dans mes papiers. Idiot d'être embêté pour une somme aussi ridicule, n'est-ce pas ? Je vous rembourserai en fin de semaine. Mine de ne pas y attacher d'importance. Ou alors en leur glissant à l'oreille sur le ton de la confidence, d'un air entendu, *entre hommes, quoi !* n'importe quelle invention au sujet d'une femme jusque-là inabordable qui avait soudain consenti à passer la soirée avec moi, le mari étant en voyage pour quarante-huit heures. Chance inespérée de le lui foutre, à cette bon Dieu de femelle, de voir enfin comment elle se servait de ce bijou dont elle faisait si grand cas, la garce, depuis le temps qu'elle louvoyait ! Franchement, vous savez ce que c'est, ça me ferait mal de manquer le coche uniquement pour une mesquine question d'argent ; si vous pouviez me dépanner, je vous revaudrai ça. Je vous tiendrai au courant dès demain, mais surtout pas un mot autour de vous : *c'est une femme mariée que nous connaissons !* Ce genre d'histoire rendait assez bien dans l'ensemble. Mieux que si j'avais invoqué les pires catastrophes.

Sorti de là, il ne restait plus que le coup de filet hasardeux sur des types que je connaissais à peine. Roger, le garçon de café, en bas de mon hôtel. A condition de lui parler femmes, à lui aussi. De lui détailler l'objet dans tous ses méandres intimes sans hésiter sur les termes et les précisions complémentaires. Ce qui le captivait dans le tableau, c'étaient les lointains. La perspective. Les nuances. Pour lui, une femme commençait à prendre consistance au moment où elle vous suppliait de lui faire n'importe quoi, pourvu que ça cogne de bons coups au fond du ventre, que ça la fasse gueuler, hurlant à la mort, lui coupe le souffle, les jambes en l'air, le truc lippu, le clitoris gros comme une noisette. Entre deux plateaux à servir dans la salle, il revenait écouter la suite, le bout de la langue sortie sur sa lèvre inférieure, son pauvre crâne tout chauve incliné au-dessus de moi, le torchon maculé sur l'épaule, approuvant de la tête, en connaisseur, les plus invraisemblables trouvailles qui me venaient au fur et à mesure que je tissais les fils de mon histoire généralement imaginaire de bout en bout. Je ne sais pourquoi, son allure de bon travailleur me mettait en verve. Je partais à fond, rocambolesque, débitant à voix basse trente bonnes minutes de saloperies, m'amusant comme un petit fou, pris à mon propre jeu. A la fin, il se redressait, se mouchait, jetait un regard terne, un regard las sur les consommateurs.

— Je me demande où vous les ramassez, sacré bonsoir ! Les femmes sont drôlement salopes, hein ? Il faudrait quand même bien que vous veniez me prendre ici un de ces soirs après mon boulot. On pourrait sortir ensemble...

Il était mûr pour se laisser taper d'une somme modique et prendre à son compte ma consommation, le sandwich et le paquet de cigarettes. Pendant qu'il sortait son portefeuille de la poche arrière de son pantalon, un vieux portefeuille noir, coupé, racorni, il avait chaque fois un mot d'explication en ce qui concernait sa femme, comme pour se rendre justice à l'avance.

— C'est pas la mauvaise femme, notez bien. Elle est sérieuse, économe. Elle est pas emmerdante pour un sou. On s'entend bien, ça va. Mais moi, j'ai besoin de tirer mon coup tous les jours, c'est la nature. Et elle, ça ne lui dit rien. En rentrant chez moi, je me demande ce qu'elle aura encore trouvé pour ne pas y passer. Un jour, c'est la fatigue, un autre jour, elle a mal au ventre ou elle a sommeil ou alors il faut qu'elle fasse un brin de lessive avant de se coucher. Après ça, c'est les règles et tout le bataclan. Ou bien elle dit que je lui fais mal. La vérité, c'est que ça ne lui dit rien. Elle jouit pas ! Qu'est-ce que vous voulez que j'y fasse ! Elle jouit pas ! Merde, c'est pas marrant ! J'aurais bien tort de me priver si l'occasion se présente. *Mille, ça peut aller?* Vous me rembourserez quand vous pourrez, vous en faites pas pour ça, mais venez donc me prendre un de ces soirs, ça me ferait plaisir...

2

Étrange. Étrange tout ceci lorsque j'y repensais point par point, clarifiant les souvenirs lointains ou récents, dans le calme de ma chambre d'hôtel le jour où je n'étais pas allé à mon travail parce que ça ne me disait rien, cherchant comment assurer mes arrières pour le cas où je cesserais complètement de travailler à l'usine, consacrant mon temps à ce livre qui ne prenait toujours pas forme, auquel je n'osais pas m'attaquer de front.

Te mettre devant le papier. Résolument. Ne pas dételer, même si l'on venait t'annoncer que Jésus réincarné visite les taudis du quartier ou prend un bain à l'étage au-dessous devant le personnel réuni. Combine bien à l'avance ce que tu veux dire et vas-y à fond, jusqu'à ce que ça s'arrête de couler. D'ici là, tu auras le temps de te faire une opinion.

Je relisais les quelques pages déjà écrites. Pas mal. Pas mal. Pourquoi pas ? Musclé en tout cas. Plein de vie. De l'instantané. Aussi bon sinon davantage que les tarabiscotages des petits scribes de service qui enfilent des brochettes sur les troubles psychologiques d'une ménopause dans les salons. Qu'est-ce qui ne va pas encore à ton avis ? Suffirait de s'élancer du bon pied sur la grand-route et d'en faire trois cents pages du même jet. Rien qu'avec la tripotée de tarés, de louftingues, de mégalomanes que tu fréquentes ordinairement, rien qu'avec leurs satanées histoires de famille, d'héritages, de femmes prises, laissées et reprises, les maladies, les césariennes, les divorces, l'espoir dans l'eau et les situations en attente, voilà, me semble-t-il, trois cents pages bien tassées et honni soit qui mal y pense.

Et ta propre histoire? Et l'histoire de ton histoire? Y songez-vous, jeune matelot? Essaie un peu pour voir. En jouant par exemple sur une seule corde à la fois. *Allegretto.* Tes amis, Martin le toubib, Sicelli, Brandès, Sani, Wierne et toute la troupe.

Cela mis à part, cher maître, quoi de nouveau sur la calotte d'Orion et alentour? Des bricoles... La vie courante, comme on dit si bien. J'en étais à peu près toujours au même point avec mes projets et moi-même. Ce qu'il est convenu d'appeler le point mort, pour aussi vivant que je fusse.

Il s'était simplement passé qu'entre le moment d'enthousiasme où j'avais pensé entamer sans trop de difficultés la rédaction d'un chapitre de mon livre — premier chapitre pour être tout à fait franc — et celui où je devais une fois de plus me rendre à l'évidence, désespérant de pouvoir jamais écrire une seule page qui se tienne, pas mal de temps avait coulé. En général plusieurs mois. Trois. Six. Ou davantage encore. Rapidité déconcertante du temps inemployé. Il semble que la fatalité s'acharne à vous tenir dans l'inaction. Impuissance à se mettre au travail. Tous les prétextes sont bons pour repousser d'une heure encore la rencontre avec sa solitude.

En mesurant parfois l'espace entre mes échecs répétés, j'avais l'impression d'avoir tout de même mis ce temps à profit, car il est vrai que je ne perdais jamais de vue l'idée de remplir un jour un nombre imposant de pages avec la somme de ce que j'avais pu penser, voir, ressentir, ne fût-ce qu'à l'échelon du trajet journalier en métro jusqu'au lieu de mon travail. Descente dans le gouffre. Inoffensif en apparence. Il n'en est rien, mais vous ne le saurez que plus tard. La musique que vous entendez en fond sonore est due au chef de train lui-même qui joue la *Carmagnole* sur sa petite sirène à air comprimé. Une vieille mélodie révolutionnaire démodée, mais qui chante au cœur, c'est pour ça... La rame s'approche. Fourgon des morts civils. Buée fade. Lavasse. Haleine incolore et désinfectants. Vase jaune des lumières métropolitaines. Retour au troupeau. Ça pue. Ça pue l'homme. La ferraille moderne bringuebale sur ses rails électrisés. Panique du rat civilisé. L'enfer est à l'étage au-dessous. Á moins d'un mètre. A quelques marches. L'enfer à chaque carrefour. Dans chaque ruelle. Sous tous les porches. A domicile. Sous le paillasson. La vie qui perd ses étamines comme une vieille folle hystérique et chauve. Vous verrez la vie crucifiée par les couilles. Vous verrez Dieu servir d'épouvantail. Marie la Sainte être enculée par le bizness. Jésus l'Enfant à faire les tasses. La Trinité de pissotière. Vous verrez ça. Vous aurez vu. Ce sera bien tard pour rouspéter.

Or donc, moi, fils de la race déclinante, je descends tous les jours parmi vous pour écrire le Nouvel Évangile sur la glaire et le sang caillé qui obstruent mon aorte. Je circule en veston sous le cul des villes. Dans le gros boyau. Ténia d'un mètre soixante-seize, quatre-vingts kilos tout habillé, chaude-pisse, couronnes aux molaires, rhume en hiver et tout le saint-frusquin. Je grignote la rondelle de l'anus en feu pour calmer ma faim. La ville constipée chie avec peine des névroses aiguës, des attaques cardiaques, des âmes de calvaire. Mes yeux sont injectés du foutre de tout ce qui se fout de par le monde. Je récite à mi-voix la fable des cons impubères. Qui suis-je, sinon le prophète de la mauvaise prière? Mais tranquillisez-vous, bonnes gens, on m'a coupé les cordes vocales. Je traduirai tout ce qui précède par un exquis sourire et un pied de nez à la lune si on m'en laisse le temps. Et si c'est encore trop demander, je resterai muet comme la carpe. Jurant que je n'ai rien vu. Rien prévu. Rien senti. Je suis si lâche. Je pactise à volonté. Au fond, rien ne vaut qu'on élève la voix, excepté Dieu. Et à la réflexion, en voilà un qui se défend fort bien tout seul. Qu'on m'autorise seulement à ma promenade éjaculatoire qui commence chaque jour dans le métro par la foule abrutie du matin. Visages connus à force d'être rencontrés. Regards mornes. Poches sous les yeux. Odeur légèrement rance nuancée d'une pointe subtile de ce parfum onctueux de la poudre de riz à bon marché. Corps entassés dans les wagons. Avec un peu de chance, une douce érection entretenue jusqu'au bout du parcours au contact d'une femme en bonne position devant soi. Nouvelles du jour. En vrac. Guerres. Séismes. Viols. Attentats fanatiques. Tempêtes. Incendies. Canicules. Meurtres et suicides en chapelets. Que tout saute, bon Dieu, que tout saute de la cave au grenier, cul par-dessus tête, et on n'en parlera plus! Élections du secrétaire et du vice-président. Les quelques héros coutumiers qui ne sont toujours pas revenus. Krach surprise sur les cotons bruts. Riposte en Bourse. Hausse générale. Panique. Famine. Publicité. Photo grand format de la plus belle paire de cuisses du monde gainées dans des bas de filet noirs. Et le vertigineux sourire en forme de large con humide de la lauréate. Qui n'a jamais rêvé d'une pareille bouche, dites-moi ? Dégoulinante de sensualité idiote. Et quelles gueules ont-ils donc les types qui se fourrent ça chaque soir dans leur lit ? Comment faut-il être ? Muscles d'acier ou pine de velours ou bardé de billets de banque, ou quoi ? Qu'arriverait-il, dites-moi, si elle surgissait pour de bon de son journal, bien vivante, fesses et nichons, telle quelle, les reins creusés, pour tomber là, parmi nous, dans le wagon, entre deux stations, et nous présenter gracieusement avec un geste de pure jeune fille son petit sexe moulé dans la coquille du slip, nous priant tous instamment d'en disposer à notre convenance ? Ne serait-ce pas subitement comme la fin de quelque chose, comme une révolution dans les consciences ?

Le ton est donné pour la journée. Ce sera encore foutre et histoire de foutre.

Marmelade sexuelle d'un bout à l'autre. Chaque femme passée au crible en un coup d'œil. Ce qu'elle pourrait donner, tenue, basculée dans son plaisir, le râle à la gorge, folle, bouche ouverte, cette extase de la peau, proximité du crime, les approches du sang, corps révulsé, sexe crémeux, ventre au sabbat, incandescent, violet, se gonflant comme un sac pour cracher, hoquetant, les jets tièdes de sa jouissance. Ce qu'elles pourraient donner, toutes, renversées, abattues là, à même le sol, piégées comme des bêtes au supplice. Offrande du sacrifice de chair sur un autel de terre battue piétinée par les hommes. Ce que peuvent être ces femmes inapprochables qui glissent sous nos yeux, une fois cramponnées, enfoncées sur un sexe rigide, solidement empalées, n'ayant plus pour seul but que de livrer en un instant la densité de plaisir qui les envenime. D'où nous vient cette irrépressible tentation de lever le voile de nos ténèbres comme on lève la jupe d'une fille pour *voir et savoir*... Et peut-être n'y a-t-il rien en dessous que cette fente stupide, mollement refermée sur un inextricable tunnel de succions veloutées, de caresses moites, filandreuses, d'anfractuosités mouvantes. Entrelacs de tentacules, de roches bosselées qui encerclent, dominent de minuscules ravins parsemés de ventouses flasques. Abîmes miniatures. Grouillants. Convulsifs. Parés de fines membranes ouatées. Cette fente boursouflée qui se resserre doucement sur un funambulesque univers d'éruptions squameuses, hérissée d'une multitude de petites lames, de canifs, de couteaux tranchants et de crocs invisibles, gélatineux, pointus. Souple dentition de faune marine. Cartilages ensanglantés, dressés en rangs compacts au bord de l'escarpement de gouffres caoutchoutés, spongieux, qui absorbent, pompent, refluent, épanouis et profonds comme un regard de bête morte. Cette mâchoire, cette mâchoire utérine, avide et insatiable, sécrétant l'iode et le sang. Cette fente, cette cicatrice effilée qui ne s'écarte jamais que sur un monstrueux sourire sans fin. Noir. Béant. Un sourire édenté. Étrangement lascif. Peut-être n'y a-t-il rien d'autre au bout de notre inquiétude, et pour toute réponse, que l'incoercible hilarité muette de cet orifice gluant. Rien de plus que ce que l'on trouve sous la jupe d'une fille après tant et tant de questions chimériques. Car, finalement, ce ne sont que ces deux lèvres hypocritement pincées que l'on y découvre, stupéfait, déçu, que l'on apprend alors à séparer l'une de l'autre pour y enfouir son plaisir, son vice ou sa lassitude, besognant dans ce fouillis mouillé aux proportions assouplies, élastiques comme celles d'un royaume de rêve, baigné, du rose incarnat au pourpre noir, dans l'extraordinaire alchimie des couleurs charnelles. Lotissement baroque où tout pénètre. Du sexe mâle en érection jusqu'à l'aiguille à tricoter. Le tuyau caoutchouc. Les dix doigts. Le coton. La poussière et le vent. La petite vague d'eau tiédie. L'éponge. Les linges et la sonde. Et la langue. Caressante et dure. Et enfin tout ce qui est cylindrique. Et mat. Et doux. Terre ésotérique où tout se confond, se perd, se dilue, détruit, consumé par un brasier intense qui, dans l'amour, s'allume et incendie, saccage de fond en comble cette citadelle délicate, la tient tordue, arquée sous une longue morsure et, brusquement, l'abandonne, d'un coup, pantelante.

Et c'est finalement une belle duperie métaphysique. Un tour de passe-passe. De main de maître. C'est la mort. La vie. C'est quoi ? Un monde de démence. Fou. Fou à lier. Apocalyptique. A l'image du cerveau. Prestidigitation. Mystification. Il n'en reste rien que la solitude et la mélancolie acide. *Tout est toujours à recommencer.*

Combien de vies possibles avec toutes ces femmes ? Ce qu'il y a d'avenir irréalisable dans les regards croisés. Venez, venez à moi, toutes, du fond des fonds de la conscience lubrique, que je touche enfin, que je broie le cristal de vos corps. Et que vos corps m'assoiffent. Et que vos corps m'abreuvent. Venez, que nous roulions ensemble dans cet enfer de l'envie. Accouplés dans l'ordure. Vos visages étincelants de vice. Nous sèmerons partout cette lèpre de rut et partout, pas à pas derrière nous, le monde infesté croulera, prostré dans la désolation. Venez, venez à moi, accouchant s'il le faut de vous-mêmes, vos vagins éclatés. Je trancherai de mes dents le cordon, vous apportant la vie nouvelle consacrée aux offices de tous les désirs. J'irai boire en rampant. Me laver à vos sexes. Laper entre vos cuisses. M'y saouler ivre mort. Je suis le Dieu démiurge. L'Ange Souteneur. Ma

Sainte Face s'imprègne sur le linge des règles. Une musique de sperme, obsédante, caramélisée, crève comme une bulle à ras de terre. M'accorderez-vous cette danse ? Nous tournons envoûtés sur nous-mêmes, dans la chaudière des matrices depuis le tout début des temps sous le regard complaisant du divin Créateur, nos sexes engrenés, purulents, écrasés de douleur et de bien-être. De chaque ovaire en combustion s'échappent les bouffées courroucées de cette musique spasmodique, les notes frappées, une à une, violentes, sur des chapelets de glandes pinéales écorchées jusqu'au sang. Rêve de nitroglycérine. Chaque ovaire est une petite piste lustrale bondée de danseurs nains anthropophages qui se dévorent entre eux dans le silence d'un coït étouffant. Nous sommes tassés, hilares, sur l'escalier roulant de la nymphomanie héréditaire. C'est l'ascension du ciel. Le déclin ici-bas. Ma verge droite, enflée, est un charbon ardent. Pierre angulaire de la continuité. Flambeau écarlate. Venez, rien qu'une toute petite fois encore ! Nous reposerons ensuite, bienheureux, sur l'épaule des archanges, nos vies blanchies, lavées, car au-delà c'est la Clémence. Juste une dernière fois ! Serviles, esclaves, venez toutes, à genoux, humblement, vous soumettre à l'homme, dans la beauté simple de vos instincts, à la recherche de ce membre qui vous manque. Ne changez surtout rien à vos habitudes. Je veux vous contempler et m'emparer de vous telles que vous êtes depuis toujours dans l'embrun de ma mémoire, avec vos lignes lascives, sveltes, cette fourche magique ondulant sous le cerceau du ventre. Assises des hanches où le monde a dormi. Je me suspendrai des lèvres une dernière fois à la chair blanche de vos mamelles et peut-être leur soutirerai-je à la fin une goutte d'un lait d'éternité. Flexibles, chaudes et légères, éperonnées de pleine jeunesse, pourprées, sexuelles, vierges des noces crépusculaires. Ou vous autres aussi, femmes du dernier déclin, écartées du désir, venez sans honte, je prendrai sous mes doigts le semblant de vos corps délabrés. Le sexe est un royaume aveugle. Et que s'approchent aussi parmi vous les mortes de tous les âges, venant m'offrir, muettes, au sortir de la terre, ce qu'il restera d'elles. Quand ce ne serait qu'une poignée de cendres.

Lie et semence, vous m'appartenez toutes ! De droit divin. Je roulerai sur vous mon plaisir ignoble, mes envies cachées, couvert de notre écume. Je m'enduirai de vous, noyé, morve, sang et salive, enfoui et m'asphyxiant volontairement sous la rosace molle de vos cons déployés. Venez, que nous transgressions ensemble la Loi sacrée des Tables, précipités dans l'orgie et dans le sacrilège, le Mal et le blasphème ancrés au cœur, installés pour notre délire au-dessus des abîmes sur un lit de serpents emmêlés.

Que m'était-il donc arrivé depuis la dernière fois ? Celle-ci ou celle d'avant.

Une seule certitude : je n'avais pas avancé d'un pas. Il se pouvait que j'eusse changé d'emploi deux ou trois fois. Remercié çà et là. Congédié. Disons saqué comme un malpropre avec perte et fracas au moment où je m'y attendais le moins, en raison de mes absences de plus en plus fréquentes. Vacant.

Tout indiqué pour me risquer une fois encore à l'harmonium. C'est entendu, mais toutefois conviendrait-il de choisir dans le répertoire du grand clavier. Quelle berceuse entonner qui ne brise point la pâle mélancolie de ce beau soir d'automne encapuchonné d'or ? Quelque chose comme : *Surtout ne couds rien pour moi, maman,* ou alors : *Il y a si longtemps que je n'ai vu Jésus sur son trône.*

Pourquoi ne pas carrément donner dans le plain-chant et m'en tenir à l'époque déjà lointaine où Nora entre en scène par l'escalier de secours ? De toute façon, elle bondit toujours aux premiers sons de la gamme chromatique. Quelques mesures pour rien, et nous voilà dans le ton.

Mlle Van Hoeck, la Hollandaise mystique dotée d'un superbe vagin taillé dans la masse, chaudron de forge au gabarit inégalable. Capable, pour des raisons inconnues, de vous ordonner sèchement d'avoir à vous retirer sans barguigner davantage au moment où l'on venait de trouver la position idéale, rabattant ses cuisses et vous laissant dans la chambre, pieds nus sur le tapis, la queue au vent, encore humide de tout ce bon jus épais dont elle regorgeait. Prenant un plaisir pervers à vous contempler dans cette posture délicate et humiliante qui évoquait pour elle toutes sortes d'animaux prétendus lubriques.

Sur quoi, le sarcasme à la bouche, elle fonçait dans la pièce à côté ou dans les toilettes et allait se finir elle-même avec le doigt. En râlant. Une louve.

Séances impayables dans la mesure où l'on connaissait les revirements subits de Mlle Nora, la Hollandaise inconstante. La tactique se résumait à ne pas se frapper pour si peu, à prendre une cigarette orientale dans le coffret de nacre, à aller la fumer sur le divan, la trique toujours en l'air, et à attendre son retour sans impatience, en songeant aux conquêtes de Gengis Khan ou à la jeunesse d'Augustin suivant ses penchants personnels.

Elle ne tardait pas à revenir. A surgir. Les yeux glauques. Les yeux fauves. Le visage décomposé. Elle montrait les dents. Serrées. La bouche tendue. Le bas-ventre secoué de tremblements cocasses à observer de sang-froid. Se tenant les flancs à deux mains comme si elle redoutait un mauvais tour de la part de ses ovaires, par exemple de les voir brusquement jaillir sur le plancher ciré et exécuter le saut de la puce. Elle avançait sur vous, un pas après l'autre. Glissait, pour mieux dire. Marche solennelle. Ses cuisses pesantes. Rondes. Circulaires. Pavane femelle. On avait la désagréable impression qu'elle se déplaçait dans une flaque de colle et qu'elle ne parviendrait jamais à traverser la largeur de la pièce qui vous séparait d'elle. Elle s'approchait. Puissante. Progressait — non pas précisément vers vous en tant qu'individu constitué, en tant que personne vivante qu'elle ne voyait déjà pratiquement plus, — mais vers ce sexe, ce sexe d'homme, levé, le nœud décapoté, prêt à être utilisé sur-le-champ. Vers lui. Vers lui seul. Cette épine. Ce petit glaive. Fascinée. Somnambule. Médium du sexe mâle. Privée de contrôle comme un personnage de tragédie antique mené par la destinée à l'échéance du sang. Elle roucoulait, gargarisante, la salive chuintée, et s'enfilait enfin, doucement, doucement, se poignardait au ventre, droite, par degrés, sans un mot, sans un cri, hagarde, défaite, vous coiffait de sa vulve excentrique, chapeau molletonné, descendait tout au long, depuis le vit, s'alourdissait, sans heurt, se pénétrait, ascenseur hydraulique surchauffé d'un immeuble insonore. Une fois en place, calée, membrée, elle gigotait à peine, à cheval, tête renversée en arrière, les seins mafflus, bombés, le bout mauve-noir, et se prenait à baragouiner dans sa langue natale, vagissante, à petites phrases assourdies, décolorées. Le foutre commençait à gargouiller sous elle. Filet ruisselant tiède. Vous inondait les couilles, les cuisses, le ventre, les fesses, la raie, vous calcinait la pointe qu'elle maintenait colmatée, étranglée dans sa profondeur ventrale, fesses contractées. Elle coulait régulièrement, comme un robinet. Ces menus exercices préparatoires se déroulant pour ainsi dire devant vous, à l'extérieur de la baraque foraine, sans qu'il y eût d'autre contact entre vous et elle qui demeurait rigide, assise. Simplement assise. Mais il se trouvait que ce fût sur votre pine et pas ailleurs.

Ce faisant, Mlle Nora Van Hoeck estimait qu'il ne s'agissait là que d'un impromptu en lever de rideau, une passe d'armes de complaisance. Et si par chance, l'habitude aidant, on avait réussi à se tirer brillamment de cette première escarmouche, à se retenir juqu'à la douleur sous la piqûre mortelle des languettes de feu qui s'agitaient tambour battant au fond de son ventre, si par miracle on dominait encore d'assez haut la situation présente grâce à un effort de concentration de toute son attention sur un détail du plafond ou des tentures de velours vert bouteille, elle se mettait ensuite à la besogne proprement dite, jouant du cul, de la bouche et des mains presque simultanément dans une espèce d'extase érotique effrénée, le jus ruisselant d'elle comme d'une fontaine à soda, canule trouée. Elle accomplissait de remarquables pirouettes, prenant de sa propre initiative toutes les positions souhaitables, carrousel fou, vous saisissait, vous attrapait le bout du chose et le serrait dans son poing à vous faire hurler, l'enfournant aussitôt après entre ses lèvres gonflées, mûries par le plaisir, le cajolant de la langue, gentiment, comme pour calmer la douleur, se plaçait d'un bond à califourchon, jambes repliées, le dos tourné, à l'envers, offrant la boule cramoisie de son sexe en fluxion, lâchant souvent un pet involontaire qui fusait en même temps qu'une giclée plus forte ou un soupir d'aise, se retournait, pivotait, volte-face, sans dévulver, ployant, cassant la tige à l'intérieur, vissée, elle s'abattait, lourde, en sueur, la peau plaquée, bruit mou, corps à corps, moulage, soudure, griffant des ongles, des sabots, cavale plantureuse insoumise, muscles noués, elle cherchait votre bouche, en aveugle, palpant des lèvres, langue sortie, langue tirée, petit dard épointé, raidi, s'amollissant, elle suçait, bondissant à nouveau, dressée, mystérieusement battue, rouée, cinglée au fouet, frottant, raclant du sexe, va-et-vient empirique, épuisant, elle poussait un grand cri, un cri seul, pris aux chairs, quand le sexe s'échappait d'elle par mégarde dans l'allure désordonnée du mouvement, tombant, massive, inerte, chute de mort, assassinée, sans souffle, cœur en suspens, les yeux bouclés, creux, perdant la bave aux coins des lèvres sur l'oreiller, restant ainsi sans geste, recroquevillée, quelques longues minutes, en silence. Foudroyée.

Par contre, lorsqu'elle reprenait ses esprits, comme rompant d'avec un charme, elle redevenait sans transition la femme acariâtre et autoritaire qu'elle était en réalité. Une emmerdeuse grand format. Métamorphose à vue. Son personnage de jouisseuse exceptionnelle se dissolvait dans l'atmosphère avec le dernier hurlement de joie sexuelle.

La première fois que j'en fis l'expérience, un dimanche après-midi, jour entre tous inoubliable, j'en fus tellement sidéré que je me laissai traiter par elle comme si je venais de perdre mon pucelage, encore tout ébloui de cette révélation. La garce en profita outre mesure. A peine avais-je achevé de me rajuster qu'elle me poussait presque par les épaules vers l'escalier, m'invitant à repasser la voir dès que j'aurais du temps libre.

Je me rappelle, comme si c'était hier, la quinte de rire qui me secoua de la tête aux pieds en rentrant chez moi par les rues presque désertes, assez tard dans la soirée, mon petit instrument tout endolori par l'usage immodéré qu'elle en avait fait. Je me remémorai la scène plusieurs fois, du commencement à la fin. Je trouvais merveilleux que cette aventure me fût arrivée, à moi, précisément. Mlle Nora Van Hoeck, avec sa démence ovarienne et cette inépuisable citerne de foutre qu'elle semblait avoir en réserve quelque part dans le ventre, était à mon sens le spécimen qui me convenait on ne peut mieux. *En attendant de passer à autre chose.* Ce trou, ce trou démesuré qu'elle avait entre les jambes. Comme un bec de pélican. Ou une poche vide de kangourou. Un médaillon en sautoir. Exotique en tout cas. Je n'étais pas loin de croire que cette femme m'avait été tout spécialement destinée. Faveur d'exception au catalogue génital.

Il me fallut ce soir-là un certain laps de temps avant de me souvenir qu'au moment où je l'avais rencontrée, le matin même vers midi, je m'étais formellement promis de trouver dans la journée le montant de ma note d'hôtel que je devais régler le lendemain dernier carat. C'est ce motif et rien de plus qui m'avait entraîné chez elle, le reste ne s'imposant que par contrecoup. J'avais cru flairer la catégorie de femmes sur la quarantaine qui ne rechignent pas trop à ouvrir leur sac si on le leur demande amicalement au saut du lit, à l'issue du premier service. M'étant laissé aller à la surprise, les choses avaient pris une tournure imprévue. Et à présent, gros Jean, battant la semelle, n'ayant pas le premier sou de la somme, il devenait délicat de rentrer à l'hôtel, de passer devant le patron, molosse grincheux qui voyait déjà d'un sale œil les affaires me concernant. Linge lavé dans le lavabo, cuisine sur le réchaud à alcool et ribambelles de filles que je parvenais à faire monter chez moi et qui, malgré mes recommandations instantes, se foutaient à couiner comme des petits lapins quand elles étaient suffisamment échauffées, tapant du pied contre la cloison qui bordait le lit à une place. On n'avait jamais tout à fait fini lorsque le patron alerté accourait au pas de gymnastique dans le couloir, hors de lui, frappant à coups redoublés. Les voisins de l'étage ouvraient discrètement leurs portes sur notre passage, moi accompagnant bravement la fille qui n'avait généralement pas eu le temps de se recoiffer, et le patron nous escortant, deux pas derrière, menant un foin de tous les diables. Baiser devenait un casse-tête chinois.

Déductions faites, il m'apparut que, d'une façon comme de l'autre, la situation se trouvait dans une impasse.

Mlle Van Hoeck s'en était somme toute tirée à bon compte. Je ne risquais pas grand-chose à retourner sur mes pas, pressentant sans déplaisir qu'il me faudrait l'entreprendre à nouveau, et vivement, si je voulais repartir de chez elle le lendemain matin argent en poche. Savoir comment elle envisagerait les choses me réjouissait par avance. Quelle tête va-t-elle faire en me revoyant si vite ? Et si elle n'était pas seule ? Si elle refusait de m'ouvrir ? Chemin faisant je préparais mes batteries. Si besoin était, je passerais la nuit à l'attendre sur son palier, mais elle ne se débarrasserait pas de moi avant que je lui aie arraché ce qu'il me fallait, plus peut-être un supplément pour le dérangement. Si c'est du pénis frais et vigoureux que vous voulez pour votre usage intime, qu'à cela ne tienne, mais n'oubliez pas que chaque chose a son prix en ce bas monde, ceci comme cela, ce qui permet à la roue de tourner rond dans le grand univers piqué d'étoiles.

J'étais dans ces dispositions en m'amenant chez elle. Miracle du magnétisme sexuel ou je ne sais quoi, on eût dit qu'elle m'attendait très certainement.

Ouvre la porte au premier coup de sonnette malgré l'heure tardive. Ne pose pas une seule question. Un peu alanguie au début, mais chaude par en dessous. Comme il faut. Chair de langouste. Nue. En robe de chambre à pois. Referme elle-même la porte sur nous rapidement et se bourre contre moi. Du haut en bas. Contre mes cuisses. Moulée. Bien à la hauteur de mon sexe, un pan du peignoir écarté pour que je sente mieux la proéminence à travers l'épaisseur de mon pantalon. L'érection me vient en droite ligne du cervelet, ou je ne m'y connais pas. Elle murmure quelque chose d'indistinct. Bafouillé. Commence à me mouiller l'oreille de salive. En déroute. Broute. Racle ses ongles longs sur ma nuque. Glisse ses deux mains sur mes épaules. Dans le dos. Descend progressivement. Traîne. Sur les reins. Sur les fesses. Elle me pelote les cuisses, en pinçant, prend la chair sous l'étoffe, à poignée. Arrive enfin à destination sans se presser. Sûre d'elle-même. S'y introduit. Deux doigts d'abord. La main entière. Cherche. Éprouve quelques menues difficultés à me le sortir par l'ouverture du slip. Et s'effondre. A genoux. D'un bloc. Là. Sur le carrelage rouge et noir du vestibule. A côté du porte-parapluies en cuivre bien astiqué. Rutilant. Elle me branle en douceur l'espace d'une seconde. Le tient ensuite sous ses yeux. Silencieuse. Médusée. L'examine de près comme une curiosité d'antiquaire. Lui parle. Incompréhensible. Toujours dans son hollandais natal. Pose brusquement sur la petite fente deux ou trois baisers vifs, primesautiers. L'écarte. Y glisse l'extrême pointe de sa langue. L'appuie. Elle va aussi chercher les couilles qui sont restées en arrière. Les tient si légèrement dans le creux de sa paume, comme si on venait de lui confier un oisillon frileux. Presse les deux boules entre ses doigts, pour les distinguer. Les soupèse. Griffe doucement la peau qui durcit. Mord au fil des dents. Coupure de velours. Passe sa langue humide. Chaude. Dessus et autour et dans la ligne creuse de la jointure des cuisses, de chaque côté. Fait même une tentative pour pousser plus avant. Les vêtements la gênent. Sursaute. Traversée par un spasme de tout le corps. Émet un son rauque. Du fond de la gorge. Et, comme n'y tenant plus, possédée, elle happe ce sexe de sa bouche grande ouverte. Se l'enfonce aussi loin qu'elle peut. C'est la moiteur de la grotte marécageuse. Je sens distinctement le fond de son palais. La chute de la voûte, et quelque chose comme une limace qui remue au bout. Elle le garde. Empaqueté. Gloutonne. De ma hauteur je ne vois que la ventouse charnue de ses lèvres arrondies autour de ce qui reste de sexe qu'elle n'a pu engloutir. Elle a les yeux fermés. J'avance un peu. J'entre. Un centimètre à peine. Elle me remercie de cette heureuse initiative par un grognement de reconnaissance. Et puis, je ne sais comment elle fait aller sa langue en spirales lentes, comment elle s'y prend pour me déchirer à l'intérieur du canal, comment elle actionne ses joues à la façon d'une poire de caoutchouc, la salive s'accumule, mousse, bouillon houleux, je tangue sur mes pieds, bascule au-dessus du vide des grands sommets nerveux, je me rattrape à ses cheveux du bout des doigts, c'est un mal lancinant, une flèche glacée qui me transperce, le sperme se déclenche, loin, du fond du puits artésien noirâtre où un nid de scorpions en débandade piquent au hasard autour d'eux, lumières rose bonbon d'une grande ville renversée comme une coupe de champagne sous le séisme imprévisible, picotements dans les yeux, dans les nerfs, les nervures, les ramures, les branchages secondaires, fusées flashs d'illuminations planétaires, le sol voltige, vacille. Un. Deux. Trois coups de bélier ensoleillés sur la masse de la rétine. L'éjaculation arrive comme une vague. De partout à la fois. Afflue. Des jambes. De derrière les genoux. Des dents. Des tempes. Du cœur. De la pointe du menton. Cyclone pinéal avec broderies sonores de marteaux-pilons, de cymbales et de cuivres stridents, et je lui lâche dans le gosier sans pouvoir me réprimer une de ces longues décharges condensées, onctueuses, qui entraînent avec elles des débris de cervelle. Campo ! Elle avale tout et se pourlèche. Je lui retire le jouet des mains. Elle me suit sur les genoux. Rampant. Nous passons dans la pièce à côté, la chambre, où je me laisse tomber sur le lit, abattu, avachi. Elle continue d'avaler coup sur coup. L'arôme javellisé de mon foutre, très probablement. Ses traits sont contractés, décomposés de plaisir, de désir, de vice. Comme si son con lui-même lui servait un instant de visage. Expressif au possible, d'ailleurs. Quant au véritable minet, celui sur lequel elle est assise au pied du lit, je suis sûr que si je me penchais pour y mettre la main, je le trouverais dans l'état d'une courgette blette.

— Vous êtes donk revenu... Vous êtes donk revenu..., répète-t-elle à voix basse avec son terrible accent.

Tout ce qui lui reste de voix à n'en pas douter. Filet ventriloque qui a de la peine à s'extraire de la mélasse qui doit glouglouter dans la poche fendue. Voix d'enfant malade. Voix d'enfant fiévreux. Inquiétante. « Vous êtes donk revenu... »

Ne ferait-elle que s'en apercevoir ? Peut-être a-t-elle cru rêver tout à l'heure dans le vestibule, peut-être se croyait-elle revenue aux kermesses de son enfance un dimanche à Amsterdam ou sur les pousse-pousse de la fête foraine. Sacrée trouvaille, en fait de pouffiasse ! Encore jamais rencontrée de sa trempe.

Eh oui ! me voici revenu ! Plus tôt que je ne le supposais. Pour une raison tristement précise et urgente. Qui n'a, hélas ! rien à voir avec nos ébats, si charmants soient-ils. Le fric. Tout bêtement. Le fric. *L'expression la fait rire !* M'avez-vous bien compris, Elvire aux beaux nichons de nacre, indolente et suave sur la balustrade madrilène ? Que vous ne vous appeliez ni Elvire ni même Estelle aux yeux pers, que vous ayez passé l'âge des poitrines exaltantes ne change rien à l'affaire. J'ai besoin de cet argent d'ici à quelques heures. Dans nos régions, les tauliers qui vous logent ne plaisantent pas quand leur pognon est dans la balance et, pour tout vous dire, je suis déjà en avance d'une somme confortable à la comptabilité de l'usine qui m'emploie. Désolant, désolant, c'est ce que je ne cesse de me répéter à longueur d'années et même depuis le jour où j'ai cru pouvoir subvenir à ma pitance. C'est le fameux cercle vicieux que je verrais d'ailleurs plutôt sous la forme d'un cube étanche. Gagner sa vie selon les règles en vigueur est une rude épreuve qui vous plonge peu à peu dans un bain d'ennui neutre. Vous arrivez ainsi au-devant de moi comme une bouée providentielle. Ne vous morfondez pas, petite colombe, j'ai aussi beaucoup apprécié le reste, il va sans dire. Ce court prologue dans l'entrée était parfaitement réussi. Mais quoi ! prenons le temps de nous ressaisir un peu. De voir les choses objectivement. N'est-ce pas du foutre bel et bon que je vous ai servi aujourd'hui à plusieurs reprises ? En réfléchissant — et par pure nécessité, croyez-le bien, — je me suis dit que nous pourrions peut-être faire un compromis.

Compromis. Un mot qui n'est pas encore inscrit dans le vocabulaire français de Mlle Van Hoeck. Mieux vaut lâcher le morceau crûment. Fixer son prix. Parlons net. Pourvu que vous trouviez une queue assez longue et bien portante, capable d'assurer la vidange au moins une fois par jour, tout le reste passe au second plan. C'est ainsi que je verrais la chose si j'étais femme. Mlle Van Hoeck ne proteste pas. Elle glousse. Elle glousse d'aise. Pigeon ramier à gorge chaude. On dirait que le rêve de toute sa vie a été de trouver un maquereau sur son chemin. L'idée de se payer un sexe d'homme comme elle achèterait un foulard à la mode ou un tube de rouge la transporte d'enthousiasme. Elle se précipite sur son sac à main, ouvre la pochette intérieure et le renverse sur la table de chevet. Je n'ai qu'à allonger le bras pour me servir. Un paquet de liasses. *Avec les épingles.*

Des lustres que je n'avais vu une telle quantité d'argent. Présence réconfortante. Du papier, certes, rien que du papier. Mais aussi une vingtaine de bons repas, les bouteilles, les cigares, l'estomac plein, le soupir de bien-être, la chaleur au ventre et le sentiment surhumain d'emmerder la terre entière, tous les patrons, tous les patrons possibles et imaginables, patrons d'hôtels, de cafés, d'alimentations, d'usines, de bordels, le patron des patrons et celui qui les patronne tous. Ainsi que le flic de service, ce merdeux qui est obligé de rester la nuit durant sur ses pattes dans sa pèlerine pour veiller à ma sécurité de citoyen comblé pendant que je lui dédie un pet discret qui vient de m'échapper, déjà parfumé au gibier faisandé qu'on nous a servi aussitôt après les cuisses de grenouilles et les pointes d'asperges aux morilles. Du papier, rien que du papier, certes. Mais aussi combien de jours de repos insouciant, combien de chemises neuves, de caleçons propres pour remplacer les deux derniers qui s'effilochaient dans l'entrejambe, troués par-devant et par-derrière au point qu'on n'osait même plus se déculotter en présence d'une femme. Combien de soirées heureuses dans l'enveloppe molletonnée des éclairages répartis, au lieu de l'ampoule chétive pendue comme un gros abcès jaune au milieu de la chambre d'hôtel sous sa capeline de faïence démaillée. Un tapis sous mes pieds au lieu du plancher décapé à la javel. Des tentures au lieu de la blatte qui circule apeurée le long du mur au-dessus du lit. Un bouquin dans les mains et le disque qu'on aime entendre quand tout roule sur des roulettes, disons Beethoven, par exemple, ou ce cher petit Chopin l'exilé. Combien de barrières qui tombent d'elles-mêmes ! Sourires des gonzesses capiteuses qui sont là pour vous porter, vous soutenir, vous pousser de l'avant, encore plus haut, encore plus loin. Sont-elles aimables, empressées ! Cœurs de mimosas. Délicats pétales. L'humanité morose se met à vous tendre les bras, déférente. Personne de votre entourage ne sent plus jamais des pieds, n'a plus de boutons sur la figure, plus de furoncles aux fesses, plus d'hémorroïdes, plus de caries. Les enfants eux-mêmes sont des anges parfumés qui trouvent le moyen de ne jamais salir leurs petites culottes, ce qui d'ailleurs n'aurait aucune importance. Ils vont par deux, main dans la main, garçons et filles, faire la ronde innocente sur les pelouses du parc ensoleillé, leurs voix d'écaille douce ricochant dans le cristal du pur matin. Ils auront du miel au goûter. Brebis du Seigneur. Où est donc passée cette tare profonde de la fatigue qui marquait tous ceux que nous connaissions ? Le monde est en beauté ce soir. Il vous met à la place d'honneur, vous prête son râtelier si vous n'avez plus que des gencives, ou sa femme dans la fleur de l'âge si vous faites signe que vous tireriez volontiers un coup entre cinq et sept, histoire de vous changer les idées avant le repas. Le livreur vient d'apporter les échantillons des reliures pour les livres que vous aimez. La peau des bêtes est douce aux dos des volumes de la pensée humaine. Douce et lisse comme la mort elle-même. Le baccarat scintille à la lueur des chandelles. Chaque seconde de vie est un Éden. *Donnez-moi votre présence, chérie, et asseyons-nous au milieu des récoltes abondantes.*

La machine entière va fonctionner jour et nuit pour nous satisfaire. Il y a une armée de petits bonshommes qui actionnent des leviers, disent merci, tirent leurs casquettes poliment et encaissent les coups de pied au cul comme si c'était une insigne faveur. Tout a été inventé et perfectionné pour notre luxe et notre pourriture. Faites craquer les billets dans la poche. Le froissement se répercute, amplifié, d'un hémisphère à l'autre. Les oreilles se dressent jusqu'au fond des continents déserts. Chant de gloire et de victoire. Entendez les murmures d'en bas. Merci ! Merci ! Merci ! Grâces vous soient rendues ! Nous sommes vos loyaux serviteurs ! Dans cette vie et dans l'autre, nous postulons, sait-on jamais.

Tout cet argent à côté de moi sur la table de nuit. En tas. Immobile. Je songe malgré moi à l'énergie extraordinaire que ça contient sans en avoir l'air. Le paquet entier, bien sûr, mais même une seule de ces liasses. Un seul billet. La moindre petite pièce. La liberté que ça représente. L'autorité que ça donne. Peut-être pas le bonheur, non, mais la confiance, l'audace. Je songe malgré moi aux vies qui ont été sacrifiées depuis des siècles à cause de ça, exclusivement. Les morts patriotes, les chers mutilés, rien qu'à cause de ça. A ce que des types ont dû faire pour avoir le droit d'y toucher. Au gigantesque espoir que ça soulève. Aux privations. Aux rêves fous. A la haine. A la honte. Et aux meurtres. Il se peut fort bien, voyez-vous, chère mademoiselle Nora, que parmi ces billets il y en ait un qu'on ait retrouvé, pas plus tard que le mois dernier, dans la poche de l'assassin au moment de son arrestation. Le billet que le petit employé égorgé dans son lit avait mis de côté pour ses vieux jours. Et cet autre, par exemple, a peut-être servi à payer une série de passes vite faites. Est-ce que vous voyez la fille tout habillée, assise sur le bord du lit, jambes ballantes, les cuisses ouvertes sous la jupe relevée, songeant à autre chose pendant que le type s'escrime sur elle, coulissant dans son trou sec, les pieds calés sur la descente de lit, courbé en deux, se voyant à l'exercice dans la glace en face, n'éprouvant rien, plus rien. Ni envie ni plaisir devant cette femme passive qui se laisse faire et attend comme s'il s'agissait d'un examen médical. Et le type n'y arrive pas. Le type n'y arrive plus comme il aurait cru un quart d'heure plus tôt dans la rue. Il scie de toutes ses forces, pousse son engin, il se dépêche, s'essouffle, s'embarrasse, souhaitant que la giclée sorte et que ce soit fini. C'est comme s'il se frottait à un bout de savon noir. Il aimerait que la fille fasse au moins semblant d'y croire un peu, pour l'aider. Et peut-être aussi qu'elle sent un peu trop fort du cul et qu'il est réellement impossible de la regarder sous la lumière, avec la graisse du maquillage et une minuscule traînée de jaune d'œuf dans le coin de la bouche, en bas à droite, qu'elle n'a pas enlevée après manger en se remettant du rouge. Cette tache d'œuf insignifiante est difficile à oublier en ce moment, première marque d'une lèpre jaune, étrange, rebutante. La vie baigne dans une cuvette remplie de jaunes d'œufs battus, une pellicule de glaire à la surface. *Tu as fini, chéri ?* Tout est fini depuis longtemps dans tous les hôtels du monde. Il ne reste plus que des silhouettes de couples exilés qui se retrouvent ensemble chaque nuit dans les lavabos, se font passer la savonnette et la serviette nid d'abeilles, gestes d'une liturgie baroque.

Putains mâles ou femelles, putains ou pas putains, j'imagine toutes les femmes, tous les hommes qui sont morts et qui ont eu avant nous cet argent entre les mains, et ce qu'ils comptaient en faire. A quoi ils ont pensé en le gagnant, en l'échangeant, en le rangeant dans un tiroir. Et si, en mourant, ils se sont rappelé tout le mal qu'ils s'étaient donné pour l'entasser. Et quelle impression ça doit faire de penser à cela. *A la dernière minute.* Pendant la prière des morts, à supposer.

Trêve d'élucubrations. Le temps passe et nous sommes tous deux bien portants. Je n'exigerai jamais qu'une somme modique à certaines périodes du mois. A tort ou à raison, je me suis mis dans l'idée de devenir écrivain, ce qui n'est pas fait pour arranger les épinards. Mais ce sera ça ou rien. Vous aurez contribué pour une part à mon émancipation, fût-elle de courte durée.

Pour commencer, puis-je prendre *tout* ce qui est sur la table ? Comme vous êtes bonne, Nora ! Je ne saurais jamais vous remercier assez. Jouissez de mon sexe comme bon vous semblera.

Dès demain, j'achèterai ce qui me manque. Des chaussures. J'en regarde une paire depuis des mois en vitrine dans un magasin près de chez moi. Épatantes, c'est le mot. Autant dire qu'elles sont miennes à force d'en avoir eu envie. Peau de porc naturelle. D'une belle coupe. Ce sont de ces bagatelles qui finissent par prendre de l'importance quand on en est privé. La paire qui traîne ici même sur le tapis m'a été donnée par un ami qui connaît quelqu'un qui ne met jamais ses chaussures plus de sept ou huit fois de suite. Une providence. Malheureusement, c'est le genre de corniaud qui se débrouille toujours pour n'avoir pas tout à fait votre pointure. Je ne parle pas des réflexions qui vous viennent en enfilant les godasses des autres. Sur la transpiration. Leurs pieds. Leur démarche. Où ils ont pu aller avec ces chaussures. La corne. Les durillons. Idées abstraites, tout compte fait. Comme si on usurpait la place dans le cercueil. Pareil pour les pantalons que je porte actuellement. Pour tous les pantalons que j'ai portés ces dernières années. Cadeaux d'amis bienveillants. En les mettant on ne peut s'empêcher de penser à certains détails. Le fond jauni à l'intérieur, l'emplacement des fesses, les auréoles sur la doublure de la braguette. Des broutilles, je sais bien, mais tout de même... *Tournez-vous que je vous enfile, Nora.* Je paierai une partie de mes dettes. Les plus anciennes. Quelques types que je n'ai pas revus depuis le jour où je les ai tapés et qui n'en reviendront pas. J'ai aussi indiscutablement besoin de chaussettes, d'un veston neuf, d'un froc convenable, de deux ou trois cravates et d'un assortiment de sous-vêtements. Et je n'énumère en ce moment que l'indispensable, comprenez-moi bien. Il y a par ailleurs une liste de livres que je voudrais me procurer depuis longtemps. Tous les Balzac notamment, qu'un écrivain doit avoir auprès de lui. *Passez votre jambe sous la mienne, Nora, voilà, ne bougez plus.* Je ne dis pas qu'à l'occasion je n'irai pas faire un tour dans ce restaurant grec devant lequel je m'arrête fréquemment pour lire le menu à la porte. Il faut bien en arriver un jour ou l'autre à se faire une opinion sur toutes les cuisines qui se fabriquent en ce monde. Excellent prétexte pour inviter un petit groupe d'amis passionnants triés sur le volet. Ça fait bien trop longtemps que nous ne nous sommes pas réunis autour d'une table, quand j'y songe. Sicelli, Clébert, Niffontov, André et Lucien Lévy, Louis Stols, un écrivain de génie qui, jusqu'à présent, a toujours négligé d'écrire, par pure distraction, Brandès, le peintre Simon Wierne, et Martin, le plus vieux des amis de toujours, et un nouveau venu parmi nous, Adrien Sani, poète des récifs et du corail, et Morillo la tapette, pour n'en citer que quelques-uns. Joyeuse clique d'anormaux ! Tous cinglés et excentriques chacun à sa manière. Savent se conduire comme des porcs en rut pour peu qu'il y ait à boire et à manger et aussi quelques femmes bien roulées dans l'assistance. L'un ou l'autre d'entre eux, après les préliminaires obscènes, vous tiendra facilement en haleine une nuit durant sur un sujet aussi périlleux et peu excitant que Tive-Live ou vous dévoilera un monde d'horizons inédits sur la doctrine hermétique, ce qui lui permettra de vous exposer ensuite ses petits ennuis génitaux et de vous entretenir d'un pittoresque détail de sa queue ou de sa manière de baiser, sans qu'on sache jamais comment il en est arrivé là. Sympathiques, non ? *Est-ce que vous me sentez suffisamment, Nora ?* Je pense que j'achèterai également un manteau pour l'hiver, doublé et chaud. Autant le faire tout de suite pendant qu'il y a un reliquat. Je verrai sans doute à changer d'hôtel. Ou à prendre une autre chambre, plus décente, mieux exposée. Au soleil levant, c'est ce que j'aimerais. Cela dans l'avenir, rien ne presse. *Soulevez-vous légèrement, Nora, j'ai une crampe dans le mollet droit.* Je crois que vous n'aurez qu'à vous louer de moi à tous points de vue. J'irai chercher les billets de banque, un à un, comme un chien dressé, dans votre con, avec les dents, la langue, la patte, le nez, avec les doigts ou ma bite, comme vous voudrez. Annoncez. Vous gênez pas. Je connais la vie. Z'en faites pas pour moi. J'exécuterai toujours. N'hésitez jamais à me faire part de vos petits caprices de femelle oisive. Qui mieux que moi en définitive serait susceptible de les comprendre ? Je suis payé rubis sur l'ongle pour les satisfaire, les prévenir, les susciter même. Usez désormais de moi comme d'un objet familier. Comme de votre brosse à dents. De votre vibromasseur. En un mot, je suis votre putain, petite sœur. Avec un peu d'entraînement, j'arriverai peut-être à bander sur commande. J'aime qu'on soit bien servi quand on paie le prix. Toute une hérédité de conscience artisanale derrière moi. Rien n'est assez dégueulasse pour justifier l'argent qu'on vous donne. Chacun l'a compris ainsi depuis qu'il existe et qu'on s'en sert. La seule fausse note dans toute cette hystérie, c'est l'absurde sentiment de pudeur qui accompagne l'étalage de la possession. C'est être foutrement ingrat envers l'argent. Ne trompe pourtant jamais son homme, lui. Glacial. Logique. Efficace. Tant qu'on n'a pas connu l'argent, on est encore pour ainsi dire en dehors de la question. Étonnant que personne n'ait songé à lui dédier un hymne. Un chant triomphal, horrifiant, que la foule imbécile entonnerait d'une seule voix lors des cérémonies importantes. Ne seriez-vous donc tous que des hérétiques ? Où est le Temple de l'Adoration Perpétuelle ? Où est la

Flamme ? Le Tombeau illustre ? Dans quelle église le peuple pauvre peut-il aller se prosterner, se recueillir devant son idole ? La plus puissante des religions universelles reste à ce jour sans lieu de dévotion. Est-ce admissible ? Est-ce pensable ? Les fidèles espèrent, implorent qu'on leur accorde une représentation sacrée de ce mystère moderne. Que la communion soit de miettes d'argent entre les hommes. Que le péché soit de le maudire. Et que le riche soit intraitable, abject, odieux, et qu'il en reçoive récompense sur sa maison et sur les siens. Que le pauvre sache qu'il sera persécuté par son frère même, mis en tutelle jusqu'au jour de sa mort, non admis au festin ni à toucher seulement aux reliefs du festin, qu'il devra se tenir dans l'humiliation, n'avoir point d'aversion pour ce qui lui sera ordonné de repoussant au nom de l'argent, comme marcher sur les siens, matraque au poing, quand la misère les soulève, et que sa vie est à toute heure suspendue à quelques deniers. Voici enfin qui est clair !

Je choisis quant à moi de renier jusqu'à mon nom pour la somme qu'on voudra. Je fais vœu de ne plus me vêtir que de liasses semblables à celles que vous venez de mettre devant moi. Corrompu. Tout ce que nous mangerons désormais aura le goût de cet argent. Nos plaisirs communs sentiront le fétide du vieux billet fripé qui a traîné dans les poches avec les débris de tabac, la poussière, la crasse de doigts et le reste. Fumet excitant d'une particulière perversion. Nous ferons l'amour sur un sommier de pièces anciennes et, pour nous délasser, nous comparerons l'éclat respectif de la coquille d'or de nos fausses dents. La jouissance que nous tirerons l'un de l'autre aura été monnayée à l'avance. Nous aurons cette impression de mener une course de vitesse contre la rapidité de l'argent chaque fois que nous nous foutrons à poil pour baiser. Et qui sait ce que peut receler un sexe comme le vôtre. N'y aurait-il pas dedans un filon inexploité, une boue aurifère, quelque chose comme un élevage d'huîtres perlières ? Dernier point à vérifier. Je n'y manquerai pas. Comme nous allons être heureux ensemble d'un si parfait accord ! Fouillant votre ventre, vous dépeçant peu à peu dans l'espoir de vous arracher un gain ultime qui pourrait m'échapper, et vous, victime complice m'aidant à mener à bien cette besogne lugubre, à parachever votre mort. Si tout se passe normalement, je ne laisserai que la carcasse. Je saurai bientôt le prix exact de chaque partie de votre corps. Comme à l'étal. A quelles furieuses félicités n'atteindrons-nous pas, tendre et sainte Nora !

Nous entrouvrons dès maintenant les portes d'un enfer luxueux. Nos cheveux s'enflamment déjà. Torches vivantes. Nous suffoquons. Approchez, Nora, approchez. Tendez vos fesses. Ma pine est une lance d'incendie nouveau modèle qui, par un singulier hasard, ne fait qu'attiser le feu qui vous dévore. Aucune chance de nous en tirer indemnes. Je guide mon pénis vers la bouche rose du four crématoire. Votre sexe éclate à la chaleur. Je m'aperçois, mais trop tard, qu'il n'a plus de fond, chaise dépaillée. Entraîné par l'élan de haine, je sillonne dans l'obscurité votre corps perforé. J'entre si loin en vous que je serais incapable de dire où je me trouve. Gros intestin ou œsophage. Votre langue n'est peut-être que le bout de mon sexe qui vous aurait transpercée de part en part. Je suis un long boa tropical qui est venu nicher et pondre ses œufs au creux de votre estomac. Allons-nous découvrir maintenant que l'argent ne fait pas tout ? Que ce n'était qu'une supercherie ? Silence ! Le silence a la vertu de recouvrir les réalités. Éteignez tout autour de nous. La lumière est brutale sur votre peau de femme vieillissante. Dans le noir, un corps en remplace un autre. Je fais l'amour à mes propres désirs. Je fais l'amour à l'homme que je suis dans ma solitude et qui n'a que les mots pour s'exprimer. Quelle est la voix qui me demande d'un ton suppliant si je vous aime ? La vieille litanie qui recommence. Avez-vous donc tellement besoin de cette imposture les unes et les autres ? Oui, Nora, mon doux cœur, je vous aime. Au change. Au pair. Pour mille. Dix mille. Pour vingt. Pour cent. Une fortune. Un pactole. Ou moins que ça. Une note d'hôtel en retard. Des cigarettes. Un lit. Un toit. Deux jours tranquilles et pouvoir penser à ce que je vais mettre dans cette saloperie de bouquin qui me chatouille l'âme. Arrondissez la somme et mon cœur se dilatera d'amour.

Qu'une pouffiasse de votre calibre qui n'entreprendra jamais rien qui vaille puisse avoir tout ce fric et probablement encore des tas d'autres en banque me fout dans une rogne épouvantable. Moi qui me crève du matin au soir pour ne toucher en fin de mois que le quart à peine de ce qui est entassé là sur la table. Moi qui n'ose penser à ce qui m'adviendra si du jour au lendemain, pour écrire ce que je veux écrire, je balance la sécurité mensuelle de l'emploi fixe. Moisissant la moitié du jour dans une usine et le reste du temps dans une chambre sordide, taches sur le mur badigeonné uniformément en gris sombre, loupiote de misère au plafond, si haletante que j'ai de la peine à pouvoir lire, fenêtre déglinguée, s'ouvrant sur une palissade de plusieurs mètres de haut qui empêche l'air et la lumière de pénétrer dans la pièce, carpette élimée, poisseuse, couleur de vomi vinasseux, voilà où j'ai habité jusqu'à présent, et si j'ai une chambre plus salubre depuis quelques mois, je ne le dois qu'à la générosité d'amis qui finissaient par me prendre en pitié. Mais le monde que je côtoie n'a pas changé. Des types qui me ressemblent, toujours à rêvasser sur une idée fixe, comme moi je pense à écrire pour me sortir de la fosse. Croyant dur comme fer à leur étoile qui oublie de s'allumer. Au miracle qui ne se décide pas. En se levant, ils sont repris par la nausée de la veille. Le décor leur dégringole dessus du haut des cintres où Dieu en cotte bleue s'évertue à manœuvrer la machinerie, encore qu'Il ait compris depuis longtemps que tout va de travers et que c'est de la folie de vouloir se lancer dans les réparations. Ils passent la main dans les quelques cheveux qui leur restent. Grattent une croûte sur le sommet du crâne. Les pellicules neigent. L'existence se recouvre d'une nappe de pellicules sèches. On se demande en se réveillant pourquoi la vieille civilisation ne s'est pas écroulée sur elle-même pendant qu'on roupillait. Par quelle anomalie ce qui vous entoure réussit à tenir debout, la table claudicante, le matelas creux, la cuvette ébréchée de l'évier, l'armoire à glace passée au tamis par les vers de bois, ceci, cela, le banal bataclan ainsi que son propre squelette avec ce qui reste de viande vivante pardessus.

Retour à la vie. Un jour poussant l'autre. Ils enfilent le pantalon, déçus que ce ne soit pas encore leur tour de chance aujourd'hui. Certains ayant en plus accompli cet exploit de se marier, non contents de végéter seuls sans doute. Branle-bas à l'étage lorsqu'ils entreprennent de déménager pour une chambre à deux personnes, la veille du mariage qui coïncide nécessairement avec une fin de mois pour ne rien perdre de la location précédente payée d'avance.

Et les autres merdeux de leur espèce de se proposer séance tenante. Un coup de main, c'est si normal.

Animés, tous. Piqués aux nerfs. Heureux de l'événement qui se prépare. Un mariage, ça les retourne. Vague notion de fête. L'émotion à la gorge. L'imagerie des magazines leur remonte à flots. Plein la mémoire. Ça les chahute. Ils croient rêver. Un nirvâna. Cette richesse déballée. En couleurs. Sous leurs yeux. Les lustres en feu du grand salon. La réception. Toutes les vieilles tiges. Sur le coup de minuit, quadrille des pucelles. La valse lente. Hymens princiers. Les falbalas. Fleur d'oranger. Tout virginal. Comme si ça les concernait, eux, les naves ! Se souviennent plus que le mariage pour eux, ça n'est jamais que la calamité multipliée par deux. La capote qui fuit. Les scènes. Les gnons. Le réchauffé. La trouille du gosse qu'on ne voudrait pas. Et le temps roule là-dessus. Saccageur. Cette connasse insipide, si moche, si toc, qu'on retrouve dans le pieu un beau matin, les nichons vides, le ventre gras, des vermisseaux de rides un peu partout, qui pue du bec, a vite vieilli, ne ressemble plus à rien de ce qu'on avait cru aimer autrefois, un jour lointain, où donc et quand, pour quelle raison, un coup d'extase inexpliqué, peut-être qu'on bandait seulement, ça fait quinze ans, ça en fait trente, on a eu le temps de s'oublier à force de se voir tous les jours. La preuve est là. Abominable. Un sac femelle tout dégonflé. L'inséparable compagne des bons et mauvais jours. Toujours présente. Toujours fidèle. Elle chialera même à l'enterrement si on y passe le premier. Fin d'une union parmi tant d'autres. Néant total. La case en blanc au bas de la page sur le bilan. Ni amour ni haine. Tout plat, comme ça, à va je te pousse, le fil ténu des habitudes. Toutes les photos sont dans le tiroir. Munitions du souvenir. Sans elles on ne pourrait pas croire que c'est arrivé. Et voir les autres recommencer, ça leur flanque le bourdon nostalgique. Ils offrent de se dévouer, de rendre service aux jeunes mariés. Une lampe qu'on prête. Un réchaud. Des couvertures. Un bidet plus solide. Organisent une collecte parmi les habitués de l'hôtel aux fins du cadeau traditionnel. Chacun y va de son obole. Vœux et félicitations. Encore des mots. Poignées de main. Gueule attendrie du taulier devant le nouveau couple. Voilà un homme qui aime les situations claires, la gouape. C'est une secousse générale. Charivari à la limite du désespoir véreux. Médiocrité ravie. On viendrait leur bouffer le pain dans la gueule qu'ils approuveraient encore. Râlent pour la forme. En seconde main. Histoire de dire. De montrer qu'ils en ont. Mais bien en dedans, c'est sans levain. Ratatinés. Résignés tous à leur étable. Une femme, des loupiots, l'espérance, le rouge au zinc, le droit de brailler, de contredire, ciné, journal, dînette au vert par-ci par-là, façon de lorgner les gonzesses, les irréelles, les veloutées, celles qui chavirent dans l'impossible, un peu de rabiot pour les vieux jours aux tempes grises, le jardinet, l'extrême-onction, et c'est paré, ils sont béats, vont par le monde cahin-caha, au petit trot, sans savoir où, sans savoir comme, enfantillons, petits ménages.

On aurait juste besoin d'un revolver géant et de vider le chargeur dans la cohue des dimanches, que pas un n'ait une chance d'en réchapper. Mais rien de semblable n'arrive. Ça continue à la ronde. Ni bien ni mal. Au tour suivant. Pour la relève. Les cloches bourdonnent. Les anneaux d'or. Bénédiction. Deux paumés de plus. Ils ont le livret dans la poche à la sortie. Comme un passeport pour forniquer. Ils font le tour des relations. Vont se montrer. Ici. A l'étage. De porte en porte. Entre détenus. Ils passent les dragées. J'en prends une, j'en prends deux. Merci beaucoup.

C'est succulent. Mais fallait pas. Faites des folies. On sait ce que c'est. Que tout est cher. Les yeux de la tête. A présent, venez voir. Notre petite surprise. Oh! presque rien. Menu cadeau. On s'est arrangé entre nous. Asseyez-vous. Une petite minute. Qu'on voie madame. Fasse connaissance. Ça pue un peu, excusez-nous. En bout de couloir, l'air s'en va mal. C'est à cause de la cour. Là, vous voyez? D'en bas ça monte. Les vapeurs de cuisine de quatre immeubles réunis. Et les petits coins. Sans ça, l'hôtel serait plutôt bien. C'est bien sympa. On se connaît tous. Depuis le temps qu'on entend les engueulades des uns et des autres. Qu'on part à la même heure le matin pour revenir à la même heure le soir. Qu'on a pris le rythme de chacun dans l'oreille. Y a plus de secret. Les voisines qui réveillent tout le couloir quand leur mari les asticote. Et celles qui n'en finissent plus de se laver. Les tuyaux grincent, c'est comme partout. Nous sommes une vraie petite famille, vous verrez. Ça valait bien qu'on marque le coup par un cadeau. On n'a pas eu exactement ce qu'on voulait. Il nous a manqué un peu. On a fait acheter par Mlle Sergine qui a droit à une remise dans le magasin où elle travaille depuis que son salaud de macaroni l'a plaquée. En lui laissant une saleté par-dessus le marché. Ça coule tout blanc. La pauvre gosse. On s'en occupe. On la remonte. Bon. Parlons d'autre chose. Enfin, vous, c'est la lune de miel, pas vrai? Veinards! Vous avez bien raison. Profitez-en. Vous reprenez le travail après-demain? Vous auriez dû demander votre lundi. Les patrons sont bien tous les mêmes. Charognes et compagnie. Heureusement, vous allez être au large dans votre nouvelle chambre. Vous ne voulez rien prendre? Une petite goutte de cassis? Bien vrai? Alors on ne vous retient pas. On sait ce que c'est quand c'est nouveau. Avec la grâce du Ciel, le premier lardon ne tardera pas à venir égayer votre foyer. Entre le lit de fer à boules cuivrées et le guéridon à trois pattes avec napperon jauni en filet de coton. Vous pourrez toujours le coucher dans le carton du linge sale, le cher ange, derrière le rideau du lavabo, des fois qu'il aurait la bonne idée de s'étouffer. Dans un sens, le plus tôt serait le mieux... Seigneur de miséricorde, prenez-nous en pitié. Faites-nous périr si jeunes que nous montions vers Vous en toute candeur sur un nuage immaculé, l'âme encore auréolée d'innocence et de foi. C'est la clémence que nous sollicitons de Votre insigne bonté. Vous êtes placé mieux que quiconque pour savoir qu'il n'y a plus de saints à partir d'un certain âge. Réservez-nous une couronne d'étoiles pendant qu'il en est temps encore...

Constellations de pensées fugitives qui me trottent dans l'esprit, inspirées par cet argent inattendu dont je savoure à l'avance les bienfaits, tandis que Nora Langue de Crotale revient à la charge sur le plumard.

Pour tout dire, j'en ai un peu marre. La cervelle occupée ailleurs. Le moindre bien-être en perspective m'aiguise tout de suite l'imagination et je retourne insensiblement à mes fantômes qui n'attendent qu'un signe de moi pour accourir. Mlle Nora entre les jambes, — et le mieux est de la laisser se faire les griffes comme elle l'entend, — je reprends le livre où je l'avais laissé la dernière fois, un mois ou deux plus tôt. Je n'ai même jamais cessé d'écrire. Cette nouvelle rencontre, par exemple, était prévue, me semble-t-il, pour s'insérer dans la longue chaîne des connaissances précédentes. Jeu de cubes. Un élément de plus dont il m'appartiendra dans l'avenir de dégager la signification. Je pars du principe que rien ne se produit en vain. Même lorsque la barque prend l'eau par tous les bouts et chavire, c'est une ineptie sans nom que de vouloir employer le reste de ses forces à lutter contre le courant. Il y a certainement quelque chose à retenir de ce naufrage. Ne serait-ce que la manière dont tout se fracasse autour de soi jusqu'à la dernière lamelle. Du moment que ça a l'air de vouloir pousser dans cette direction, allons voir à quoi ça ressemble et tâchons d'y arriver de bonne humeur, la fleur sur l'oreille.

Je jette maintenant un dernier regard sur les billets. Rien encore n'est décidé ferme pour mon avenir immédiat sinon que je vais me payer une semaine au moins de vacances impromptu à dater de demain matin. Autrement dit, on ne me verra pas à l'usine dans les jours qui suivent et si cette pute tient parole il est probable que je n'y remettrai plus les pieds de sitôt.

Quant au reste, comme disait Jérémie, la Providence y pourvoira. Marché conclu.

La roue tourne dans le bon sens pour une fois. Que ce soit une femme qui dispense l'argent ou que ce soit le contraire, quelle différence à l'arrivée ? Il sera toujours question de manger, de s'habiller, de se loger, de vivre. Ne pas oublier dans nos prières que nous avons été précipités par les anges policiers sur cette terre aride où rien ne s'obtient qu'à force d'endurcissement.

Et dire qu'elles sont légion comme elle, vieilles ou jeunes, à ne savoir que faire de leur fric. Évoluent depuis leur plus jeune âge dans un monde stérilisé. Lieu paradisiaque et mortel à l'abri des courants intempestifs. Peuvent-elles se douter qu'il gèle ferme au-dehors ? Viendrait-il à l'idée de cette femme d'entrer dans l'hôtel glaireux où nous mijotons les uns sur les autres en attendant le bout de nous-mêmes sans nous l'avouer de peur d'être conduits à précipiter les choses, c'est toujours la même histoire. A-t-elle jamais eu la simple curiosité de descendre dans la cuve cosmique du métropolitain ? Le soir. Aux heures d'affluence. Quand l'escadron rassis rentre chez lui. Bêlant. Crotté. Venant de perdre un jour de plus de sa vie, ce qui, au demeurant, n'a aucune importance. Lorsqu'ils s'entassent, par fournées, amorphes, tout à fait vaincus. Inimaginable pour elle et ses pareilles. Tout beau, ma tourterelle ! Viens que je te baise ! Viens que je t'éventre ! Talion. Loi du bourreau. Je t'en foutrai à crier grâce. A rendre l'âme. Comme si j'empalais la Misère elle-même au bout de ma baïonnette.

Cascade soudaine de Mlle Van Hoeck que j'avais pour ainsi dire oubliée sur la pointe de mon vit. S'échauffe dangereusement. Les quatre fers en l'air. Miaule d'une toute petite voix méconnaissable. Elle arrose le drap. Je me retire en douceur pour regarder cela de plus près. C'est un filet incolore. Qui suinte sans bruit. Comme le sang d'une blessure. Le long des deux grosses lèvres enflées. Source artificielle en réduction. (Qui me dira jamais pourquoi je me mets à penser brusquement aux régates universitaires britanniques que j'ai vues l'autre soir aux actualités cinématographiques ?) Miaule toujours et de plus belle depuis que je lui ai supprimé mon nœud. Doit sentir qu'il lui manque quelque chose de vital. S'agrippe aux draps. A poings fermés. La tête ballotte. Bat la campagne. Le plaisir est étrange à contempler. Comme un débat dans l'agonie. Peut-être que le sexe et la mort ne font qu'une seule et même chose. Idée chère à mon ami Martin qui, en tant que toubib, a eu l'occasion de retourner la question. J'examine de sang-froid. Comme si je voyais cela des coulisses d'un grand théâtre. Un crayon en main et je serais capable de prendre des notes sur le vif. Ce ruisselet ininterrompu que j'ai présentement sous les yeux me rappelle une foule de souvenirs cocasses sur telle ou telle femme qui s'est laissé enfiler par moi. J'aurais sûrement des tas de choses intéressantes à fixer sur le papier. Contours des sensations. Perception furtive. Devraient être calquées instantanément afin de conserver leur saveur. (Et imprimées telles quelles si c'était faisable.) Impossible de les mettre au réfrigérateur en attendant la fin de la canicule.

C'est toujours dans des circonstances impraticables que l'envie d'écrire vous tombe dessus sans prévenir. Je crois que c'est l'une des nombreuses raisons pour lesquelles on n'écrit jamais exactement le livre qu'on avait initialement projeté. Mettons qu'une idée somptueuse vous assaille dans la rue ou dans l'autobus ou encore pendant que vous faites le tour du marché aux légumes. Idée incendiaire en général. De quoi tirer un développement de plusieurs pages. Tout à fait la piste d'envol qui vous manquait pour faire ronfler les moteurs pleins gaz. Sur le moment, c'est comme si l'on avait déjà décollé et pris de l'altitude, mais le temps de rentrer chez soi, de tourner la clef dans la serrure et de se jeter à sa table, l'idée s'est modifiée au point de n'être plus qu'une vague écorce sèche. On aura beau ensuite claquer de la langue le reste de la journée, on ne retrouvera plus le parfum insolite qui annonce le seuil de la caverne aux trésors. Que dirait Mlle Van Hoeck si je sautais du lit en lui demandant de but en blanc de me procurer d'urgence de l'encre et du papier ? Comprendrait-elle à quoi répond ce besoin impérieux de l'inspiration et qu'il serait, pour moi écrivain, de la plus haute importance d'essayer de faire couler vivant et chaud dans les pages d'un livre tout ce foutre qu'elle répand à la légère? Cliché au millionième de seconde. Quitte à s'en tenir au négatif s'il le faut. Sans que le souci de reproduire s'intercale comme un tulle déformant entre son plaisir violent et le lecteur éventuel qui feuillettera mon livre le soir après dîner dans son fauteuil. *Qu'il n'y ait pas de temps mort dans la vie!* Si j'étais peintre, comme Sicelli ou Simon Wierne, le génie consisterait à épingler Mlle Van Hoeck nue sur la toile. A la crucifier vivante dans la position où elle se trouve actuellement, cuisses en éventail, prenant soin de ne rien ajouter de superflu à la fresque sinon une cuvette ou une éponge pour recueillir ce liquide qui s'échappe. Peindre un papillon est une chose. En clouer un sur un bouchon en est une autre. Diamétralement opposée.

J'en suis là de mon bref monologue intérieur lorsqu'elle reprend connaissance et s'étonne de cet entracte de ma part. Elle se soulève à moitié. Balbutie dans sa langue. (A ce moment-là, je trouve presque miraculeux de me farcir une Hollandaise. *Fille de Rembrandt, si je ne me trompe.* Pourquoi pas une Aléoutienne pendant que j'y suis! Et plus miraculeux encore qu'elle consente à m'entretenir.) Elle voit les dégâts qu'elle a causés sur les draps et me sourit malicieusement. Sourire qui s'égoutte de son visage comme si elle continuait de jouir par les yeux et par la bouche. Sourire d'orgasme.

— Ke faites-vous, mon petit chéri?

Que puis-je faire, Nora? Comment vous expliquer ce qui se passe? Connaissez-vous l'histoire du perroquet blanc? Non? Alors, le plus simple est de dire que je crée. Que je crée sans répit. Comme un forcené. A la façon d'un rouleau compresseur. Ou d'une araignée tissant sa toile, si vous préférez. Suspendu au bout de mon fil qui traverse les océans asséchés, les cratères, les pendules, la matrice de ma mère, les testicules paternels, le ventre et les reins et les mains et les jambes et le sexe et les yeux et l'âme inconnue de la seule femme que j'aie aimée, et le cul de toutes celles que j'ai fourrées, et Dieu sait quoi encore ! Je dévaste. Je brûle. J'arrache un par un les arbres de Brocéliande. J'endigue. Je reproduis. Tout cela en moi-même comme bien s'entend. D'un seul mouvement de la pensée et sans pour autant cesser de m'astreindre aux besognes rémunératrices de tous les jours, de m'intéresser un peu à ce qui se passe çà et là dans le monde ou même de faire aller ma queue d'avant en arrière à la cadence désirée. Ce travail harassant dans le but de me mettre sous la dent au repas de midi une graine de vérité que je recracherai peut-être aussitôt à cause de son amertume. Je vais dans l'inconnu avec des yeux d'aveugle voir si je trouve mon reflet sur la face interne du miroir dépoli. Gymkhana héroïque. C'est à la fois l'accomplissement de mon propre miracle et de ma propre damnation.

Je crée.

Au vrai, je viens d'achever le troisième volume d'une rhapsodie ovarienne sur le mode stridulent. Œuvre unique en son genre. Le personnage central était une mante religieuse aux prises avec un gastéropode des mers septentrionales. C'est l'étude de leur accouplement saisonnier qui me passionnait. Sujet d'une grande profondeur humaine. J'aurais aimé vous en lire quelques passages. Malheureusement, tout s'est effacé à mesure que je composais sous l'emprise de l'épilepsie. Je ne sais plus où sont passés les manuscrits. Je crois me rappeler en avoir dispersé une partie, quelque cent mille pages dactylographiées, une nuit où je venais d'avoir la nette certitude de mon immortalité après m'être suicidé à trois reprises en me jetant la tête contre les murs. Il me semble revoir tous mes amis en larmes autour de ma dépouille dans la chapelle ardente que les autorités débordées avaient dressée en hâte à même le trottoir devant mon hôtel. On murmurait que j'avais été lynché. Par moi-même, bien entendu. Quelques femmes que j'avais connues autrefois, la plupart sans intérêt, essayaient à force d'exemples et de recoupements de s'expliquer entre elles ma nature tortueuse et d'imaginer pourquoi j'avais bien pu les plaquer les unes après les autres, tenant chacune à leur version qui n'avait aucun fondement dans la réalité, encore qu'à les entendre je ne fusse plus sûr de rien. C'est à elles que furent distribués, selon mes volontés dernières, les manuscrits les concernant. Cela devait se passer le lendemain de la session d'été du Jugement dernier. Songez que je suis mort plus de vingt fois au cours des cinq dernières années. Mort et enterré avec les sacrements de notre sainte mère la jacassante Église qui avait à peine fini de refouler mon cercueil qu'elle devait déjà préparer pour moi les fonts baptismaux. Jean lui-même s'est dérangé plusieurs fois pour l'office du baptême, venu exprès à pied de la Judée rébarbative. Qui l'eût cru ?

Je n'écrivais donc jamais qu'en marge des événements.

Sur ce, et pour clore notre joyeux tête-à-tête de la journée, Mlle Van Hoeck, qui, à ce que je vois, n'a pas compris un traître mot de mes propos, me lance ses cuisses autour du cou, non sans humour, et je me retrouve à mille lieues, sur des terres incultes, nez à nez avec cette excavation stupide qui attend que je lui donne la réplique. Du bout de la langue.

3

Pique-nique de la vie, ainsi interprétais-je ma rencontre avec Nora.

Cette conjoncture que rien ne laissait prévoir dans mon horoscope de l'époque était si paradoxale à tous points de vue que je me décidai sur-le-champ à lui faire une petite place dès que possible dans le livre que je devais écrire.

Et depuis, à chacune de mes tentatives avortées, Mlle Van Hoeck est fidèle au rendez-vous que j'avais fixé pour elle, patientant sagement dans l'antichambre, immuable, clouée sur le mur du temps. Les cheveux décolorés, tirant sur le rouge brun. Un chapeau insensé sur la tête. Sorte de grande aile d'oiseau antédiluvien amidonné en plein vol. Une robe serrée aux fesses, mais néanmoins assez large dans le bas pour lui permettre, une fois assise, d'écarter les cuisses comme si elle allait sortir de son sac la poire à lavement et s'enfourner la canule en public. Série de bracelets à pendeloques dont il me semble encore entendre le cliquetis. Immenses boucles d'oreilles qui lui battaient les joues. Bagues, colliers, clips, anneaux, médaillons. Toute la batterie des ors et perles au premier plan. Les lèvres larges. Bombées. Le nez aux ailes creuses. Taches de rousseur jusque dans le bleu des yeux. Le torse toujours parfaitement droit, nichons copieux. Le cou à peine vieilli. Résultat d'une hygiène et d'une discipline corporelles inflexibles qui avaient au moins l'avantage de me procurer d'inoubliables parties de rigolade lorsqu'elle exécutait devant moi ses mouvements d'entretien et d'assouplissement en petite culotte et soutien-gorge, les fesses drues, cul hydropique, débordant à droite et à gauche, sur les côtés, en dessous, des fossettes larges comme deux doigts au sommet des cuisses, bulbes de chair fraîche, consistante, rose rousse.

Mlle Van Hoeck évitait en principe le repas du soir pour surveiller son poids. Repas qu'elle compensait largement le lendemain matin au lever. Je crois bien n'avoir plus jamais repris de petits déjeuners aussi complets qu'en sa compagnie. Quatre sortes de liquides, tous les matins. Thé, thé de Ceylan, à peine additionné de lait, chocolat fort et onctueux, café noir, lait à volonté, la bouteille glacée trônant au centre du plateau, décapsulée. Pain ordinaire en tranches grillées. Pain de mie. Biscottes. Croissants et brioches tièdes. Confitures variées. Un petit pot de chacune, étiqueté, cacheté, daté. A savoir : confitures d'abricots entiers aux amandes pilées, pêches de vigne, groseilles, framboises, prunes blanches et noires et confiture de roses dont elle raffolait. Elle bouffait à elle seule, en moins d'une semaine, le stock que Jiecke, la bonniche amenée de Hollande dans les bagages, rapportait chaque samedi pour quinze jours. Beurre fruité à saveur de noisette qu'il fallait aller acheter à l'autre bout de la ville, trois ou quatre fois par semaine, dans une crémerie soi-disant réputée pour ses produits qu'on aurait pu sans mal trouver n'importe où ailleurs, mais Mlle Van Hoeck avait ses lubies qu'il ne fallait pas contrarier.

En ce qui concernait la nourriture, elle se montrait d'une rare exigence, pointilleuse, récalcitrante devant un morceau de beurre qui n'avait pas une teinte uniforme, un peu plus ou un peu moins jaune par endroits, détail imperceptible qui motivait de longues explications suivies de longues engueulades entre elle et Jiecke. Le tout dans la langue du pays. Rauque. Épineuse. A elles deux, elles réussissaient en braillant chacune de leur côté une orchestration pour accompagnement de delirium en vase clos avec toute la nichée des gosses qui hurlent de terreur. Baragouin d'oies saoules. Difficile à avaler, surtout au réveil. Bien que Mlle Van Hoeck, vernie d'éducation, eût chaque fois l'élégance de s'excuser de ces débats avec sa bonne, avant et après la dispute. A son idée, il devait être désagréable pour moi de ne pas comprendre ce qu'elles disaient en raclant de la gorge. Dernier de mes soucis. Elles auraient pu s'égorger sur le tapis persan que je n'eusse même pas fait mine d'intervenir. Elle ne supposa jamais que ce n'était pas leur dialogue, mais leur putain de langue qui m'exaspérait à un point indescriptible.

Quand la discussion tirait sur sa fin, elle semblait s'apercevoir à nouveau que j'existais et me prenait pour point de chute :

— Le petit chéri ne komprend pas ce ke vous dites, Jiecke ! Jiecke, taisons-nous tout de suite ! Ce ne est pas pôli pour lui, ni distraktionnant, pauvre petit chéri !

La voix perçante. Greluche. Toujours un ton au-dessus. La crécelle. « Le petit chéri t'emmerde, espèce de grosse putasse ! » répondais-je mentalement, dans un sourire niais.

Terme à la criaillerie de ces deux perruches égosillées, sauf dans le cas où Jiecke avait explosé en larmes au milieu du tournoi, chialant avec de gros souffles allongés, des bulles sur les lèvres, les yeux dilatés, bleus, bêtes, bovidéens, s'amenant si près des paupières que je me demandais toujours s'ils n'allaient pas finir par gicler des orbites et venir atterrir mollement en fin de trajectoire, se gluer dans la framboise. Jiecke restait plantée sur ses pieds au milieu de la chambre, se torchait le nez avec un mouchoir ou un pan de son tablier si elle n'avait rien d'autre sous la main, gonflait, crachait l'air, l'eau pissant sur ses joues rondes, en ravalant une partie avec le bout de la langue. On avait ce tranquille sentiment que cela pouvait se prolonger une heure aussi bien qu'une journée ou même une semaine de suite. Que cela pouvait n'avoir pas de fin en ce monde. Nora n'intervenait qu'au bout d'un moment, vraisemblablement pour laisser à Jiecke le temps de se pénétrer de sa culpabilité. Elle me prenait à témoin des difficultés qu'elle éprouvait à faire marcher la maison. Ça devait faire des années qu'elles repassaient ensemble la même scène. Jiecke murmurait quelque chose en vagissant. Alors, je voyais Nora se dresser, offusquée, robuste, marcher sur elle, l'attraper par les épaules et la secouer durement à bout de bras en lui catapultant un chapelet de phrases aiguës à deux doigts du visage. Se tournant ensuite vers moi, écarlate :

— Elle dit ke je suis une mauvaise femme ! Ke elle veut partir dans la Hollande ! Retourner ! Là-bas enkore elle dire ke je suis mauvaise femme komme elle dit maintenant là. *Zunck !*

En colère, elle ajoutait à tout ce qu'elle disait cette onomatopée qui m'avait l'air d'un bouchon de mastic qu'on colle, fou de rage, sur une fuite d'eau qui vous empêche de dormir depuis des heures. *Zunck !* Je me préparais à subir encore un court échange de balles entre elles, puis, Jiecke, molle comme un biscuit trempé, se précipitait sur la poitrine de sa patronne qui lui ouvrait les bras et c'était la minute de consolation, le pardon, les accordailles, les ronronnements de chattes hystériques apaisées, les embrassades. Les voix retombaient au diapason normal. On pouvait attaquer le premier pot de confitures.

La bagarre achevée, j'avais droit à un baiser de Mlle Van Hoeck qui, avais-je noté, prenait un certain plaisir à me peloter, à faire des commentaires sur la nuit passée ou à me fourrer sa langue entière dans la bouche en présence de Jiecke. Et probablement que l'autre ne détestait pas ça, car à deux ou trois reprises, ayant eu à passer tout de suite après dans la cuisine, je l'avais trouvée spécialement frétillante, rieuse, l'œil de traviole sur la braguette de mon pyjama plus ou moins fermée. Point d'histoire que je me promis d'élucider par moi-même à la première occasion.

Il n'était évidemment pas question de se faire servir au lit en raison des nombreux plateaux que nécessitait l'attirail du petit déjeuner. Trois au minimum tous les matins. A quoi il convenait d'en ajouter encore un ou deux lorsque Mlle Van Hoeck réclamait deux œufs au bacon ou un bifteck haché avec œuf à cheval, parsemé de petites câpres qui, à cette heure matinale, me faisaient penser à des furoncles verdâtres. Cette mélasse rouge et jaune me levait le cœur. Touillée dans l'assiette, énergiquement, par la poigne solide de ma Nora au grand sexe, en femme qui sait ce que c'est que la nourriture, qui sait ce que c'est que le besoin de manger quand on a faim, fût-il minuit ou sept heures du matin.

Ma grande stupéfaction en mettant le pied dans la maison avait été la découverte du réfrigérateur que

Jiecke avait pour mission de tenir garni d'un bout à l'autre de la semaine. Merde! Je fus pétrifié en ouvrant la porte. Les clayettes débordaient de nourriture en réserve. On se serait cru à la veille d'une de ces grandes famines moyenâgeuses. Quartiers de viande cuits et crus. Petits sachets de langoustines décortiquées voisinant avec les fruits au naturel, les boîtes de bisques, les cornichons en conserve, la crème, les filets de saumon frais dans des récipients de plastique, six ou sept variétés de fruits, les plus beaux, les plus ronds, les plus gros, veloutés, pesants, à point pour le repas suivant. Rayon des boissons, un régiment de boîtes de jus de fruits montait la garde autour de la bière, des sirops de luxe, des eaux pétillantes qui précédaient les bouteilles d'apéritifs. Le caisson du bas était réservé aux légumes. Tomates, endives, salades, aubergines, poivrons, choux-fleurs, tout ce que la terre généreuse produit sous toutes les latitudes, même aux pires saisons de froidure. Nora ne faisait pas cas de ces vétilles et entendait servir à sa table melons ou concombres à toute époque de l'année. Les œufs du jour faisaient la haie dans les ornières de la porte. Façade de victuailles bien portantes, comme une planche décorative en couleurs. En ce temps-là, qu'il s'agît de n'importe lequel de mes amis, nous n'avions jamais devant nous de quoi assurer un seul repas d'avance. Pour ma part, je jubilais quand j'arrivais à avoir assez d'argent pour acheter trois ou quatre boîtes de sardines et un saucisson que je fourrais sur un rayon de l'armoire dans ma chambre en me promettant de n'y pas toucher avant d'être à fond de cale. Cette foûtue grognasse allait donc ingurgiter tout ça, dix fois ça, cent fois ça! Une tranche de rumsteck, bleue et sur le gril, je vous prie, quelques olives pour commencer, pain de seigle, beurre salé, des crudités, des entrées froides, un entremets, les fromages, les desserts et un bon café pour faire glisser. Le réfrigérateur allait donc se vider et se remplir. Comme une poche d'air. A l'infini. Mangeait-elle chaque chose séparément ou liquidait-elle en une fois le contenu, bouche ouverte, engloutissant du même coup les emballages en supplément ? *Zunck !*

Le rite quotidien du petit déjeuner absorbait une bonne partie de la matinée lorsque j'avais passé la nuit à la maison, ce qui, contre mon gré, se produisait de plus en plus souvent, car, sorti des jeux et ris qui occupaient la plupart de nos soirées et de nos nuits, cette femelle ardente avait le don de me taper sur les nerfs.

Je m'étais rapidement aperçu que nous n'avions pas un seul goût, pas une seule idée en commun. Ailleurs que dans un lit, la conversation se révélait difficile, pour ne pas dire insoutenable. Son esprit biscornu descendait en droite ligne des temps mérovingiens, étroit, mesquin, prenant en considération ce qu'il est convenable de faire et de ne pas faire, de dire et de ne pas dire, même si l'on meurt d'envie de ne parler que de cela. A propos du sexe notamment. La moindre allusion au sujet la faisait bouillonner d'aise du haut en bas, cela équivalait à craquer une allumette au-dessus d'un dépôt de mélinite. Le mot « sexe » lui-même avait sur elle l'effet d'un bol de vitriol dont on lui aurait à distance badigeonné le bas-ventre. Il suffisait d'une petite discussion d'un quart d'heure pour la mettre en train, chaude et moite comme une serviette de coiffeur, mais elle simulait la pudeur quand on branchait sur la question. Absence de maintien de votre part, voilà ce que suggéraient sévèrement son regard, ses lèvres pincées et le geste qu'elle avait, vous invitant à ne pas insister davantage. A peine si elle ne se signait pas en entendant certains mots qui étaient aussi courants dans mon langage que bonjour et bonsoir. Dès que j'amorçais sur le thème, elle mettait le paravent, mais c'était une vraie jouissance de sentir chaque mot la pénétrer, chaque image lui glisser sur la peau comme un cube de glace et aller se dissoudre lentement au bon endroit.

Le plus clair de nos entretiens se bornait à des descriptions du pays de son enfance. La vie qu'elle avait eue là-bas avant de venir se faire sabrer en France bon poids bonne mesure. Pas folichon d'après ses dires. Des souvenirs sur son mari qui l'avait laissée tomber pour une raison qu'elle n'expliquait pas. Devait avoir marre d'elle, c'est tout. S'était arrangé pour lui faire servir une pension trimestrielle. Curieux type à l'en croire. Ne crachait ni sur la bouteille ni sur les femmes. Disparaissait des semaines entières sans qu'on pût savoir où il passait. Revenait de même et se remettait au boulot dare-dare. A part les souvenirs conjugaux ou autres, nous ne trouvions pas grand-chose à nous raconter. Terrain sec. On lanternait sur des amis à elle que je ne connaissais pas, sur les miens, sur la mode, et c'était encore Jiecke qui nous fournissait la meilleure matière. Je n'ignorais plus rien d'elle. Dernier contrefort de nos conversations. Elle essayait bien de me questionner sur l'existence que j'avais menée avant de la rencontrer, mais outre que j'estimais n'avoir rien à lui révéler de moi, je savais que, même en me laissant aller, elle ne pourrait me comprendre. Autant parler chinois. Entre nous il y avait juste un petit gouffre assez spacieux pour contenir au large une moitié d'humanité. La sienne. Sans l'attrait du sexe nous aurions continué de nous regarder par-dessus la barricade. Il est bon d'ajouter que je piquais des rages muettes quand elle abordait le chapitre de l'argent qui n'avait jamais soulevé aucune difficulté pour elle. Il lui suffisait d'ouvrir son sac à main. Ou de faire un saut à la banque.

Je n'arrivais pas à me faire à cette idée de *passer à la banque* quand les fonds étaient à plat. C'était si bougrement simple qu'on ait songé à payer une escouade de types uniquement pour garder votre argent, le totaliser, l'encaisser, le rembourser, le mettre en piles dans les coffres avec votre nom dessus et vous le restituer à la première demande sans que jamais il manque un centime de la somme. C'était si parfaitement conçu, si absurde, si parfaitement immoral qu'une gonzesse comme elle pût avoir des employés à sa disposition rien que pour lui verser du fric chaque fois qu'elle en avait besoin, ça m'avait tellement l'air de fonctionner sur du vent, tout cela tellement fragile, à la merci d'un énergumène qui s'aviserait un beau matin de changer les coutumes, que je gardais le secret espoir qu'un jour, lorsqu'elle se présenterait au guichet grillagé, on lui annoncerait poliment que la mécanique avait craqué dans la nuit. Simplement craqué. Pour un motif inconnu. Et aucune chance de la voir se remettre en branle avant longtemps. Veuillez accepter les excuses de la Direction et du Personnel réunis, n'oubliez pas le portier en chômage, un mutilé de la guerre de Cent Ans. Demi-tour, en avant marche! Vous pouvez regagner votre domicile, mais je ne saurais trop vous conseiller de faire un crochet par le bureau de placement en rentrant.

Régal pervers que d'imaginer Mlle Van Hoeck sans un. Dans la misère. Même pas la vraie misère. Tout juste dans la gêne comme je l'étais moi-même.

Comptant et recomptant le grain des semailles, la trouille au ventre. Existence de fourmi en circuit fermé. Vaine obsession de joindre les deux bouts. Que diriez-vous d'une petite expérience de cc genre, à blanc, dans l'absolu ? Je calculais approximativement le temps qu'elle tiendrait en bazardant les bijoux, sa voiture, deux ou trois manteaux de valeur qui dormaient dans la penderie sous la naphtaline, quelques bibelots, un peu de vaisselle et la vieille garde du mobilier d'époque enroulé dans les tapis. En supposant qu'elle réduisît de moitié son train de vie coutumier, elle n'en avait pas pour plus de huit à douze mois. *Et après, chère Nora ?* Incapable de vous débrouiller par vous-même, n'est-il pas vrai ? Rien dans les mains, rien dans les poches. Pute, à la rigueur. Et encore pas du dernier arrivage. Imaginez que, par hasard, votre époux de Hollande prenne idée de vous couper les vivres. Peut-être ce jour-là, me croisant dans la rue, n'oserez-vous même pas me faire signe. La misère est un tel anonymat. Si la bande des poivrots, des mendiants, des parasites, des cinoques, si tous avaient une chance de se faire connaître nominalement, de venir à domicile, de s'asseoir dans le fauteuil en face et de déballer leur sac, posément, avec les redites, les oublis, les lacunes, les mensonges que ça comporte, sans haine et sans crainte comme on dit, s'il y avait seulement sur terre un endroit où ça puisse se passer de la sorte, c'en serait fini à tout jamais de l'angoisse et du doute. *Aujourd'hui le Dieu d'Amour et de Conciliation allume les lanternes, réjouissez-vous !* Le salaire de notre malédiction, c'est que l'homme soit partout étranger à l'homme. Rares furent ceux qui, me connaissant, refusèrent le geste secourable que j'attendais d'eux. Le mal n'est pas l'argent lui-même, mais le fossé que l'argent creuse autour de lui. Par peur. *Nous vivons sous la couverture.*

Vagabondage sur la corniche extérieure au sommet des fortifications capitonnées élevées en pleine campagne du délire.

Où étions-nous exactement? Si isolés. Si indifférents l'un pour l'autre. Nos ombres cacochymes se poursuivent dans l'escalier en spirale qui mène aux catacombes de ce palais des vents fous. Comment se fait-il que de son côté cette femme ait suivi la même route astrale jusqu'à m'atteindre dans ma retraite? Qui a pu nous conduire ici ensemble dans cette chambre luxueuse qui ne fait partie d'aucun de mes souvenirs? D'où provient cette erreur terrible? De nous deux, personne n'est vraiment chez soi. De quoi parle-t-elle depuis son arrivée, neuf siècles plus tôt? Sa voix me parvient à travers une série de filtres superposés. Il m'arrive même d'oublier qui elle est et pour quelle raison je consens à lui tenir compagnie au milieu de la nuit, assis sur le bord d'un lit mortuaire pendant que la vie effrénée continue sa marche sans nous, sans moi, un peu plus loin, au-delà des doubles rideaux d'épais velours sombre. Il me semble alors que mon véritable rôle est de la poignarder sur le matelas humide, d'éteindre les lumières et d'aller vers la sortie. A pas de loup pour ne pas éveiller le fantôme de Jiecke, servante modèle de l'âge néolithique. Au-dehors, c'est peut-être le temps de la Saint-Barthélemy ou celui de la Renaissance glorieuse. Ici nous nous agitons pour un semblant d'amour. Nous essayons des conversations insipides compliquées de mots ou de phrases intraduisibles. Et soudain cette femme va se lever et réclamer à manger. Seul réveil dont nous soyons encore capables. Il ne restera plus ensuite qu'à forniquer copieusement avant de recommencer à parler sans nous entendre jusqu'à ce qu'elle se lève à nouveau poussée par la faim. Nous nous sommes mués peu à peu en petits insectes aveugles, couleur de terre, trottinant sans fin, sans but, dans un tunnel circulaire. Nous croisons nos antennes par habitude en nous rencontrant dans l'ombre. Je dépends corps et âme du règne obscur de la femelle tyrannique. Mlle Nora a revêtu sa carapace thoracique, attaché ses élytres et s'apprête au vol nuptial souterrain, fixant sur le monde mâle son œil parabolique convulsé de folie et d'envie homicide. Si je tirais brusquement le drap qui la recouvre, je la surprendrais en train de couver le ganglion immonde d'une chaîne d'œufs minuscules qu'elle vient de pondre alors que je finissais à peine de la caresser.

Vers minuit une heure du matin, grillant une dernière cigarette pour occuper le temps de la transition, je parlais de rentrer chez moi.

Au début, pas d'entrave, pas d'accroc. Délicieuse et compréhensive. Admettait fort complaisamment le régime séparé. Tout marchait à merveille comme je l'entendais. Il était rare qu'elle me retînt la nuit entière. Ayant eu son compte et même un peu plus.

— Chérie, disais-je gentiment, il va falloir que je m'en aille, n'est-ce pas ? Il se fait tard et vous devez dormir aussi...

Acquiescement. J'éteignais le grand éclairage de la chambre, ne laissant allumée près d'elle que la lampe de chevet. La clarté ovale calfeutrait l'oreiller blanc. Et sa tête sur l'oreiller blanc. Cheveux incendiés. Brindilles de lumière. Elle avait dû être belle en son temps. Si on passait l'éponge sur les petites rides des paupières, à l'angle, autour des yeux, les plis de la bouche, sur ce filigrane limpide du vieillissement. C'était encore à tout prendre une femme acceptable.

Baisable, quoi ! De cette façon, embuée de lumière douce, elle était agréable à contempler. Filet bleu du regard entre les paupières mi-jointes. L'étincelle qu'y déposait la lampe. Point de suture éblouissant. A quoi devait ressembler le premier homme qui s'était avancé vers ce visage de jeune fille, qui avait osé en approcher ses lèvres, le cœur étouffant, acte fervent de pur amour suspendu dans l'éternité des hommes comme un îlot imprenable. S'était-il extasié de son sommeil à elle, heureux seulement de la sentir vivante et présente ? Avait-il posé tendrement sa tête sur l'épaule nue, la bouche rivée à cette mince pelure de peau intacte ? Mis le doigt à cet endroit du cou où vient battre le sang ? Soulevé le sein dans sa paume pour entendre de près le cœur vivre à l'oreille ? Avait-il connu alors cette minute surnaturelle qu'aucune mort humaine ne peut atteindre, plus près que jamais du divin qui sommeille en nous ? Et puis quoi ! tout se termine quand même dans la région des couilles !

J'allais me passer la queue sous le robinet si ce n'était déjà fait, et j'en profitais aussi pour chier à l'aise sur le siège de la salle de bains en mosaïque vert Nil. Décor idéal pour mener à bien ce genre d'affaire. J'y attachais d'autant plus d'importance que les chiottes de mon hôtel puaient le moisi et le vieux déchet. Je me rhabillais, picorais en passant quelques grains de raisin muscat dans une corbeille sur la commode, je palpais les billets dans ma poche, histoire de vérifier si je ne manquerais de rien jusqu'au lendemain — et trotte petit homme ! Dernier patin glissé en hâte entre les lèvres ouvertes de Mlle Van Hoeck qui en profitait, à poil sur le lit, pour me tripoter encore un peu entre les cuisses par-dessus le pantalon, me pressant le chose une dernière fois, nostalgique, ou me saisissant la main et la posant sur ses poils en guise d'adieu provisoire. Je faisais aller mon index sans conviction, par souci de politesse, évitant surtout le clitoris qui eût tout remis en question.

— Dormez bien, chérie. A demain.

Et que la vérole te dévore, toi et tout le tremblement !

Je quittais l'appartement au pas de course. L'esprit délesté. Retrouvant autour de moi la rue vide. L'air neuf de la nuit. Contraste salubre avec la moiteur parfumée de la chambre. J'excluais d'un coup de ma pensée Mlle Van Hoeck et son sexe furibond comme si ni l'un ni l'autre n'avaient jamais fait irruption dans ma vie.

Extraordinaire cette faculté que j'avais de l'oublier presque totalement aussitôt que nous nous séparions. J'avais l'impression qu'elle appartenait à une époque antérieure de ma mémoire. Quelque chose comme une goule du sexe. La dernière soirée que nous avions passée ensemble se situait, me semblait-il, à la limite des vastes forêts de l'hibernation toujours plaintives sous les rafales de bourrasque, dans l'hinterland nuageux. L'endroit même où séjournaient pour moi tous les personnages de Strindberg, de Tchekhov, ceux de Synge, Ibsen et son fils chéri Oswald Alving, Elsa aux yeux d'eau morte nénuphar, et Meaulnes l'étranger, une lampe-tempête à la main, cherchant passage dans la lande. Pays de somnolence abrupte. Mlle Nora sur le toit du donjon brandissant chaque nuit une torche mâle à l'intention des voyageurs trompés par la tourmente. Si l'on réussissait à contourner la ravine, les verts pâturages s'étendaient devant soi à perte de vue...

Où êtes-vous, Nora d'Amsterdam, dans ce conflit des épouvantes ? Mille pardons, j'ai dû vous oublier au fond de la galerie des cires.

Si je n'avais rien de mieux à faire en sortant de chez elle, j'entamais une promenade nocturne, quelquefois jusqu'au petit matin, allant droit devant moi où me portaient mes pas, déambulant dans les quartiers de la ville que j'aimais pour leur poussière de tristesse engourdie tissée fil à fil de maison en maison.

Petits quartiers de pauvres. Mal fichus. Blottis. Toujours quelques persiennes déglinguées. Quelques lézardes dans le crépi des façades. Toilette mortuaire sur la peau nickelée d'un cadavre ancien. Impression d'immense fragilité. Et derrière les murs, des hommes qui reposaient. Un ronflement, parfois, qui enjambait une fenêtre ouverte, cabossait l'obscurité. Des pleurs d'enfant, réguliers, persistants, échappés à l'aveuglement de la nuit, loin, loin, comme coulés dans l'épaisseur même des murs au fond de cette enveloppe de ciment et de pierres. Écho rebondissant d'une porte d'entrée fermée quelque part par une main invisible. Les bruits passent par la caisse de résonance. Je m'effaçais sur le silence. Ligne métallique des poubelles de guingois au long des ruelles étriquées. Comme des chapeaux difformes mis en place avant que ne s'allument les feux de l'illusion. Haie de parade d'un monde de détritus, sur chaque trottoir, des deux côtés. Rues trempées de sommeil, décalquées sur le noir. Architecture indécise d'après la fin des siècles. J'aimais cette paix légère. Galon de nuit. J'aurais pu être le dernier survivant valide à la suite du cataclysme sidéral. Peut-être allais-je tomber au tournant de la rue prochaine sur un tas de noyés parmi lesquels je reconnaîtrais infailliblement le corps mutilé de Mlle Van Hoeck dans sa chemise de nuit saumon à volants noirs, ses cheveux agglutinés en touffes au sang sorti de ses narines. Un peu plus loin, il y aurait un râtelier jauni abandonné par mégarde au moment de la panique finale dans la vitrine d'un grand magasin, témoin absurde de la civilisation du fer. Un vieillard décapité, accroupi, dont les mains tâtonnantes essaieraient de rassembler les débris d'un monocle brisé entre les pavés. Ou un pénis de cheval à demi sorti de son fourreau de poils, se contorsionnant dans la rigole comme un long ver rouge — pourquoi pas ?

Je marche. Je suis seul dans ce grand calme hachuré de l'ombre. Silhouette de contre-plaqué découpée au ciseau à froid. Le but de ces flâneries était surtout, je crois, de me laver le cerveau. Bain de jouvence. En quittant l'appartement j'avais comme la sensation de me retrouver chaque fois en piteux état. Ayant besoin de me changer les idées après la traditionnelle soirée de tripotages et de palabres à dormir debout. Ayant besoin de parler de tout autre chose avec quelqu'un qui me comprenne, d'entendre un son de voix qui me réconcilie avec moi-même.

Je faisais un saut chez Wierne qui travaillait toujours très tard la nuit dans le petit atelier qu'il s'était aménagé au troisième étage d'une bicoque de la proche banlieue. Seule lumière encore brillante dans sa rue pelotonnée.

Disposé ou non, Simon vous recevait chaleureusement. Debout devant la toile en train, les jambes écartées, deux ou trois pinceaux entre les dents, il continuait de peindre comme si vous n'étiez pas là. Je m'asseyais derrière lui et même si nous n'échangions qu'un mot tous les quarts d'heure, ça allait comme ça. Je le regardais travailler et j'étais bien. Ça me remettait en forme. Plus de Van Hoeck, plus de

Jiecke, plus rien de cette sauce émolliente dans laquelle je m'enlisais. Si ça avait pu se faire, je lui aurais laissé mon biniou sur la table et ne serais apparu chez elle que de loin en loin pour toucher ma petite gratification.

La différence entre l'appartement et mon hôtel était trop brutale. Le luxe, l'argent et tout ce qui en découle de bien-être. De l'autre côté, la gueule renfrognée du taulier que je dérangeais dans son premier sommeil, surgissant en pyjama au fond du couloir, un manteau jeté sur les épaules, venant lorgner à travers la porte vitrée, les cheveux en flocons sur le crâne, pli mauvais à la bouche, ses pieds nus traînaillant dans des savates aux talons écrasés. Coup d'œil inquisiteur, puis il me faisait poireauter dehors devant la porte par mesure de représailles. Humiliations mesquines. Vous pincent le cœur. Lorsque enfin je pouvais entrer, ce pauvre con se dressait comme un reproche vivant sur mon passage. Ne répondait jamais à mon salut et coupait généralement la lumière de l'escalier avant que je fusse parvenu à mon étage. Procédait ainsi avec moi depuis deux ans que j'habitais sa taule. Alors, maintenant que j'avais du fric en poche, ça ne me disait plus rien de rentrer.

Je poussais jusqu'à un bistrot de nuit. Je me payais une assiette anglaise, une choucroute, un pot du meilleur pinard que je dégustais lentement, l'âme sereine, écoutant les conversations autour de moi. Putains en relâche. Chauffeurs de taxis. Indicateurs. Clochards. Poivrots. Radeurs. Il faisait bon et chaud dans la salle. Abri curieusement bâti sur les rambardes de la nuit. On devine une espèce de complicité latente entre ces gens qui ne dorment pas. Ce sont, à quelque chose près, toujours les mêmes. On se connaît vite, sans s'être jamais adressé la parole. Personnages de la nuit. Les visages, les allures, les voix sont comme endeuillés, tachés de pâleur nocturne. Chaque fois que quelqu'un pousse la porte et entre, tous les regards se tournent vers lui. Il semble qu'on craigne l'arrivée d'un ennemi qui tiendrait du diable ou de ses procureurs. Atmosphère fibreuse. Personne ici n'attend rien de défini sinon le jour. Aucun éclat de voix, jamais. Rumeur plane. Déchiquetée à intervalles réguliers par le souffle crachin du percolateur. Tapotis brefs des touches de la caisse enregistreuse. Cliquetis des tasses, des soucoupes, des plateaux, de la vaisselle. La machine à sous qui sonne comme dans un rêve d'idiot. Vie circulaire. Illicite. Un rire de femme, parfois, crisse, ricoche dans un coin de la salle, retombe vite, avalé par le brouhaha sourd, se casse, épongé. Du sous-sol où se tiennent les cuisines et les chiottes monte l'odeur de friture et d'urine amère. Serveurs harassés. Le sommeil déréglé inscrit sous les yeux. Lourdeur lente des regards. La fatigue pénètre les corps comme une pluie fine. Le vendeur de journaux passera plus tard, la pile de feuilles retenue dans son bras plié. Pétrole des lettres d'imprimerie. Pendant tout ce temps de la nuit, le monde a vécu d'un pôle à l'autre. Les drames humains ont été consciencieusement répertoriés. Chacun peut lire dans les colonnes nécrologiques que cette nuit un certain nombre d'hommes a passé l'arme à gauche. Pépère. Sans bruit. Sur un lit d'hosto. C'est rédigé en petits caractères à tant la ligne. Classé par arrondissement. On apprend que la famille Habens déplore douloureusement le décès prématuré d'un représentant de commerce père de quatre enfants mort au champ du travail entre Roubaix et Calcutta, ayant avalé par distraction sa carte d'échantillons de boutons fantaisie en lieu et place du sandwich à la moutarde que sa petite épouse émue lui avait préparé de ses mains. De ses mains si chouettes, si branleuses, qui, avant-hier encore, lui massaient la queue sous les couvertures avant de dormir. C'en est fait du voyageur. De sa lassitude. De ses bordereaux de vente. De son boniment. De sa clientèle aride, méfiante, dure à la détente. Et de sa queue aussi, c'en est fait, bien sûr, elle est incluse dans la mort. Il ne reste vraiment plus que sa petite femme éplorée et quelques boutiquiers avares pour se souvenir de lui. S'est tiré des pattes à l'heure dite. Peut-être pas mécontent. La camelote s'écoulait mal ces temps derniers. C'était un boulot médiocre. Ingrat. Loin des siens le plus souvent. Ce qu'il aurait aimé au contraire, c'est la vie de famille, la soupière fumante, la soirée devant l'âtre, la pure entente des joies communes. Au lieu de cela, les hôtels froids, les routes de nuit, l'itinéraire, la maigre chère, la solitude. Ça n'arrivera donc plus. Ses responsabilités s'éteignent avec lui. La mort est avantageuse vue sous cet angle. Il est clamsé à moins de cinq cents kilomètres de moi qui m'attendrissais sur un morceau d'excellent munster enrobé d'une couche de cumin. J'aimerais bien voir sa tête. De quoi il avait l'air de son vivant. Pourquoi pas la photo du type, puisqu'on se donne la peine d'écrire son nom ? Un nom, c'est si sec. Ça ne révèle rien. Avec le portrait, je pourrais me faire une opinion. Deviner à peu près comment il a dû prendre la chose. On devrait mettre aussi en médaillons les gueules de toutes les familles. Ça renseignerait sur la vie du défunt. Imaginons que je crève aujourd'hui même et qu'on m'associe à la petite Nora dans le journal : ça ferait comprendre aussitôt par où j'avais dû en passer. Édifiant pour la galerie.

Buvons un verre à la santé de cet honnête commerçant inconnu qui commence à se décomposer dans sa bière, entouré de l'affection posthume des siens. Il fait encore nuit et l'enterrement n'est que pour demain dix heures en la sainte chapelle des Exorcisés. A quand ton tour, gamin ? Qu'importe ? Dieu est partout. Sait tout. Voit tout. Il m'aime tel que je suis et partage avec moi la portion de munster coulant dont je disais à l'instant qu'il était succulent sous sa petite coquille pointilleuse de graines de cumin frais.

D'après ce que je peux lire à la page des informations générales, il y a bien du délire du côté de Sumatra. Crimes. Atroces bêtises. Politiques ou militaires. Processions de conneries du type remises de médailles pour assassinats patriotiques. Bien des malheurs de toutes sortes dans la bonne ville de Pénopoa. Des floppées de syphilitiques qui attendent en groupe à la porte des hôpitaux l'arrivée du professeur de service. La chambre à gaz, la potence, la guillotine, le poteau se préparent dans la cour des prisons pour tout à l'heure. Dans cinq minutes. A la montée du jour. Et mes frères humains qui n'ont pas eu toute la chance désirable vont y laisser leur trouille et leur merde d'existence ballottée à vau-l'eau. Il y a bien des désastres autour de nous. Ce qui n'empêche nullement que le type en gabardine et chapeau mou vient de faire tilt à la machine à sous entre les jambes de la figurine peinte en couleurs sur la vitre. Ça le chagrine visiblement. Contrarié. Qu'est-ce que ça peut lui foutre à lui que les Hindous bouffent mal ? Ce qui vaut d'être vécu en ce monde, c'est ça : la machine. Les petites billes d'acier. Les millions de points fictifs qui se comptabilisent électriquement sur les nichons, sur les cuisses, sur les reins, sur les fesses de la pin-up habilement déshabillée qui domine ce jouet moderne. Une pépée qu'on se taperait volontiers. Bien faite. Rendue sensuelle à souhait. Incarnant le désir. Un bout de jupe sur le haut des cuisses. Juste le zizi recouvert. Astucieux. Point de mire idéal. Symbole de la victoire mâle. Le but, c'est la partie gratuite, soit. Mais en profondeur, c'est la femme. Cette image de la femme. Bien calculés, les éclats de lumière qui pétillent sans cesse autour d'elle. Réminiscences du feu. De la joie. Et au milieu de cette pétarade, une gonzesse prête à se faire fourrer. Une de celles qu'on n'a pas tous les jours l'occasion de s'envoyer, n'est-ce pas, frangins ? Une pièce dans la mécanique. Facile et pas cher. Et avec ça le petit émoi du jeu. Un brin d'aventure. Voilà ce qui fait vivre l'homme ! Ce qui a une signification tangible. Ne dites pas que ce n'est rien. Dans tout ce modernisme dévirilisant où il est impossible d'agir à son compte, c'est une trouvaille de génie. Et le reste, y compris Dieu en soutane savourant son munster, n'est que faribole pour enfançons fossiles. L'aménagement du monde est irréprochable. Tout est en ordre.

O Seigneur si altruiste ! comment te remercierais-je jamais d'une aussi absolue compréhension de tes faibles créatures ? Comment saurais-je jamais te dire mon élan et ma reconnaissance ? Tu as tout, tout prévu. Même la machine à sous.

O Seigneur de mon élévation perpétuelle ! je ne suis que le plus humble parmi les humbles, mais je te conjure d'entendre ma pauvre voix fêlée et de me laisser te prouver ma gratitude en t'offrant une part de ce kugelhof annoncé sur la carte à un prix modique avec un carafon de blanc mi-sec qui nous retapera tous les deux avant d'aller nous mettre au pieu.

Nous avons encore le temps. Il doit être à peine trois heures du matin. Regardons ensemble, veux-tu, ce couple qui se pelote sans pudeur sur la banquette. Main au cul sous la jupe retroussée. Fille bandante, non ? Ça fait quand même quelque chose de la savoir en train de mouiller si près de soi, à deux pas. De la voir prendre son plaisir. Une femme inconnue. C'est un peu comme si l'on bandait par procuration. Penser qu'elle vous regarde et qu'en même temps elle a son sexe comme une huître ouverte avec les doigts du type qui cabriolent dedans. Sacré culot, ces bonnes femmes ! A l'aise dans l'impudeur. Plus c'est périlleux, plus ça les excite. Elles ont ça dans le sang dès qu'elles sont bonnes baiseuses. Celle-ci, par exemple, qui me balance un sourire de connivence. L'œil louche. Elle sait ce que je pense et ça la touche au vif. Si ça pouvait se faire, elle m'appellerait en renfort. Deux hommes à barboter dedans. Le rêve ! Se doutent-elles qu'on n'oubliera jamais leurs gueules, jamais leurs regards, leurs sourires, le moindre de leurs gestes ? qu'elles resteront ainsi sculptées dans la mémoire d'un ou de plusieurs hommes, sur une banquette de bistrot, dans un cinéma, dans une voiture, dans le métro, dans la rue, partout où elles se font ordinairement malaxer, partout où on les a vues ? Soupçonnent-elles que ce sont des détails d'une extraordinaire puissance émotive qu'il est impossible ensuite de s'arracher du crâne et qu'on repensera à elles bien des fois.

Cette nuit où j'écris, faisant un bond en arrière, rassemblant mes souvenirs, je les amène toutes d'un coup, volontairement, sous le projecteur central. J'évoque avec précision la vingtaine de femmes que je vis livrées à leur jouissance presque clandestine dans ce bistrot où j'avais pris l'habitude de m'arrêter et de casser la croûte tout seul en sortant de chez ma Hollandaise.

Je revois leurs bouches flasques de plaisir après maints échanges de patins énormes, les langues achevant de se caresser, pas tout à fait rentrées à la fin du baiser. Les lèvres en pomme d'arrosoir. Ne demandant qu'à sucer quelque chose qui ait forme de pine. Leurs regards bruineux. Foutus. Qui basculent. Leurs regards à la dérive. Les petits essoufflements *crescendo*, quand le type touchait loin et juste. Qu'est-ce qui les retient de s'enfiler carrément? c'est ce que je me demande encore aujourd'hui. Tel quel, c'est mille fois plus suggestif. Mille fois plus morbide. Ça flotte sur la vase érotique. Je me rappelle entre autres une gamine, seize, dix-sept ans. Fraîche et jolie. Miniature de porcelaine. L'innocence auréolant son pur visage. Elle me rendait malade d'envie trouble avec sa clarté enfantine dont elle ne se départait jamais, une main pourtant glissée dans la braguette du type à côté d'elle. Le visage ingénu, quoi qu'il advînt. La même naïveté toujours, quand elle vous regardait longuement dans la glace derrière elle pendant un patin, tête inclinée. Lucide. Langue et sexe devaient se dissocier entièrement de sa nature angélique, je présume. Ou était-ce de la perversion à l'état pur? Ce petit manège de la glace se renouvelait sans exception chaque fois. Ça me foutait en l'air. Au bout d'un moment, n'y tenant plus, je réglais le garçon et prenais la porte. Suivi pas à pas jusqu'à la sortie par le regard limpide, le regard candide de cette fille dont on tripotait le dedans du ventre. J'étais comme fou, ivre, sonné par cette sorte d'insolence, cette joute presque animale. Que ça puisse exister! Qu'il y ait des filles de cette trempe et que ça finisse malgré tout par vous passer sous le nez!

Marchant seul ensuite dans les rues désertes, la rogne au cœur, je me tenais un langage qui pouvait se résumer à ceci : « Que veux-tu donc de moi, petite pute? Que cherche-t-elle? Quoi? Ah! salope, si je t'avais seulement une heure ou deux sous mon zob, ton petit cul bien calé entre mes mains, je te ferais chanter un autre air ! De ma composition celui-là ! Et pas *mezzo voce !* Au sommet de la gamme ! A gorge déployée ! Je t'en foutrais de l'innocence et de l'ingénuité ! Que la Providence fasse que ça se présente un jour, tu verras dans quel ton j'attaque ! » Épiloguant. Me défoulant tout seul. Jamais la petite pute de porcelaine ne s'allongea sur ma couche. Le Ciel en a décidé ainsi. Pas moyen de baiser le quart de ce qu'on voudrait. Il faut s'y faire.

Pine et con sont souverains de la nuit. Majestés lubriques régnant sous la même couronne d'anthracite étincelant. La nuit est constellée non pas d'étoiles cristallines, mais de gouttes de foutre acérées. Paillettes coagulées au firmament noir d'un cosmos testiculaire. La nuit flambe en silence. Dans la rue quelques passants, femmes et hommes, qui cherchent, qui hument le sexe. S'avancent à pas lents dans la rigole gluante de l'abattoir, leurs semelles grasses de sang. Le sexe est le plus étrange apanage de la création. Hallucinant parce qu'il découle directement de la pensée. *C'est une belle invention !*

Avant de rentrer à mon hôtel, je m'accordais toujours un dernier coup de pinard. Ce que la maison avait de plus fameux dans ses caves. Jet de velours grenat qui vous imprègne chaque papille en coulant sur la langue. Réchauffant le verre entre mes doigts, le corps content, bien au chaud, bien nourri, de l'argent en poche, le cerveau gonflé d'un vide d'une qualité divine, je décollais de terre. Me survolant moi-même. Me voyant agir dans le passé. Retour et méditation. (Ne suis-je pas la bête cancérienne ?)

Des passages entiers de livres que j'aimais me revenaient en mémoire. J'étais peut-être aussi un peu ivre. Avec une légère tendance à bander. Sous-jacente. C'était comme si j'avais été couché de tout mon long sur le sofa de l'estrade séraphique en compagnie de grand-père Gono, dieu incontesté des cons à vérole et de l'obscénité bien comprise. Exquise sensation. Je flotte à l'horizontale dans le duvet de la loge ovarienne, suivant le courant du flux menstruel, en pirogue sur le fleuve de la nativité à travers une brume gazeuse ultraviolette. Voyageant dans l'orbite du moi qui n'est rien de moins que l'exacte définition du sexe roi de gloire.

Pas de meilleur promontoire pour étudier le comportement de mes petits frères primates qui s'agitent à cent pieds au-dessous. Point de solstice de tous les temps. Je me trouve malgré moi incorporé à la faune rampante. Faisant l'amour, interminablement, sans décrocher une seule fois depuis des mois et des mois, le sexe enflé, pourri, plein d'écorchures, cadenassé dans la vulve-ventouse d'un python femelle beurrée de glucose.

Au fait, quelle heure est-il dans les esprits ? Il y a quelques siècles seulement, Rousseau le mécréant devait mettre le point final à son *Émile* ou à ses *Confessions,* ravi d'avoir su s'en tirer avec autant de bonheur en maquereautant le beau monde, l'hypocrite, le fabuleux faussaire de soi-même ! Voilà un type qui m'aurait plu ! Chamailleur et vandale. Sachant tout le prix d'un braquemart vaillant. Et ne manquant jamais d'humour qui plus est. On aurait collé comme larrons en foire lui et moi. Prenait le monde pour ce qu'il vaut : roupie de sansonnet. Un tas de dupes. Pas besoin de se gêner, pas vrai Jean-Jacques ? J'en bois un aussi à ta mémoire. De bon cœur. Moi, ton copain. Au fait, quelle heure est-il en ce moment même à Iasnaïa-Poliana où le vieux Liovotchka Tolstoï, barbe peignée et visage amaigri par l'angoisse métaphysique, s'apprête à renoncer aux biens terrestres, mais non pas toutefois aux jouissances du sexe. Les admiratrices hystériques continuent-elles de monter l'escalier du bureau, Mlle Gourévitch à leur tête, secouée de sanglots et de spasmes de transe ? La petite comtesse Sophie est-elle encore enceinte une fois de plus des œuvres de Léon Nicolaïevitch, son illustre époux, déjà accablé de progéniture dont il semble de jour en jour refuser la responsabilité, écrasé par l'amour des uns et des autres ? Sait-il seulement que son petit dernier, Pétia, vient de mourir à quatorze mois, au matin du 9 novembre, à neuf heures ? La niania tient au chaud le samovar. Faites seller le cheval. Liovotchka, toujours robuste, part pour la chasse où il méditera les éléments de la future *Sonate à Kreutzer* et peut-être aussi quelque peu sur la fidélité vacillante de la plaintive et douce Sophie qui rêve, malgré elle, aux mains virtuoses du langoureux Taneïev. Si nous allions faire un tour dans les rues de Saint-Pétersbourg en compagnie des Karamazov ? *C'est à deux pas d'ici, barine.* La révolution ne gronde pas encore. Nous reviendrons ensuite par Salzbourg, Angkor Thom, Florence et Civitavecchia, ou bien nous passerons le reste de la nuit à tenter de déchiffrer le sens caché du Lévitique et de la double personnalité d'Aaron. Auquel cas, il ne serait sans doute pas inutile de faire une croisière sur les bords du lac de Tibériade. *Voyez, je vous prie, les horaires de nuit de la Christus-Transairline.* Aujourd'hui, jour X de la propulsion terrestre. Ère plénière du cortex moteur, faisceau pyramidal et noyau du trijumeau. La femelle kangourou en difficulté dans la plaine australienne est accouchée au forceps *in extremis* des mains mêmes du professeur Zyrskorswirskyzsiecz jr. appelé en toute hâte par fil spécial dans sa résidence d'hiver du Sud californien alors qu'il entamait un dernier échange de balles sur son court privé avec son illustre confrère européen, le professeur Nécros, en déplacement pour le deux millionième congrès et qui, nonobstant son grand âge, a tenu à l'accompagner bénévolement à bord de l'appareil particulier spécialement frété pour cette course contre la mort. Sur le téléscripteur une dépêche Havas de dernière minute nous rassure sur le sort de ce curieux animal. Voir également le cliché belino transmis par ailleurs. Zyrskorswirskyzsiecz jr. au premier plan, en pantalon de flanelle blanche au pli impeccable, comme toujours. Cent quatorze morts et blessés dans la récente catastrophe ferroviaire de Rangoon. Soixante-sept mineurs ensevelis dans l'éboulement du puits trente-sept. On a failli manquer de plasma sanguin. Une souscription nationale est ouverte pour la dot des veuves à remarier. *Mais tout va bien à Greenwich Village!* Temps salutaire pour les hernies vicieuses. Suivons maintenant l'allée centrale en respectant les pelouses odoriférantes. A gauche et à droite, les oiseaux exotiques. Plumages versicolores. Becs de ciment. Serres impressionnantes. Œil fixe. Une carcasse humaine déchiquetée traîne au sol. L'éminent explorateur a donc été victime de ses proies. Risques professionnels couverts par la Lloyd's. Son odyssée à paraître prochainement *en couleurs naturelles* dans votre magazine préféré. Remarquez la décoration encore épinglée à hauteur de la cinquième côte gauche, à même l'os. Le cacatoès ricane à gorge déployée. Il arrive, lui, d'un voyage de quelque huit mille kilomètres, transplanté d'un coup de la forêt équatoriale au cœur de la capitale policée grâce aux moyens modernes de déplacement. Ailes brûlées par le soleil couchant de la captivité. Le dernier Inca rescapé avec ses mœurs et ses traditions est visible en semaine, de quatorze à seize heures, sous forme de condor impérial perché au sommet de la grande volière, ressassant dans sa pauvre mémoire d'oiseau le massacre des siens. Sous le ventre des buffles leur sexe énorme fait la joie innocente des enfants. L'ours polaire a une érection subite suivie d'éjaculation morose. Mais poussons plus loin. Un petit bonjour amical aux quadrumanes évolués. Et d'abord, comment se comporte, dans la cage d'honneur, cette bonne vieille connaissance que nous étions presque sur le point d'oublier : *Homo sapiens* l'Ancêtre que l'on peut voir ici retour d'une soirée mondaine, en smoking grain de poudre, escarpins vernis, plastron empesé, cravate bouffante, diamant brut à l'annulaire et cigare entre les dents. Relisant le programme des festivités. Ce qui s'est passé depuis l'*Eoanthropus*. Le détail de tous les grands carnages successifs. L'histoire des épidémies. L'amélioration sociale. L'instruction laïque obligatoire. L'empirisme religieux. *Et l'invention du pop-corn et du cornet à frites.* Le voici à présent qui se déculotte en public et qui se met à chier sans autre préambule en feuilletant l'annuaire complet des téléphones du Kamtchatka et du Péloponnèse réunis. Chie et rechie. Placidement. *Et si le baron de Rothschild appelle, dites-lui bien que Monsieur est en conférence.* A propos, et vous, mon fils, comment vous portez-vous à l'heure qu'il est ? Au moins faites-vous vos pâques ponctuellement ? Plutôt deux fois qu'une. Serviteur... Je ne saurais y manquer, en vérité, tant mon âme a besoin de secours et de réconfort. Tel que vous me voyez, je reviens tout droit d'une longue expédition mouvementée au Mont des Genévriers.

Ainsi se nomme depuis le tout début des temps, sur la cartographie stellaire, le minuscule archipel de lumière ondoyante inhabité, situé à l'estuaire Uranique dans l'enclave morte des confluents spasmodiques du chaos journalier, planté au nadir de la réalité pressante, sur la moulure nue du rêve éveillé dans la zone cancéreuse de l'aventure intérieure, issu des embruns et du jusant de mer dans le corset des nuits de sel froid carnées par l'écume croustillante des lunes cristallisées, échappant sans cesse aux regards des navigateurs myopes sous son camouflage de lichens et de varechs limoneux à langues fruitées. Nous voilà donc tous embarqués sur le vaisseau fantôme de la vieille Hollande monarchique. Les enfants jouent au cerceau avec la barre du gouvernail. *Monsieur,* les mendiants de trente nations ont envahi l'escalier. Dites-leur de préparer leurs papiers d'identité et d'attendre leur tour dans l'antichambre, le secrétaire ne saurait tarder. Le groom du Grand Hôtel vient d'apporter un bristol d'invitation pour deux personnes à la générale du premier spectacle entièrement obscène de Moïse von Horeb. *Monsieur,* l'escalier est plein de mendiants aux corps couverts de plaies. Dites-leur de repasser demain. Nous leur préparerons quelques croûtes et du vieux linge. Le téléphone hurle jusqu'à extinction de voix. Prenez l'écouteur. Je suis au service de la Haute Finance. J'éponge le suint des richesses. Que cela se sache ! Vingt millions d'âmes ne sont rien dans la balance internationale pourvu que le cargo arrive au port avec la marchandise intacte. *Articles de Paris.* Que des ordres soient transmis pour l'encouragement à la natalité, nous avons tout un vieux stock de berceaux à vendre, poussettes, landaus, hochets, layettes, ballons rouges, biberons, thermomètres et médaillons d'anniversaire. *Monsieur,* l'escalier est déjà plein de mendiants inanimés qui insistent pour être reçus. Dites-leur d'avoir un peu de dignité ! Nous leur préparons les Saintes Huiles, une absoute et un bocal d'hosties blanches. Les orateurs s'égosillent du haut des tribunes, entortillés dans le drapeau décoloré. Une bombe vient d'éclater dans l'avenue principale de Jérusalem, à l'heure de pointe, à la sortie de la synagogue. Le grand Reb perd son sang à même le trottoir sous les yeux de son successeur. Fait divers. D'ailleurs, comment s'appellent les habitants de la ville ? Les hiérosolymitains, si je ne me trompe. Les rotatives sont-elles en place, graissées, vérifiées ? La morasse au point. Comics et mots croisés sur huit colonnes. Un petit coup d'œil sur la nouvelle publicité de notre boisson hygiénique gazeuse. Rien qu'un sexe de femme. Sans les jambes. Un trou noir. Le clitoris hachuré. Frappant, non ? Inoubliable. Juste au-dessous, l'appel pacifique de Sa Sainteté Blanche d'Hermine, intégralement en latin. L'usine à conserves bat son propre record de production annuelle. Cent mille chômeurs supplémentaires. Prévoyez des centres de secours. Viandox chaud pour tout le monde matin et soir. Et messe à dix heures avec grandes orgues. Pourvu que l'équipe nationale de basket tienne bon à Oxford ! Dites-moi, *James,* quelle est cette odeur insupportable qui filtre sous les portes ? Un peu d'humanité assemblée, *My Lord,* rien de plus. Je vais y mettre bon ordre. Que *My Lord* prenne son thé à la menthe en toute tranquillité d'esprit près du feu de bûches. J'alerte immédiatement les services de ventilation. Où en est-on de la cueillette des oranges et de la tonte des moutons de Californie ? Des familles entières sont sur place par une chaleur de cent degrés Fahrenheit et les salaires baissent d'heure en heure devant l'affluence des postulants. Belle ouvrage,

Mr. Smith! La récolte promet d'être abondante. Prix de revient nul. Sommes-nous d'accord? La bannière claque au vent de la liberté, plus triomphante que jamais. Un nouveau Christ est né au mont Hymette, qui marche sur son derrière et joue à saute-mouton avec les habitants. Envoyez une escouade de photographes et maintenez le contact. L'exclusivité à n'importe quel prix. Les rues de Bénarès sentent le cadavre, monsieur le Gouverneur. D.D.T. et désodorisant. Pour le reste, nous n'y pouvons rien. J'ai une soirée à l'Opéra. Est-ce que le radar fonctionne sur le yacht de M. Aristote Onassopoulos? Il redouterait, dit-on, l'homme-grenouille hybride contre lequel il a joué l'autre soir au Casino municipal. Les détectives sont en route. Croupiers, jetez la boule pour complaire à M. Onassopoulos. Merci. M. Aristote est la perle de notre Casino. Sur le coup de deux heures du matin, le Noir Willie Baxter-Dupont, le visage tuméfié, quitte sa veste d'alpaga, arrache ses bretelles mauves incrustées de perles du Ghana, déchire sa chemise de soie grège imprimée sur le torse moite de sueur, la peau du thorax se détache d'elle-même par lamelles, mettant à nu les tumeurs des deux poumons congestionnés et le cœur caracolant dans un bain de sang, avale son saxo-ténor, crache ses molaires, râle un long moment, en mesure avec la batterie convulsive, perd un peu de ses intestins sur l'estrade, et lorsque tout espoir s'est évanoui de retrouver l'instrument, lorsque les femmes se mordent entre elles, couchées sur le sol, le sexe ruisselant, l'incomparable saxo noir, sans se démonter le moins du monde, déboutonne les diamants de sa braguette et se met à souffler dans sa verge tendue. C'est l'heure classique. Bourrasque d'épilepsie dans la salle gluée de sperme. Lumières éteintes. Qui a bu la dernière barrique d'alcool pur ? Au bout d'un fil nu pendu au plafond un sexe-héliotrope remplace l'habituel ventilateur. Les couples forniquent en dansant et dans la foule comprimée, le barman-chef cherche discrètement la propriétaire d'un adorable petit con spongieux qui flottait dans le seau à glace. Mettez à la poubelle avec les pinces de langoustes, les fonds de caviar et les toasts beurrés. Miss Myriam, l'éblouissante écuyère à tutu de résine, transfuge du Grand Cirque de Nazareth, vient d'accoucher ces jours-ci d'un enfant du sexe mâle enregistré à l'état civil sous le bizarre prénom de Jéhoshoua qui signifie : l'oint du Seigneur. Et vous, et vous, mon fils ? Je suis recroquevillé dans le sein de la nourrice quarteronne. Ma naissance est prévue par les devins et les cartomanciennes de la rue du Cycle-d'Or. Tous s'accordent à reconnaître qu'il y aura alors un grand changement, mais ils se querellent encore sur les dates et les jours. Sur le lieu même de mon apparition. Parmi les Mandchous, les Laconiens ou les Kalmouks, selon certains. Selon d'autres, au début d'une race nouvelle. Qui croire ? Les prophéties sont à reconsidérer sous l'angle purement mathématique. Toutefois, ma venue sera l'objet de beaucoup d'incohérence et il n'est pas dit que l'on me reconnaisse aussitôt...

Ce pèlerinage sans quitter le sofa suspendu ni faire mine, un seul instant, de dévulver du con ophidien.

La jungle en émoi, assemblée autour de nous, nous contemple, danse, trépigne, râle d'envie meurtrière au spectacle de notre accouplement perpétuel sur le lit de terre moite de sève humaine foulée par nos corps contorsionnés. Combat de brutes lourdes. Quel était le nom de cette femme-python à chair bleue enroulée sous une légère couche d'épiderme dans l'orifice clos du nombril ? Serpent ou hydre d'eau douce ? Large sexe feuillu, humide de rosée amidonnée. Alpha nécrophage, ainsi se faisait-elle appeler, encore que son nom véritable fût beaucoup moins poétique. Van Hoeck. Rien que Nora Van Hoeck. Lâchant ses orgasmes de mort à feu continu. Son front triangulaire enduit de fards gras. Les yeux plâtrés au rimmel. La bouche comme un abcès de sang. Une excroissance. La jungle autour de nous hurle à l'exorcisme sous la lune coupante, tandis que je décharge dans ce ventre œcuménique ma dernière cellule vivante comme un long cri d'ignorance et que je deviens un astre mort dont elle se détache, elle, sangsue obèse. Vous trouverez nos restes sur le troisième rayon de la vitrine. Assassinés l'un par l'autre. Nos sexes sont dans le bocal à côté, comme pièces à conviction. Nos noces génitales commencent et finissent sur la roue des écartelés au son du pianola glandulaire. Écoutez la ligne mélodique. Le thème. La reprise. Le contrepoint. C'est *con, con, con* et toujours *con* dont il s'agit d'une façon comme de l'autre. En tierce, en fugue, coda, motet et doubles croches. Exprimé, embelli, regretté, méprisé, muni d'un masque d'Indien comanche, d'une épingle de cravate, de postes d'essence, de dynamos, d'amortisseurs, de fusées, aménagé en maisons de repos, en salons Louis XV, en cellules monastiques, en bordels, en prisons, en sanctuaires, en asiles de vieillards impuissants, mais comme ça ou autrement, c'est *con, con, con* et toujours *con* sur toute la ligne. Hémorragie vaginale polychrome. Couches au forceps. Aurore de moire. Midi sanguin. C'est un con scalpé qui s'inscrit sous toutes les formes le long des portées musicales sur la partition ouverte au passage de l'*adagio,* du *vivace,* de l'*andante* et de la pine branlante entortillée dans les arabesques du dièse clitoridien. Pelage du sexe. Le con de fille est comme un étendard étoilé dans l'orage du viol latent. Se baladant dans l'air sur le réseau télégraphique névropathe au niveau des foules agglutinées. Ondes hertziennes. Dancings. Écrans. Panneaux d'affichage. Vitrines de néon bavant sur la rue. Le con est à l'étal. En évidence au milieu du déballage des lingeries noires, sous-vêtements, nylons frêles, bas de chair, fards, parfums, bâton de rouge à forme phallique pour être glissé sur les lèvres et éponges anticonceptuelles au fond du sac à main — à tout hasard. Paires de fesses dans la jupe droite. Bosse douce oscillant à la coulée des ventres. Taille cassante. Jambes longues. Reins dessinés. Odeur au passage. Le con ulule à la trompette-jazz. Cris et délire. La sainte nitouche de l'Armée du Salut apaise son appétit vénérien en dansant chaque nuit en public, le corps nu, son rosaire sur les hanches, cuisses inondées. *O mon Dieu! soutenez mon bras dans l'épreuve!* Les chairs dilatées se disjoignent. La fente bâille. S'élargit. Colle au parquet verni. Jésus, Jésus va-t-il renaître? Les cymbales sifflantes ponctuent l'affaissement. Silence. Lumière. Le monde entier se penche, muet, au-dessus des tables. Rien. Rien encore pour ce soir. La piste est à nous. Des griffes de chair velue nous rassemblent. Nous ne sommes plus que des petits sexes de granit rouge. Graines de tournesol sur l'enclume primitive. La femme laiteuse habillée de cheveux noirs qui se balance contre moi en mesure dans cette brume de colle tiède se résorbe insensiblement dans la poche aimantée de son ventre. Au début de chaque danse nouvelle, je traverse l'étang infesté de grenouilles mortes et vais ramasser ce ventre à pleines mains dans les joncs du bord, le porter sur la piste, le tenir à hauteur de mon propre ventre brûlé au troisième degré. Ventre cru. Gardénia. Ventre de dahlia noir. Ventre du ventre de la femme entre toutes les femmes. Enfoui dans les archives de la mémoire au sous-sol de l'arsenal sexuel parmi un lot d'objets hétéroclites, paires de jambes sinueuses aperçues d'en bas sur les marches d'un escalier, nuques étroites, fines, blanches dans la dentellerie des derniers cheveux fous, morceau de chair nocturne entrevue, un éclair sous le tissu soulevé, bouche épaisse, langue méduse, frange bouclée d'un pubis saillant, érosion subite sous les doigts, pulsations, gémissements sporadiques, yeux, mains, ongles, seins, chevelure, oreilles, salive, branchies, règles et *tutti quanti !*

Nous dansons sur le tain granuleux à l'envers de la glace d'époque dans son cadre de moulures dorées. Miroir nivéen d'un con de dimensions gigantesques. Sommes-nous déjà nés ? ou en train de disparaître ? Ou voguons-nous encore dans des limbes indécises ? Nos nageoires abdominales nous maintiennent entre deux eaux. S'entrechoquent sans bruit dans cette purée tropicale. Laissez-nous reposer une nuit entière. Nous nous réveillerons avec le petit jour, sans faute.

Avec le petit jour qui gratte, qui gomme soudain un coin de ce ciel sans horizon des villes. Tache volatile. Tache liquide. Comme un point d'impact en transparence sous la dernière vapeur de la nuit. Quelque part au-dessus des toits, entre la barricade des cheminées droites. Le petit jour écarquille son œil ensommeillé. Cheville enfoncée dans l'ombre. Les rues pâlissent. Glaire mouvante de la clarté sur la glycérine des trottoirs. Une lumière d'eau jade chenille le long des façades. En bas, à ras de terre, la nuit se tasse, encore compacte, soufflée par la fraîcheur nouvelle de l'air du matin. Le ciel s'épluche. Pureté du jour. Les bruits éclatent. Tintamarre. Moteurs. Ferraille. La talonnade de la foule broie la croûte de silence. Rues en folie. Les gares dégorgent. Alerte au travail. L'usure commence.

A cette heure, entre chien et loup, je savourais ma liberté. Quelques semaines plus tôt, j'étais comme eux tous, au pas de course, débaroulant dans le métro, juste un coup d'œil sur le ciel en sortant de l'hôtel pour voir le temps qu'il ferait aujourd'hui, juste une fraction à l'air libre, et aussitôt le souterrain, la cohue, l'usine. Saleté. Graisse et saleté, partout et tout le temps. Le sommeil de la nuit débouchait directement sur une canalisation secrète les reliant à la cour intérieure d'une forteresse. On ne pouvait pas faire un pas hors de cette enceinte.

Rien ne me pressant plus désormais, je me prélassais dans les rues. Pour le plaisir. Bien jouir de cette délivrance. Personne ne pouvait plus exiger de moi que je fusse à heure fixe devant la porte d'une usine. Prendre le petit carton avec mon nom dessus et le poinçonner à la pendule. Miraculeuse sensation d'indépendance. Je n'avais qu'à sauter dans un taxi et me faire conduire n'importe où. Pas sommeil, fiston? Comment penser au sommeil lorsqu'une journée s'annonce avec un brin de soleil sur la rue et que vous êtes bien portant! Alors, que dirais-tu d'une petite balade aux environs? ou sur les quais. Aller fourrer ton nez dans les boîtes de bouquins. Demander le prix d'une édition et te l'offrir sans sourciller. Si tu te sens l'estomac creux, il n'y a que la rue à traverser et le casse-croûte t'attend au bistrot d'en face. Saucisson, fromage fort et vin rouge. Voilà qui convient en attendant le repas de midi qui sera choisi et copieux. Mlle Van Hoeck se chargera elle-même du menu, c'est tout dire. Bonne fille! Et où iras-tu aujourd'hui? Au Zoo, monsieur le Directeur. Voir les zèbres. Et les biches. Et les pélicans. Toute cette liberté qu'on a aussi foutue en cage. Des arbres. De l'herbe. Des plantes. Les bêtes.

Il me semble qu'il faisait toujours beau quand je décidais d'aller y passer une heure ou deux. Je m'asseyais à l'écart des promeneurs et ingurgitais quelques pensées du Révérend Lacordaire réunies en un volume de petit format facile à glisser dans la poche. De quoi méditer tout le matin. Se sentir en communion avec tout ce qui vit, tout ce qui a été créé par cette inexplicable volonté. Gribouillant dans les marges, j'ajoutais mes propres réflexions à celles de l'auteur. J'essayais de me représenter ce qu'avait pu être sa vie et par enchaînement la vie de tous les écrivains que j'aimais, de tous les artistes que j'admirais. Ce tour d'horizon me ramenant évidemment chaque fois à mon cas personnel. Je supputais mes chances. Y aurait-il un jour un homme qui viendrait s'asseoir dans un jardin public et lire quelques lignes signées de mon nom, se demandant qui j'avais été, ne connaissant de moi que ce que j'aurais eu le temps d'écrire — et ce n'est jamais l'essentiel. — Question que je laissais sans réponse, encore trop incertain de mon propre avenir. Peut-être suffirait-il d'un peu de foi...

Matinées radieuses. Matinées heureuses. Je me sentais rénové, gonflé à bloc. La vie me paraissait d'une simplicité enfantine. Innocent comme le jeune cabri. Le feu dans l'âme. *J'étais croyant !*

Les heures de la matinée filaient à toute vitesse. Il était souvent plus de midi lorsque je me réveillais enfin de cette langueur envoûtante. Je n'avais que le temps de trouver une cabine téléphonique et de prévenir Nora de mon retard. Nora, toujours ponctuelle, me répondant à l'appareil avec déjà son chapeau sur la tête, le sac à son bras, vêtue pour sortir, la voiture en bas de chez elle. Mais auparavant, j'avais besoin de me retrouver un peu chez moi, dans ma chambre, de voir s'il y avait eu du courrier, si un ami était passé, de prendre note de quelques idées que j'avais eues dans le matin. Par souci de ma liberté, nous avions décidé que ce serait moi qui irais la rejoindre. Nous ne nous doutions ni l'un ni l'autre de la tournure des événements futurs.

J'arrive donc chez elle aux alentours de midi et demi une heure, m'étant couché ou pas depuis la veille. Pendant toute cette liaison hollandaise, je suis généralement dans une forme splendide — et j'ai faim. Appétit inhabituel. Bien m'en prend, car la table et le sexe sont les deux jouissances majeures de Mlle Van Hoeck.

Je me paie un taxi qui m'amène jusqu'à sa porte. Je trouve merveilleux de pouvoir me payer des taxis quand j'en ai envie. Ça a l'air d'une blague ! Les jambes allongées, je sifflote l'air qui me passe par la tête, heureux mortel, coq en pâte, savourant le plaisir de vivre et me disant que je ne perdais pas mon temps, que cette expérience me servirait sûrement un de ces jours pour un bouquin.

La ville remuante défile par la portière comme sur un écran. Les trottoirs sont bourrés. Où cavalent-ils si vite, tous ? J'aimerais bien baisser la vitre et leur dire de s'arrêter un moment, d'en profiter, que ça n'ira pas plus mal pour eux. Le monde entier se hâte, le monde entier est en liberté provisoire entre midi et deux heures, le temps d'avaler un remontant, de faire semblant de manger, le regard rivé à la montre, ça presse, ça urge, on va bouffer la vie qu'on gagne si mal. Le monde entier se précipite dans les restaurants bon marché. Hantés par l'heure. L'heure qui vient. Qui va vite. Bientôt l'heure. Déjà l'heure. C'est l'heure. C'est plus l'heure. Et l'heure est passée. Condoléances. Le monde entier se fout des ulcères, des gros trous au duodénum, commande n'importe quoi, ce qu'il voit, ce qu'on veut, ce qu'il y a, il enfourne sans savoir, sans joie, sans saveur, il engoule, il se gonfle, le dessert, un café, l'addition, on rotera dehors, le glacis empulpant la bouche, et ce putain de café qui n'arrange rien. Le monde entier vivote. A la sueur de son front. Le monde entier — sauf moi. Permettez. J'ai mis les cales.

Je regarde, satisfait, mes nouvelles chaussures. Neuves. Brillantes. Telles que je les aime. Cadeau de tante Nora, vous avez saisi. Le taxi, *idem*. Et ce n'est pas fini. Tout est au poil. Quand on s'arrête à un feu rouge ou dans un embouteillage, ça me donne l'occasion de braquer un œil sur les jambes d'une petite qui passe et de lui faire un gracieux sourire auquel elles répondent presque toutes. Pas sauvages. Mignonnes. Ma nouvelle situation m'est nettement favorable sous le rapport des couilles. Tendance aux érections fréquentes. J'enfilerais volontiers tout ce qui a un con potable aux alentours. Conséquence du repos sans doute. J'y pensais beaucoup moins quand je tombais mes huit heures d'affilée à l'usine. Je m'aperçois aujourd'hui de tout ce que j'ai manqué. Une folie ! Et Nora qui est si bonne ! Ne cherche qu'à distribuer son pèze. Généreuse. Moins d'une quinzaine après notre rencontre, elle me fourrait déjà quelques billets supplémentaires dans les poches à l'heure où nous nous quittions. Un boni. Elle sait, cette chérie, que son fric fait partie de sa séduction. Tout à fait clairvoyante. Réaliste. Est-ce que cela compte pour elle, mille de plus mille de moins ? On colle bien tous les deux, à ce que j'ai cru comprendre. J'ai la souplesse voulue. Qualité non négligeable dans mon nouvel emploi, car, peu à peu, Nora a déjà commencé de me molester, acariâtre. Je sens venir le jour où elle me traitera avec moins d'égards que Jiecke elle-même.

Selon elle, je dois tenir le rôle de chien dressé. Savoir rester dans ma niche ou faire le beau suivant les jours. Encaisser ses humeurs lunatiques. Être dans le ton. Obéir. Subalterne. Je ne dis pas que ça ne m'ait pas un tant soit peu révolté sur le moment, mais, à la réflexion, je n'ai rien contre. Ses premières tentatives ont été timides. Elle n'osait pas trop. Juste pour me mettre à l'épreuve. Elle s'est même excusée de sa nervosité, chose qu'elle ne fera plus à l'avenir. Elle voulait savoir si j'accepterais ses coups d'autorité. J'ai abdiqué en souriant. Mi-figue mi-raisin. Lui montrer que je n'étais pas dupe. Les positions étaient claires entre nous.

C'est ce jour-là qu'elle m'a emmené chez un chemisier et m'a offert un lot de cravates et quelques petits accessoires dont j'étais démuni. Ce soir-là également que, pour la première fois, nous avons dîné chez elle tête à tête. Le pacte scellé.

Maintenant, dans moins d'une demi-heure, nous serons assis tous deux dans un restaurant chic et il suffira de commander le pigeon aux petits pois ou le loup au fenouil pour qu'on nous l'apporte avec plein de courbettes et de sourires déférents. Sachez aussi qu'en cours de repas il se trouvera toujours un type gros et gras qui traversera toute la rangée pour venir ostensiblement jusqu'à vous dans le seul but de s'informer si ça vous va, si vous êtes content, si c'était bon, si la vie est belle et le pinard pas trop chambré. Et comment que la vie est belle ! La joie pisse en ruisseaux sur le monde ébahi ! Tout n'est que putaineries, trafics honteux et marchandages. Tout n'est qu'abjections, hypocrisies et chantages. La vie est splendide, larbin ! Les fromages un peu faits, mais ce n'est là qu'un détail quand on songe que les cadavres de gens affamés ne se comptent plus de par la terre. Compliments au chef pour sa béarnaise. Le déjeuner était parfait d'un bout à l'autre et votre téléphoniste que j'ai vue en allant me soulager est exquise, dites-le-lui de ma part, bien que je lui en aie déjà glissé un mot et qu'elle se soit montrée complaisante, sachant que dans votre établissement des clients de notre importance sont à ménager. Vivez heureux et nettoyez nos restes. Nous, pendant ce temps-là, nous allons en tirer un pour activer notre digestion. La joie pisse en cascades sur le monde rayonnant, larbin ! Vive la vie !

L'ascenseur me dépose sur le palier. Pesanteur protectrice de toute la maison. Les pierres elles-mêmes sont habituées au calme, à la continuité. Pas d'imprévu. Les gens d'ici ne vivent pas à cloche-pied, un jour aux as, un jour sans un. Tout est prévu, consistant. C'est vieux et respectable. Ça témoigne d'un passé sans complications. Pas de comparaison avec les garnis, les hôtels, les cambuses au sixième dans les quartiers malingres où le drame est en instance. Ici, ça ne sent que le vieux tapis, la vieille poussière, un goût bienveillant qui fait, depuis l'enfance, partie de la mémoire. Odeur des choses anciennes. Alanguie dans un dépôt au fond du cœur. Jamais d'effluves de cuisine, de cabinets, d'eaux de ménage, d'ordures. Rien que du propre.

Je reste un moment sur le palier à m'imprégner de cette sensation de confort avant de sonner à la porte de Mlle Van Hoeck. Je crois me rappeler quelque chose de connu, d'éprouvé, un contentement très profond qui doit sortir tout droit de mon imagination.

L'appartement de luxe avec tous ses meubles d'époque est réellement somptueux, auréolé de lumière brune, de lumière cuivrée. On dirait qu'il y a toujours un rai de soleil qui ajoute une patine vivante au brillant de cire, un éclairage de dorure transparente sur les parquets laqués, une grande clarté dans toutes les pièces et particulièrement dans la chambre où Nora m'attend de préférence.

En entrant, je lui souris. Elle vient à moi et c'est le patin d'accueil. Elle excelle à vous enfiler sa langue, à vous entortiller la vôtre, d'un coup bref, sans s'attarder. Elle n'a pas plus tôt posé ses lèvres sur les miennes que c'est déjà fait. Avec le même naturel que s'il était inconcevable de s'embrasser autrement. Ses yeux pétillent, se rétrécissent en me fixant, deviennent presque durs, effilés, avec une pointe de sourire au loin. Le même sourire congelé que doivent avoir les tortionnaires. Elle est allumée du matin au soir et du soir au matin. Le repas seul me sauve, sans quoi je devrais me déculotter séance tenante. Le lit pas encore fait. Ça m'amuse de jeter un coup d'œil sur le drap. Les larges taches jaunâtres de tout ce foutre que je lui ai soutiré en deux soirées, puisque Jiecke change le linge tous les deux jours. Parfois, Nora m'observe et nos regards se croisent. Entente muette. Voir ça sur les draps en ma présence la chahute. Elle a de ces petits tressaillements nerveux de tout le corps. On la sent prête à piaffer. Elle ricane. Ça l'agace. Espiègle. Ça lui plaît. Une foulée de sève qui doit lui traverser la moelle épinière. Je suis certain qu'en insistant un peu elle prendrait son pied, là, toute seule, sans qu'on la touche, debout à deux mètres de moi. Elle se transforme en écume de sexe. Lave ovarienne. On dirait que je la manipule à distance au bout d'une tige invisible. Ça devient quelquefois tellement insupportable pour elle que je suis obligé de couper le contact en lui rappelant que nous devons aller manger. Elle revient à elle, hausse les épaules, rabat les couvertures d'un geste sec. En rogne. C'est que je ne fonctionne pas sur le même rythme, tant s'en faut. Pas toujours disposé. Surtout pas quand j'ai faim. Et si je n'ai pas dormi de la nuit, je suis flapi, qu'on me foute la paix, on verra après la sieste.

C'est Jiecke qui essuie les premières rafales. Inévitablement. Jiecke qui, du fond de sa cuisine, s'entend appeler à tue-tête et qui accourt, idiote, les yeux ronds, l'air affolé, elle devrait pourtant avoir l'habitude, s'essuyant les mains dans son tablier. Le dialogue qui s'ensuit me passe au-dessus du crâne. Ce qui me paraît extraordinaire, c'est que Nora trouve toujours quelque chose à lui reprocher dans ces moments-là et que l'autre riposte. Entre elles deux ce n'est qu'une seule et même engueulade qui se poursuit depuis des années.

Pendant la durée de ce gazouillis je regarde la rue par la fenêtre. Le boulevard est spacieux. Immeubles cossus derrière la rangée de platanes comme un rempart naturel. Les gens qui marchent. Pressés. Une fille bien habillée. Rien qu'à sa démarche, à sa façon d'onduler les hanches, je sais ce qu'elle doit donner au lit. Je la suis des yeux aussi longtemps que je peux. Jusqu'à ce qu'elle disparaisse, cachée par le cadre de la fenêtre. Recommence avec une autre. Les femmes que je vois dans ce quartier où je n'avais jamais eu l'idée de venir auparavant ne sont pas plus belles qu'ailleurs, mais dans l'ensemble mieux habillées. Marchent aussi avec plus d'élégance, plus d'assurance. Elles ont le fric derrière elles. Bon Dieu, c'est pourtant la pure vérité, je n'ai encore jamais baisé autre chose que des femmes qui travaillaient pour vivre. Comment ce doit être avec les autres ? Les délassées. Ont-elles le con plus richissime ? A-t-il le même air pincé, le même air hautain qui se lit dans leurs regards de poules bichonnées quand elles vous croisent sur le trottoir ? Je devrais y aller voir d'un peu plus près, qu'est-ce que j'attends ? Pour Nora, c'est différent. A la quarantaine, elles se ressemblent toutes. Pressées. Veulent en profiter jusqu'à la corde. Ce qui me plairait, c'est d'en lever une toute jeunette, de bonne société, lui faire sauter le pucelage, être reçu dans la famille, officiel, assister à la soirée d'anniversaire avec gâteau aux chandelles et robe de mousse sous les pendeloques scintillantes du grand lustre de cristal. Et au point culminant de la cérémonie, avant de prendre la porte, leur annoncer à tous que j'ai défoncé leur fille comme une vulgaire putain, que c'en est fait, qu'il n'y a plus d'hymen et que le désastre se complique d'une vieille vérole inguérissable. M'en payer une tranche. Acte gratuit. Tout le charme. Girondes leurs poulettes qui s'engouffrent sous les grands porches des grands immeubles. Bien roulées. Bien fraîches. Jeunesse qui n'a souffert de rien. Prend la vie en gants blancs. Grille en un soir ce que je gagnais en un mois. Depuis que nous batifolons, Nora et moi, de boîte en boîte, au moins deux nuits par semaine, je commence à voir plus clair. On vit bien. On se goberge. Le fric coule à flots. Ça danse. Ça boit. Ça s'amuse. Retour à l'aube. Complètement givrés. Ça roule bagnole. On rentre se coucher à l'heure où moi et mes pairs nous trottions au turbin, honnêtes travailleurs, juste un café dans le bide, avachis. Les petits matins coupants d'hiver. Le vent en biseau qui vous coince à la gorge. Sur nos vélos dans la brume grasse. Les pieds glacés. Tous les doigts gourds. A pédaler comme des connauds. Des fend-la-bise. Toujours marrons. Toujours refaits. Notre boulot, ça paie leurs nuits enchanteresses. Leurs petits démons. Le vice coûte cher. C'est hors de prix. Je m'aperçois de bien des choses à présent que je suis en place.

Je disais donc pour les donzelles... Mirobolantes... Sans aller plus loin, il doit y en avoir une bonne tapée qui habitent l'immeuble de l'autre côté. Je les ai repérées. Je les vois qui entrent, qui sortent. Et puis aussi sur les balcons quand il fait beau. A leur fenêtre. Qui ouvre de plain-pied sur le salon. C'est comme chez Nora. Ça miroite. Bien meublé. Il y a des tentures. Des lampadaires. Des gros fauteuils. Elles sont nanties. Elles se pavanent à mes regards, mine de rien, c'est bien de leur âge. Je bigle les gambettes, cambrées, nouveau, chair jeune. Elles se laissent faire, on dirait qu'elles ne me voient pas, mais si je me tire, elles disparaissent.

De chez Nora, on a une vue enviable sur un balcon en face, un étage plus haut. Là, c'est une brune, adolescente. En me donnant la peine, j'entrevois sous la coupole des jupes. Vous n'allez pas me dire qu'elle ne le sait pas. Elle ne le sait que trop au contraire. Fait des virevoltes de ses jupons, et moi en dessous. Elle se retourne, d'un grand mouvement, de temps à autre, comme si on l'appelait de l'intérieur. Ça la découvre à moitié cuisses quand elle pivote. Par les soirées de grosses chaleurs, c'est le transat, la jupette blanche. Comme un tutu. Elle prend des poses, se gonfle le buste, elle a besoin de s'étirer, se masse les cuisses dans ses deux mains, et puis les jambes. Jamais un regard de mon côté, bien entendu. Je suis simplement en faction, fumant une cigarette à la fenêtre de Mlle Van Hoeck, et elle, là-haut, elle prend l'air sur son balcon, un point c'est tout, quoi de mal à cela ? De tous formats. La grande allure. Débarquent de leur bagnole comme si ça coulait de source. La candeur même sur coussin de velours, c'est ce que je disais. Mais l'œil qui pige quand on les détaille dans la rue, qu'on les voit marcher, qu'on les prend aux chevilles pour remonter sur les cuisses, sur le sexe, à la taille, aux petits seins fermes, qu'on fixe les lèvres, arrivant aux yeux à l'instant précis où on les croise. Malgré l'indifférence qu'elles affectent, il y a le regard. Ça les trahit. Elles sont dans le coup. Connaissent le manège. Se sentent violées. Déshabillées. Tripatouillées. Ça les révolte et ça les trouble. Un peu des deux. Elles savent aussi qu'on se retourne. Pour voir leur cul. Qu'il s'agit là de désir brut. De viande à viande. La chasse des rues. Et comme trophée, le cul des femmes.

Ainsi va le fil de ma pensée, tandis que dans mon dos les deux perroquets vocifèrent.

Désœuvré, je demande une cigarette, oubliant que Nora ne fume qu'une saloperie de tabac oriental. Les gauloises ne feront leur apparition que plus tard dans la maison, lorsque je m'y serai moi-même affermi. J'ai d'ailleurs remarqué qu'à mon égard Nora progressait avec circonspection. Si l'on excepte la plupart des soirées que nous passons évidemment dans sa chambre, il ne me semble pas qu'elle veuille me voir m'incruster chez elle trop rapidement. Cessant de hurler, elle me fait signe de prendre une cigarette dans le coffret. Le briquet d'or monogrammé est encastré à l'intérieur. Je pose une fesse sur le bras d'un fauteuil en attendant le bon vouloir de ma patronne. Ne comprenant pas un mot de ce qui se dit et les voyant gesticuler devant moi, c'est comme si je vivais par erreur une séquence de crise d'un asile d'aliénés.

Je me demande ce que je fais ici, moi le génial écrivain des temps modernes, qui n'a pas encore trouvé le moyen, en dépit d'une liberté presque absolue, d'écrire la valeur de cinquante pages honorables. D'un revers de main je chasse ce nuage gênant. Je vais m'y mettre, que diable, qu'on me laisse le temps de souffler. Il est également indispensable que je puisse m'enfermer pour écrire dans ma chambre d'hôtel plusieurs jours de suite sans avoir à venir ici. Elle sait que je griffonne, mais c'est un sujet sur lequel nous ne nous sommes pas attardés. Mlle Van Hoeck est loin de toutes ces questions. Peut-on le lui reprocher, chère âme? Pas un seul bouquin dans la maison. Elle ne lit pas. Jamais. A part le journal de son bled qu'elle reçoit par la poste tous les matins. Des feuilles de mode de la Hollande. Des magazines. Une revue d'élégance, aussi. Parisienne celle-là. Dans laquelle je découvre, avec stupéfaction, les photos de nos plus illustres écrivains qui pondent deux lignes mensuelles, comme on a ses règles, à l'intention des milieux grossiums. Je rigole de bon cœur. Dommage que Nora ne puisse en saisir le sel. Avec elle, je tombe à plat. Elle ignore tout et ça l'assomme qu'on en discute.

Elle a vaguement admis que je réserve pour moi mes matinées. Une liaison à mi-temps. Nourri aux deux repas. Pour lui paraître magnanime, je paie seulement par-ci par-là l'apéritif ou les gâteaux vers les quatre heures. C'est son pognon, naturellement, mais elle aime ça. On passe devant une pâtisserie et c'est moi qui invite. Ça la change, je ne sais pas, ça l'adoucit. Elle devient femme tout comme une autre. J'ai droit à un baiser à la sortie. Un baiser pur. Sur la joue. Elle me prend le bras, elle marche heureuse à mes côtés, elle fait petite fille. Pitoyable. Attendrissant. C'est moche. C'est triste. La vie qui va. J'entre dans le jeu. Je passe mon bras sur ses épaules. Elle se câline. Et nous marchons, nous gambadons sur les avenues, sur les boulevards, nous butinons devant les vitrines. Je fais comme si c'était l'amour. Je l'entraîne par la main, nous courons, elle suit, elle rit, c'est un regain de sa jeunesse. Je m'imagine en compagnie d'une autre femme, celle qui pourrait être à sa place, une autre main que je serrerais, nos doigts entrecroisés. Toutes ces rues que nous parcourons seraient à jamais marquées d'amour. Inoubliables. Lorsque je m'arrêterais, me retournant pour la prendre dans mes bras, son petit corps écrasé contre moi, je verrais ce visage coloré de sang sous la peau tendre, les boucles noires de ses cheveux, et sans rien dire, nous resterions debout au milieu des passants, dans cette immense solitude de l'amour. Je me retourne. Nora est là. Le fard plaqué comme un emplâtre. Flasque des joues. La flétrissure. Ça ratatine autour des yeux. La bouche qui penche sur les côtés. Une épaisseur de toute la peau. Les pores ouverts. Le menton gras. Bourre desséchée de la tignasse. Comme une perruque de clown. C'est vieux. C'est laid. Ça sent la mort. Je devrais lui cracher à la gueule. La gifler. La montrer nue au populo. Ses gros nichons qui se ballonnent. Le ventre blanc comme une ablette. Les oreillettes de graisse caillée vers les aisselles. Et son ivresse sexuelle. Cette folie de se faire troncher. Jusqu'au cercueil. Si tu y mets le prix, je t'enfilerai même une fois morte, Nora chérie. Un coup suprême avant la bière. Et Jiecke m'aidera si besoin est.

Cette bonne Jiecke qui se fait sonner les cloches parce que Mlle Van Hoeck a les nerfs à fleur de peau ce matin. Parce qu'elle se serait volontiers offert une petite passe avant d'aller au restaurant et que ça ne me disait rien. Elle vide sa hargne sur quelqu'un. A ce que je crois discerner, on en est au chapitre de la poussière. Voyez, ici, tenez, et là, et là encore, jusque sur le cadre des tableaux, dans les recoins derrière les meubles. Elle est vivace, ma Nora ! Elle sautille partout dans la pièce. Elle passe un doigt réprobateur sur les rainures. C'est poussiéreux, effectivement. Jiecke se défend. Donne des excuses. Nora déplie une pile de mouchoirs qui viennent d'être repassés. Elle les fout en l'air, rageuse. Elle les prend l'un après l'autre, les tient tendus sous le nez de Jiecke, ce sont des pièces à conviction, on dirait. Je suppose qu'elle ne les trouve pas assez bien lavés, pas assez blancs, pas assez nets. Jiecke doit lui faire remarquer qu'elle s'est donné du mal pour le repassage. Alors Nora, ça la transporte, un coup de la main, en balayoir, la pile qui gicle, vole sur le lit. C'est tout à refaire. Jiecke hoche la tête. Hollandaise ou pas, ça lui semble injuste qu'on puisse faire ça. Elle n'a plus d'yeux que pour ses mouchoirs sens dessus dessous. Elle en ramasse un qui est tombé au pied du lit sur le tapis. Nora brandit maintenant un flacon qu'elle vient de prendre sur sa coiffeuse. Jiecke fait de grands gestes de dénégation. Je ne peux plus suivre. Je ne comprends plus. Ça gueule toujours. J'observe Nora. Elle n'est pas cruelle. Elle est possédée. Je sais par quoi. Il n'y a que moi qui pourrais arranger les choses. Mais moi, j'ai la dent et rien d'autre. Ça commence à faire long leur sketch. L'heure s'avance. On aurait pu partir tranquillement dès que je suis arrivé. Surtout que Nora était prête. Je la détaille. Robe et accessoires impeccables. Elle se fringue au plus cher. Elle a notamment toute une collection de tricots en laine fine et la série de jupes qui vont avec. Garde-robe complète. Chaussures assorties. Je passe sur les bijoux. Ça me rend furieux, ce déballage, ce surcroît de vêtements pour une vieille peau qui a beau faire, ça ne lui enlèvera ni son âge ni ses rides et ça n'empêchera pas qu'elle doive payer cash pour se faire miser comme elle aime. Juste retour des choses. Je repense aux filles que je sortais, jolies, à qui ça m'aurait bougrement fait plaisir de pouvoir acheter une de ces babioles et de les leur voir sur le dos. Petites fleurs de lumière à côté d'elle. Car c'est encore la pure vérité, je n'ai jamais baladé que des filles fagotées. Le même manteau d'un hiver sur l'autre. La même jupe raccourcie ou rallongée selon la mode de la saison. Les ourlets qu'on découd. La ceinture qu'on rajoute par-dessus la taille, histoire de changer un peu, de faire nouveau, d'avoir l'air neuf. Les petits corsages confectionnés à la maison d'après le patron. La maille du bas qu'on arrête, est-ce que ça se voit, non pas trop, pas de loin, pas en marchant. Trois bas de la même nuance pour que la paire fasse plus d'usage. Un seul soutien-gorge. Un seul slip. Un seul jupon. A laver le soir pour le lendemain. Le porte-jarretelles qui fout le camp, brûlé par les lavages trop fréquents. Combinaison raccommodée fin-fin, imperceptible, mais quand même raccommodée. Chemise de nuit passée, défraîchie, la dentelle d'origine n'est plus qu'un souvenir. Et les godasses qui tiendront le coup, encore trois mois, deux mois, un mois, la quinzaine. Jusqu'à la prochaine paie. Plus de rouge non plus. On gratte le fond du tube. Le coiffeur, ça attendra. Le dentiste aussi. Tout est toujours en attente. On pare à l'urgent. A la croûte. A la piaule. Si l'on va par là, même la vie est en attente.

Voilà qui n'est pas pensable dans l'univers de Mlle Van Hoeck. Les choses qui nous entourent ont cette confortable pesanteur de la richesse. Elles expriment, par leur seule présence, une ineffable sécurité. Laissez-vous glisser dans l'un de ces fauteuils recouverts de soie mauve, la nuque appuyée sur le dossier, fermez doucement les yeux, écoutez le ronronnement paisible de la rue qui entre assourdi à travers la fenêtre, et vous sentirez comme moi que tout est facile en ce monde. Si facile, voyez-vous, qu'il ne se peut pas que Dieu ne veille pas en personne sur son troupeau bien-aimé.

C'est l'accalmie. Le vent qui tombe. Jiecke boude un peu. Range ses mouchoirs. On cherche la brosse à habits. C'est moi qui suis chargé de ce soin. Enlever le cheveu sur l'épaule, le grain de poussière, dire que tout va bien, qu'on peut larguer. Nora enfile ses gants. Regard d'ensemble dans la grande glace. Elle me sourit. Les yeux tout-sexe. Je lui sors une ânerie quelconque. Qu'elle est parfaite. Ou ravissante. J'aimerais bien qu'on les mette au plus vite, j'ai une faim de loup. Encore quelques recommandations à Jiecke qui nous accompagne à la porte. N'oubliez pas de faire ceci, de faire cela. Mais oui, Madame, partez tranquille, je suis bonniche, tout sera fait, amusez-vous bien. Une dernière station sur le palier. Inventaire du sac à main. N'a-t-elle rien oublié? Pour ce qu'elle va faire dans sa journée, je me demande quelle importance ça a. Néanmoins, il faut patienter. Patienter. De bonne humeur. L'air enjoué. S'occuper d'elle. Être aux petits soins. Faire semblant de s'intéresser. Et sourire. Sourire. Sourire interminablement.

Dans l'escalier elle n'y tient plus. On s'en roule un. Elle descend d'une marche devant moi et avance son ventre, se plaque. Quand elle est dans cet état, cette femme a quelque chose qui fait songer à un oiseau crochu qui guetterait tranquillement sa victime avant de la dépecer. Malsain.

Je la force doucement à descendre, la tenant par le bras. Elle me raconte je ne sais quoi, à mi-voix, dans son patois mêlé d'un rire ténu, mouillé, qui grelotte dans sa gorge. Le bruit cassant d'un sac de billes. Cependant, depuis que j'ai appris à la connaître mieux, je sais que ce n'est pas elle qui rit ainsi. Gaieté de vulve, simplement. Peut-être bien que dans la coque du ventre ses ovaires sont hilares et s'entrechoquent durement, la matrice pulpeuse est peut-être en train de pouffer, tout le système génital secoué d'un rire satanique — mais Nora, elle, n'y est pour rien. Ça se passe en dehors de sa volonté. Au moment où cette crécelle s'est déclenchée dans sa gorge, elle avait tout juste l'intention de me parler de ce que nous ferions ce soir en rentrant. Pensait au lit, une fois de plus. Ça suffit à mettre l'horlogerie en marche. Je fais comme si je ne la sentais pas bouillir à côté de moi ou sinon nous ne quitterions pas le plumard de toute la sainte journée.

Au début de notre liaison, la curiosité l'emportait. En me fourrant avec elle sous les draps, c'était la descente aux enfers. Puis, le premier étonnement dissipé, il ne restait plus que l'obligation où j'étais de lui fournir sa ration quotidienne.

Je la revois, le visage en proie au désir, nue sur le lit, attendant que je lui grimpe dessus, que je lui mette la bonde, comme à une outre. Heureusement, elle s'y entendait comme personne pour vous masser, vous lécher, vous faire mille menues caresses qui portaient leurs fruits, en un mot pour obtenir une érection en bonne et due forme. Elle prenait les devants, s'employait tant et si bien que je m'excitais à mon tour et c'est toujours pareil, une fois que l'embrayage est mis, ça roule. Lorsque je sentais venir la décharge je n'avais qu'à regarder les rides derrière l'oreille et les choses se remettaient en place d'elles-mêmes. La queue gonflée de jus à en éclater, à l'ultime millième de seconde avant l'explosion, j'opérais le rétablissement. Le filet de moelle redégringolait. J'aurais pu me retirer et me reculotter comme si de rien n'était. Cela avait quelque chose de fascinant en soi. Être dans le con d'une femme, lui travailler cette sorte de grosse éponge qu'elles ont toutes au fond du ventre, sentir le bout de son propre sexe aspiré et tordu et avoir en même temps suffisamment de recul pour disposer à volonté de ses réflexes. Froid comme l'acier.

Je n'ai jamais pu savoir si elle se doutait de mon manège, mais ce que je peux dire, c'est que cette résistance peu coutumière faisait son affaire. J'imagine que les hommes qui étaient passés avant moi n'avaient jamais dû employer mon système et devaient bêtement décharger sous la première vague, heureux de s'en tirer le plus vite possible, alors que Mlle Van Hoeck avait à peine commencé de goûter aux hors-d'œuvre. Avec vingt ans de moins quand je fis sa connaissance, c'eût été la trajectoire de la comète dans les vapeurs galaxiques. Rien ne lui échappait de ce qui se passait dans un sexe d'homme dont elle s'occupait. Technicienne et infirmière à la fois. Elle pressentait cette sourde radiation du sperme lorsqu'il se décroche quelque part dans les glandes pour entamer son escalade. Quand ça se mettait à bouger, alors même que rien n'était encore clairement décidé, elle me regardait dans les yeux, sûre d'elle, heureuse, au comble de l'excitation. A la pensée de ce foutre qui existait, qui se préparait, qu'elle allait voir et sentir, elle était galvanisée. Le corps soudain rigide, arqué, une joie cruelle peinte sur le visage. Pour accueillir en fanfare ce qui allait suivre, elle vous humectait de plusieurs petites giclettes incendiaires lâchées les unes derrière les autres avec désinvolture. Elle réglait d'avance, minutieusement, les conditions de votre jouissance, si bien que sans mon procédé de marche arrière, il eût été vain et présomptueux d'essayer de se défendre. Aucune queue au monde, aucune queue délestée de la pensée, veux-je dire, n'aurait pu décaler d'une seconde l'instant que Mlle Van Hoeck avait choisi pour la faire s'évacuer.

Pendant les deux ou trois premiers mois, encore sous le charme, je ne faisais que lui obéir docilement. Elle menait la danse à sa guise. Je n'avais qu'à me laisser conduire. Ce qui, par la suite, l'étonna, ce fut de me voir lui tenir tête en toute occasion. La première fois que cela se produisit, elle en resta interdite. Elle prit le temps de la réflexion comme un chercheur qui s'aperçoit qu'en dépit de toutes les preuves irréfutables il y a pourtant une erreur de calcul. Dans l'intention de lui prouver que ce n'était point de ma part un accident passager qui ne saurait se reproduire à l'avenir, je la tins solidement enfourchée la nuit entière et n'acceptai de baisser pavillon qu'à mon heure, après maintes et maintes ruades. Personne encore n'avait dû la faire bénéficier de cette sorte de cabotage en eau douce. Elle gambadait, caracolait dans le lit, suspendue par le ventre. Cris d'étonnement et de plaisir. Nous basculions, roulés, boulés, emmêlés de telle façon que j'avais parfois du mal à me maintenir dans la bonne direction. Elle m'entraînait sur des routes difficiles à flanc de montagne, l'avalanche menaçait au-dessus de nos têtes, un torrent furieux au fond du gouffre qui n'attendait que la chute de nos corps pour nous engloutir vivants, broyer nos os sur des roches tranchantes. Proximité des confins verglacés de l'Oural sans aucun moyen de communication avec le monde civilisé. Accrochés ensemble au-dessus du vide à la paroi vernie d'un pic inaccessible, nos mains éclatant sous le gel, jambes recroquevillées et mortes dans la pesanteur du froid. Aveugles. Nous étions aveugles. Nos yeux s'étaient détachés, étaient sortis de leurs orbites, sans bruit, peu à peu, glissant chacun au bout d'un filament bleuâtre que j'avais reconnu pour être le nerf optique. Nos yeux étaient figés quelque part dans la neige derrière nous sur la piste que nous suivions depuis des jours. Je me rattrapais à Nora, à ses cheveux, à ses jambes, rencontrant par hasard sa mâchoire dénudée comme celle d'un squelette, la rangée des dents, ce pilon osseux, je m'y cramponnais de tout mon poids, la faisant hurler de douleur. J'oubliais que nous étions boulonnés, soudés par nos sexes et qu'il ne servait à rien de la faire souffrir davantage. La chute inévitable avait lieu. Nous étions précipités dans le vide, mais au fur et à mesure que nous tombions, la vitesse décroissait. Il n'y avait plus de fin à cette chute mortelle. Nous avions tout le temps de nous regarder avec ces gros trous ronds et creux par lesquels on apercevait des lambeaux de cervelle irriguée de sang noir. Nous pouvions échanger notre épouvante, chacun lisant sur les traits défigurés de l'autre le reflet de sa propre panique. Brusquement nous nous retrouvions assis au bord d'un lac calme et argenté, les barques de pêcheurs au loin, quelques nuages de chaleur sur la bordure pâle du ciel. Nora laissait ses pieds nus tremper dans l'eau, sa robe d'été relevée sur ses cuisses. Elle était mince et enfantine. Nous venions de nous marier dans une petite église de son pays le mois d'avant et c'étaient nos premières vacances ensemble. Un peu en retrait d'elle, je crayonnais quelques notes sur un carnet avec l'idée d'en faire un début de livre, de ce livre dont nous avions longuement parlé, elle et moi, pendant nos fiançailles. Je savais que je n'oublierais plus ces heures éblouissantes que nous étions en train de vivre, ce chaud silence de l'après-midi de juillet, l'attitude de Nora assise au bord de l'eau, l'inclinaison de sa tête quand elle se retournait vers moi pour me sourire. Quelqu'un que je ne voyais pas devait s'avancer derrière nous et jeter une pierre dans l'eau. Tout se brouillait. D'un coup. La terre tournait sur elle-même. En grinçant. Les sirènes de police râlaient à mes oreilles. La foule du soir des grandes villes déferlait en courant, bouchant l'issue de chaque rue, repartait dans un autre sens, affolée, se heurtant quelques mètres plus loin à un front d'hommes en uniforme, revolver et matraque au poing, qui chargeaient d'un pas régulier avec dans les yeux ce calme terrorisant de la force sûre de sa puissance. L'incendie que des hommes de main allumaient méthodiquement à chaque point vital de chaque quartier commençait de crépiter partout autour de la foule amassée, cernée par le cordon des policiers implacables qui n'avaient pas encore compris qu'ils allaient eux aussi être pris vivants par les flammes. Nora essayait de me repousser, griffant, m'ensanglantant le visage, me suppliant de me sortir d'elle, de la libérer, mais mon sexe s'était fondu en elle. Nous nous consumions lentement et je retrouvais son cadavre carbonisé sur le lit...

Je crois me rappeler lui avoir administré à trois ou quatre reprises des réjouissances de ce calibre. Si je l'avais écoutée, friande, j'aurais passé mon temps à fignoler ces exercices de vélocité.

Car désormais notre vie se présente sous le signe dominant du sexe.

Mlle Van Hoeck est agrafée à moi. Je porte au flanc

cette excroissance qui n'est qu'un déchet de moi-même. Aucun doute que le mal n'aille en s'aggravant, tant et si bien qu'un jour prochain je serai fatalement digéré par cette végétation élastique. Le meilleur serait de tailler dans le vif sans hésiter. Un bon coup de lame. Le courage me manque. Quand accidentellement ma volonté se réveille, c'est pour constater que le ressort est cassé. De loin en loin je me souviens qu'autrefois, effectivement, j'avais eu la prétention d'écrire des livres. Travail qui me paraît dénué d'intérêt. Qu'avais-je donc à apprendre aux autres qu'ils ne sachent déjà ? Moi, écrivain ! Moi qui ne fais que bredouiller ! Pour écrire, il faut être hanté, malheureux, persécuté, ou alors heureux au point de croire sérieusement qu'on a Dieu pour coéquipier. Je ne suis rien de tout cela. Pour la première fois de ma vie, je bouffe régulièrement. Un repas fini, je sais que le suivant m'attend quelques heures plus tard. Que puis-je souhaiter de mieux ? Je voulais m'attaquer au monde, le soulever à bras-le-corps et le pendre à la potence. Je voulais ne faire qu'un avec la masse vivante, être à moi seul le sang et l'âme de tout ce qui respire sur notre terre. Et puis ? A quoi cela rime-t-il ? Dans moins de quarante ans, avant peut-être, je serai dans le trou à mon tour. La boîte en bois, un bout de prière, les cordes pour descendre et les deux terrassiers, pelles en main, qui discuteront du dernier tiercé ou de la fausse couche de la femme d'un de leurs copains. *De profundis !*

A quoi cela me servira-t-il d'avoir écrit une quinzaine de volumes ? C'est la vie du corps qui compte. Demandez à Nora ce qu'elle en pense. Jouisseuse. Égoïste. Ne se casse pas les méninges. Fière salope. Comme je lui suis reconnaissant de me rendre la vie facile, *c'est-à-dire invivable !*

Elle s'est insinuée en moi comme une maladie perverse. Un cancer. Il ne reste plus de moi qu'une apparence. Je ne crois plus aux fariboles de l'art ni à toutes ces conneries de crève-la-faim. Je ne comprends plus le langage de mes anciens amis. Que veulent-ils dire avec leur besoin de création, leurs disputes sur des mots, des formes, des couleurs, des sons ? Moi, je ne comprends plus que manger et lâcher mon foutre dans un con brûlant. Plus de livres en vue. Plus de vaines espérances. Même plus de personnalité, ce qui est encore mille fois préférable. Joyeux abandon ! Hourrah ! Trois fois hourrah ! Je me foule aux pieds avec une joie mauvaise. C'est mon fantôme que je m'acharne à tuer tous les jours. Parfois, Nora vient me donner un coup de main. Je suis là, dans le salon, étendu en travers du tapis. Cette loque informe, c'est moi. Moi, le créateur qui voulait animer, brasser des centaines de personnages, peupler l'imagination des hommes de visions inoubliables. Voyez ce qu'il en reste. Je me reconnais à cette flamme minuscule qui persiste encore dans l'œil mourant. Dernière goutte de confiance. C'est justement sur cette petite lueur arrogante que Nora concentre ses forces destructrices. Devant la mauvaise humeur qu'elle manifeste lorsque je lui parle livres, j'ai pris l'habitude de m'abstenir. S'il m'arrive d'être emballé par une lecture et que je veuille partager avec quelqu'un ma découverte, je passe un petit mot à Wierne ou à Sicelli, ou encore à Martin qui m'invite à venir un de ces soirs manger un morceau en copains. Mes soirées étant prises, la question ne se pose même pas. Je trouve plus commode de faire le mort. Le cercle se resserre. Je serai bientôt tout à vous, Nora, ma vaginale. Je ne comprends plus que manger et bander ferme quand c'est nécessaire, quand cette pieuvre amoureuse s'approche de moi, m'enlace, et que je plonge dans une eau noire. J'espère d'ailleurs qu'un jour ou l'autre je m'y noierai pour de bon et qu'il faudra ce jour-là déplacer la grande échelle pour me retirer de cette posture obscène dans laquelle on ne peut décemment laisser un mort.

La faire jouir. Ne penser à rien d'autre. Mon cerveau est resté dans le porte-parapluies du vestibule. Me rappelle l'y avoir déposé en entrant. C'était le dimanche des Rois ou celui des Rameaux. Juste le dimanche après l'agonie, quoi qu'il en soit. Mon cerveau s'égoutte à côté des ombrelles de Hollande. Je me suis accoutumé à vivre sans lui et je ne m'en porte pas plus mal. Le reste de moi-même gît dans une cellule de six mètres sur six, luxueusement aménagée, lit de satin et draps de dentelles fines. Si je veux manger, si je veux boire, si je veux des cigarettes ou le journal du soir, je n'ai qu'à appuyer sur un bouton et aussitôt un mannequin articulé qui répond au curieux nom de Jiecke apparaît les bras chargés de plateaux. Je ne me serais jamais douté qu'il fût aussi facile d'obtenir ce qu'on voulait. Appuyez sur la sonnette et Jiecke la poupée mécanique vous sert avec le sourire. Vous vous mettez dans la tête d'aller ce soir même au théâtre voir la pièce à succès ? Bonne idée. Pressez le bouton. Votre place sera retenue dans les premiers fauteuils d'orchestre. S'il y a une trace de poussière sur le revers de votre veston, ne vous obstinez pas bêtement à le brosser vous-même. Les choses se font par l'intermédiaire de cette sonnerie miraculeuse. Servez-vous de la sonnette, bordel de Dieu ! J'en arrive à douter de la bonne foi des gens que je fréquentais naguère. Je me souviens que leur vie était constamment encombrée de petits problèmes insolubles. Le fait de se nourrir chaque jour, par exemple, semblait être pour eux une torture permanente. Pourtant, qu'y a-t-il de plus élémentaire? Un seul coup de sonnette suffit. Quant à l'argent, c'est encore mille fois plus simple : *vous vous servez dans le sac à main.* Compris? Si le sac à main est vide, vous passez à la banque. Moi aussi, moi aussi j'ai cru pendant un certain temps qu'il n'y avait pas moyen de s'arranger. Grossière erreur. Si je vous dis que les sacs à main et les coffres-forts sont pleins à craquer, vous pouvez me faire confiance.

Et, pour ne parler que de votre serviteur, je me réveille le matin dans une gomme liquide de bien-être absolu, rotant encore le pinard que nous avons bu la veille, Nora et moi.

Je sais par avance que les rares heures de liberté que je me réserve vont filer avec une incroyable rapidité. Appuyé sur un coude dans mon lit, je regarde mon habitat sordide. Je compare avec l'appartement. Et encore ici, c'est correct. J'ai connu pire. Des niches tassées au fond d'un couloir. Des débarras transformés en chambres. Ici, ça va. Il n'y a qu'en été que c'est un peu dur. Le zinc du toit chauffe à blanc. L'étuve. On ne peut résister qu'à poil du matin au soir. Ce qui, par parenthèse, procure de fameux jetons sur les chambres de bonnes de l'autre côté de la rue. En soutien-gorge, les bonniches. Ou même les nichons carrément nus et le reste aussi, je présume. Elles se savent épiées, elles ont l'habitude. Le soir, c'est la toilette. Elles se tripotent toutes un peu les seins, elles les soupèsent, elles se les flattent, à pleines paumes, les examinent devant leur glace. On dirait que les nichons c'est une grande préoccupation pour elles. S'épiler le dessous des bras aussi. Marrant. J'éteins chez moi. Juché sur une chaise, je me mets en faction. Les types qui habitent les piaules à côté de la mienne en font autant. On est chacun à sa lucarne. Avec des jumelles, ce serait le rêve. On reste au poste tant que ça dure. Jusqu'à ce qu'elles ferment la lumière. Je pense toujours que tout au long de la rue, sur tous les toits, c'est le même manège. Envoûtant. Cette faune qui guette dans l'obscurité, ce filament de convoitises sexuelles qui grésille en silence d'immeuble en immeuble. Tous ces types qui espionnent, tendus, cachés, comme pour une embuscade. Ces hommes qui veulent voir, se rassasier d'images. Ces corps imprenables, si près pourtant. Le souvenir de tous ces gestes de femmes seules. Ça fait combien de sexes aux abois, tout ça, dans une même rue? Combien de masturbés entre dix heures et minuit? Combien de centilitres de foutre éparpillés pour rien? Et si on multiplie par un quartier, par un arrondissement, par la ville entière?

Probable que je regretterai ce coin quand je le quitterai. L'un dans l'autre, j'y ai passé de bonnes heures. C'est ici que j'ai commencé d'écrire sérieusement. Sur la table qui tient à peine debout. Le peu d'espace libre a été ingénieusement utilisé par le taulier. Le mobilier sommaire trouve place dans des encoignures, dans des renfoncements. L'armoire pitchpin s'encastre dans une découpe du mur. Dans un autre trou, le lavabo modèle réduit et sa glace écaillée. Sous le lavabo, le bidet mobile, cuvette montée sur un trépied de bois façon bambou qui s'effondre si on a le malheur de s'asseoir dessus. Pratique pour remiser le linge sale et toutes les saloperies embarrassantes. Pour le reste, il ne viendrait jamais à personne l'idée de s'en servir. Je ferais volontiers un petit sacrifice pour voir un jour Mlle Van Hoeck assise à cheval sur cet outil, installée dans le peu de place qui reste entre le lit et l'armoire, se lavant énergiquement le minet, elle qui ne saurait en aucun cas se priver de ses soins hygiéniques. Douce grosse connasse ! Ses deux fesses bouffies se reflétant dans la glace, et moi, étendu sur le lit, à moins de cinquante centimètres d'elle. Nous partagerions les agréments de notre petit meublé, vivant d'amour et d'eau fraîche comme c'est la coutume. Pendant que j'écrirais le chef-d'œuvre au vitriol, elle se tiendrait sagement assise sur le lit à défaut d'un second siège qui me manque. Peut-être en profiterait-elle pour tricoter le pull-over de l'hiver suivant ou la layette rose du cher bâtard attendu lors d'une prochaine lunaison. Mon travail terminé, je lui lirais les quelques pages nouvellement pondues, nous en discuterions ensemble, elle me soutiendrait courageusement dans ma folle entreprise, fidèle et dévouée, prête aux concessions indispensables en attendant le beau jour de la parution, remise de mois en mois par le refus des éditeurs. Un seul de ses sourires me réconforterait de mes déboires, récompense au sortir du labeur, et j'imagine qu'une pareille union ne saurait aller sans prodiges côté queue. L'accord parfait.

Je regarde mes papiers, le désordre, l'encrier bouché, un livre qui est resté ouvert sur la table. Incapable de me rappeler maintenant quel peut bien être ce bouquin que j'ai abandonné en cours de lecture voilà sûrement déjà plusieurs mois. Les choses qui m'étaient familières dans cette chambre ont l'air d'attendre mon retour, en suspens, depuis que j'ai rencontré Nora. C'est le vieux grenier de la tour aux hiboux. Le gros volume du dictionnaire est recouvert d'une pellicule grisâtre. J'essayerais bien d'écrire une page ou deux, en me forçant, mais raconter quoi ? Ça ne me dit rien. Pas envie de pousser la plume. Pas une étincelle de gaieté nulle part. Cette morue me torpille. J'ai l'impression que ça fait maintenant des années que je ne me suis pas approché de ma table. Le tas de paperasses n'est là que pour me rappeler une vieille manie. Je n'ai même pas la curiosité de les feuilleter. Si je m'y attelais, peut-être que ça finirait par venir de gré ou de force. Mais il faut un sacré courage pour aller se coller le cul sur la chaise et sucer le porte-plume en attendant le miracle improbable. Ce que j'ai entassé là-dedans, pêle-mêle, avec l'intention de montrer ça à mes contemporains est mort. Archiclamsé. Que les souris s'amènent en corps constitué et n'en laissent pas une miette, c'est tout ce que ça vaut.

Tant d'autres avant moi ont cru pouvoir peindre ou écrire et ont enfin compris que ça ne les concernait pas. Se sont mariés depuis. Promènent la poussette avec le gosse dedans les jours de soleil. Ce n'est pas un drame, petit frère. Si, si, c'en est un. Mais passons. Il doit bien y avoir dans le quartier une fille de commerçants pas trop moche en quête d'un foyer stable. Dot à la clef naturellement. Le magasin en héritage, dans longtemps. Une bonne famille connue de tout le monde. Qui a fait les guerres dans la biffe glorieuse. A laissé son cadavre de fils à travers le champ d'honneur, à la boucherie. Méritante, médaillée et votante. Désirerait pour leur tendre progéniture un brave garçon travailleur qu'elle accueillerait à bras ouverts le dimanche à midi, le gâteau au bout des doigts, poulet ou bœuf gros sel sur la table. Père, mère, mémé, aïeuls. Tous attablés dans la salle à manger de l'arrière-boutique rabougrie. Tous unis. Tous contents. Et moi, le petit raté de l'imaginaire, chouchoutant ma grosse poule au sein de la famille comblée. Plus à m'en faire. Peinard. Une belote avec le beau-père, un bouquet à la vieille, un apéro, le soir on reste, on mangerait froids les rogatons, ce serait dix heures au carillon, on bâillerait tous, demain boulot, faudra se lever, alors on se quitte, les embrassades, grand-mère sent l'ail et le vieux pet, couvrez-vous bien, à dimanche prochain, on fera des tripes parce que je les aime, mais non, maman, venez chez nous, c'est votre tour, non, non, venez, c'est pas aux vieux de bouger, alors d'accord, tous à dimanche. Viens vite chérie, il fait pas chaud. Bras dessus bras dessous, notre petit couple dans la rue froide. On poulope jusqu'au métro. On a sommeil. On ne se dit rien. On s'est tout dit dans la journée. Les stations passent. Je suis debout dans le wagon. Ma femme assise dans un coin. Elle n'est ni jolie ni pas jolie. Elle est blonde : depuis avant-hier. C'est tout.

Nora m'attend. A midi. A midi tapant en principe. Comment espérer mener à bien un travail quelconque, comment se mettre à la tâche en sachant que je dois plier bagage dans moins d'une heure sans espoir de tranquillité avant le lendemain ? Le temps de me raser, de me laver, de m'habiller, je serai déjà en retard. Il est clair que dans ces conditions je n'écrirai plus une ligne avant longtemps. Mieux vaut laisser tomber sans remords. J'accours donc, petite femelle incandescente. Dis à Jiecke de t'apporter ton manteau et tes gants.

Taxi. Une halte à l'appartement. La voiture de Nora. Le restaurant. L'après-midi sans but. Et tout de suite le soir arrive. Sorties. Spectacles. Ciné ou boîte à orchestre. Puis la chambre, le paddock. Ce gros cul à manipuler par en dessous. Le vagin comme une tranchée saignante. Ce trou vivant qui a faim. Sexe. Les baisers. La salive. Le sexe. Les mains qui branlent. Mots orduriers. Les bouches qui sucent. Lampée des langues. La moelle. Les glandes. Sexe. Les nerfs qui vibrent. Les cris. La rage. Sueurs. Saletés. Sexe. Le jus. Ça pisse. Le corps cambré. Le corps victime. La peau nerveuse. Les dents qui mordent. Les positions. Elle sur ma bite. Empinochés. Serpents malades. Serpents tordus. Bêtes des cavernes. Ça ploie. Ça pince. Elle râle. Elle gicle. C'est chaud. Ça poisse. Coulant. Mousseux. Ça brûle. Toute convulsée. Des yeux de momie. Paupières profondes. Ses ongles enfoncent. Je pousse mon nœud. Un labourage. La vulve gonfle. Je me tiens raide à l'intérieur. Pour qu'elle se frotte. Pour qu'elle s'écorche. C'est filandreux. A cent degrés. La petite fournaise. On dirait du mou. Du mou en fusion. Elle fait son eau. C'est la détente. Si je n'ai pas joui, elle prend mon truc entre ses lèvres. Une pipe soignée en moins de rien, trente-six chandelles, irrésistible, elle se goberge, s'envoie le paquet. Voilà, ma chère.

Et nous boirons de ce vin succulent que Jiecke apporte chaque soir dans la chambre avant de se retirer, son service fini. Un plateau, deux verres et une bouteille. Millésimée. Je m'assieds sur le lit, à poil. Nous sirotons. Rien de tel pour recharger la batterie. D'une main indolente, Nora m'agace entre les jambes pendant le repos. Nous échangeons des bribes de phrases. Parfois, une mouche vient se poser sur le drap, dans la flaque. Elle déroule sa trompe et suçote. Ce sont des choses qui amusent énormément Mlle Van Hoeck. Si je tarde trop, elle glisse sa tête contre mon ventre et joue du bout de la langue pour passer le temps. Ça me remonte. Encore un verre. Ses mains s'attaquent doucement à la besogne. Me sens tout à fait prêt pour la seconde tournée. Après quoi je marche sur les nerfs et ça pourrait continuer alors indéfiniment ou presque. Je rengaine après la quatrième escale qui coïncide généralement avec la fin de la bouteille. Les couilles perclues, le machin à sec, le cerveau bué d'une fumée mauve, délicieux en tout point et pas de meilleur état d'âme pour risquer une balade nocturne ou, si je me sens un peu fatigué, pour rentrer chez moi en taxi, me mettre au lit et roupiller à poings fermés jusqu'au lendemain matin où je retrouverai la gomme liquide de bien-être absolu assorti d'un fond de mélancolie et de cette arrière-pointe du dégoût de soi-même. Disons que je me contente de glisser provisoirement sur l'anneau glacial de Saturne dans la mélodie des harpes angéliques — Mlle Van Hoeck au pupitre.

4

Temps de mort lente.

Je suppose que c'est Nora elle-même qui a dû se charger de ma trépanation. Munie de sa trousse chirurgicale, elle parachève chaque nuit l'opération, charcutant de bon cœur sous l'os troué. Il ne me reste plus qu'une noix de cervelle que j'utilise parcimonieusement, m'en servant surtout pour me rappeler qui je suis à l'occasion et c'est déjà un colossal effort.

Quant à devenir écrivain, ce projet ne m'effleure que par miracle. Après une bonne nuit, par exemple, me réveillant exceptionnellement en forme, lorsque le soleil croustille la rue, liquide, pain doré, et que, pour profiter du beau temps, je décide d'aller à pied chez Nora, me glissant dans la foule avec une joie corporelle. J'ai envie d'étreindre le monde à pleins bras et de lui coller un baiser de bienvenue sur les deux joues. Ces gens qui bougent, qu'anime une effusion sanguine du plus bel effet. Nous sommes le cœur. Le cœur battant. Le cœur d'amour hypertrophié du Saint des Saints. Ohé matelots du haut de la dunette ! balancez par-dessus bord tous ceux qui ne sont pas inscrits au rôle ! Van Hoeck pour commencer ! Je vous la recommande spécialement. L'existence avec elle est une sorte de réclusion. Il n'entre naturellement pas dans ses mœurs d'aller prendre un café noir au zinc d'un bistrot et de rester là une heure ou une journée à perdre son temps, sans motif, la tête vide, échangeant quelques mots avec des inconnus, saisissant des bribes de conversation, observant les visages autour de soi, plongé dans ce va-et-vient grouillant, chaleureux, qui est la fibre même de la vie vivante. Sentiment de fuir clandestinement la logique de son destin. Couper les amarres et recommencer. Le vieux rêve d'évasion. Rien de changé depuis maître Icare.

Recommencer quoi? Les fins de mois sans galette. Le crédit chez les commerçants. Un repas sur deux ou sur trois. Le manque atroce de tabac. Le linge fétide. Les copains ou les vagues relations à taper. La cavalcade aux emplois. Les petites annonces classées. *Curriculum.* Lettres de demandes. *Manuscrites, s'il vous plaît.* Semaine à l'essai. Ça colle ou ça ne colle pas. (Quelle différence?) Tout ça pour des clous. Le samedi après-midi et le dimanche vacants. Un ciné si on a de quoi. Ou alors tourner en rond. Des heures. A déambuler de rue en boulevard, les mains dans les poches, les arpions fourbus, et des fois pas même une pipe pour vous remonter le moral, pas même les quelques francs qui vous permettraient de faire une station à une terrasse. Voir défiler les autres sous son nez. Solitaires. Ou deux par deux. Amourachés. Ou en famille, les loupiots qui grognent, qui tirent au bout du poignet. Tous réglos dans leurs costards du dimanche. La plus belle cravate. Les plus chouettes godasses. La robe confection. Une prétention à la mode, à l'élégance des magazines. Sapés, nickelés pour le baroud d'honneur. Foule grise. Foule brute. Atone. Qui traînasse. Qui rôdaille. Qui piétine son ennui. Tout le blot rassis des vies chétives. Bidoche et semblant d'âme. La panoplie du Créateur sur son trente et un. Suivre la cohue mouton. Marcher avec les autres. Enquiller des rues et des rues, au petit bonheur. Un crochet par là. Ou par là. Pourquoi pas dans la direction opposée ? Kif kif. Pister une gonzesse au cul sympathique. Ne pas oser l'aborder faute d'argent. Ce qui vous fait penser que vous en tireriez bien un, justement. Mais la queue aussi c'est payant. A preuve les putes. Et elles ne sont pas les seules. Le cafard vous empoigne. Un tour vers la gare. La banlieue qui radine. Et puis qui repart. Essoufflée. Les grandes familles encordées, en file indienne, le dernier sur les bras, le prochain dans le bide, les autres qui suivent tant bien que mal en ronchonnant, papa a les billets, aller-retour, c'est la maffia pour les troisièmes, les places assises, priorité à jambe de bois. Ça bonde partout dans les wagons. Le week-end s'empile. Peut-être qu'on va rajouter une bétaillère en fin de convoi. On n'a plus le temps. Voilà que ça démarre. On s'est casé. Papa, coincé contre la porte des chiottes, a le sourire, cligne de l'œil à la marmaille. Content. *Bon dimanche !* Leur joie de mites. De quoi dégobiller. Déprimant à voir. Surtout comme ça, à la vadrouille, à s'emmerder depuis le matin, sans un en poche. Et où aller avant la nuit ? Encore deux grandes heures à tuer. Plein les bottes. Si l'on pouvait tomber sur un type de connaissance qui vous attrape par le bras et vous emmène manger un morceau quelque part ! Autant s'imaginer qu'il va pleuvoir des roupettes de tigre ! Traîne ta bosse aux alentours et attends que ça passe. La ville s'encoquille de lumières. Des bleues. Des rouges. Morse publicitaire. Ça clignote aux façades. C'est pas mal. La bière qui mousse. La gaine qui moule. Les apéros. Acheter. Vendre. Acheter. Vendre. Acheter. Vendre. Encore. Tout le temps. Partout. Toujours. Acheter. Vendre. A supposer que vous ne soyez pas doués, pas mercantiles, caltez minables, laissez la place, pour l'amour de Dieu n'encombrez pas ! Les grands cafés sont combles derrière la vitre. Ça picole. Ça gazouille par tablées. Ça consulte la carte avec des mines dégoûtées. La langouste de Deauville est-elle fraîche, barman ? Et la pine de Dieu, barman, la pine de Dieu n'est-elle pas avariée *depuis le temps ?* Pour ce soir, nous nous contenterons d'un rognon de pygmée. Plein de calories, dit-on. Et toi, que te reste-t-il à croûter dans ta piaule ? Un bout de camembert séché, un verre de rouge au fond du litre et une demi-baguette. Pas de cigarettes, bien entendu. Tu rentres. Tu grignotes. Tu te fous au pieu. Un bouquin. Encore une connerie modèle courant. Rien à voir avec la journée que tu viens de vivre, ni même avec la vie de tous les gens que tu connais, ce serait trop beau ! Deux cents pages de charabia pensif qui ont l'air d'avoir été écrites par des macaques du précolombien ou par des habitants de la planète Chlouff, mais jamais par des types comme vous et moi, avec deux bras, deux jambes, une paire de ce que je pense et l'envie de partager un bon dîner entre copains. Viennent vous ressasser une fois encore le refrain usé des amours adultères. Si on s'en fout ! Vous susurrer des histoires dans l'absolu, comme si la vérole, les reins descendus, les prostates enflées et les chancres mous n'existaient pas. Leurs salades émotives. Leurs analyses au compte-gouttes. Prenez donc le speculum et allez voir de quoi il retourne sous les combles, c'est ça qui nous intéresse.

Voilà les bouquins. C'est romancé. Ça tombe des mains. Mouche la loupiote. Mieux vaut dormir. Si ça ne vient pas, tu peux toujours risquer une branlette en te fixant sur la procession des culs que tu as vus se tortiller dans la journée sans pouvoir y toucher.

Pour demain, pas à t'en faire, petit père. Le programme est au point. Bizness d'usine.

Recommencer. Ouais !... Retourner dans l'arène pendant que Nora de son côté jongle si gentiment avec son gros paquet d'argent flambant neuf. Ça demande réflexion. Refuser le royaume d'insouciance qu'elle m'ouvre à deux battants. Les flopées de nourriture. Les escapades en bagnole aux premiers soleils. L'auberge routière du five o'clock. Petites serveuses en or, graciles, coquettes, le cul mignon dans leurs jupettes noires. Un ensemble qui vous met les couilles et l'appétit en branle. Vous fait voir le monde sous des couleurs farceuses. Laisser tomber cette chère quiétude de l'appartement que j'aime par-dessus tout comme si je l'avais moi-même choisi et aménagé. Renoncer aux mille et une gâteries providentielles qui font de la vie courante un petit paradis concentrationnaire sur mesure où l'on peut à loisir feuilleter le catalogue complet des biens de cette terre. Revenir volontairement végéter dans ma turne devant la rame de papier blanc et l'encrier Waterman. Ça me trotte par la tête. Périodiquement. Désarroi intime que je me garde de communiquer à quiconque. Surtout pas à Nora qui se demanderait avec anxiété si je ne deviens pas complètement maboul. « De quoi mankez-vous ici, mon chéri ? » serait, je pense, la première question qui lui viendrait aux lèvres. Comment dire ? Je ne manque de rien sinon de l'air des cimes. Sainteté et Démence associées qui font qu'un beau matin, sans qu'il se soit apparemment rien produit de considérable à la face du monde, on voit éclore sur la couche de fumier ordinaire une pousse fragile qui portera pour l'éternité le nom de Gauguin si jamais cette pousse se décide à attraper les pinceaux, ou celui de Nerval si l'idée d'écrire la démange. C'est tout, Nora, c'est tout.

A la fois simple et compliqué comme un tour de magie parce que, jusqu'à ce jour, on n'a pas encore découvert de quelle sorte d'engrais il fallait se servir pour activer la végétation. Pour ma part, je persiste à croire que c'est Dieu lui-même qui remplit les fonctions de croupier. Vous voyez que ça pourrait nous entraîner loin. Dans ce genre de discussion qui vous sort par les trous de nez, si je puis me permettre. Je connais votre façon de penser. A quoi cela sert-il de se triturer la boule puisqu'il est si facile de se borner à manger, à péter et à dormir dès lors qu'on a à sa disposition un estomac, un intestin et un bon matelas de laine douce ? *Question de sensibilité, chérie.* Encore une chose inexplicable entre quantité d'autres...

Voyez-vous, aussitôt qu'on commence à réfléchir sur ce qui nous conditionne, ça devient purement diabolique. Ça peut conduire à se fracasser la tête contre les murs — certains l'ont fait. On se retrouve tout à coup en plein crétinisme. Moins armé qu'un sauvage malgré les in-folio, le cinéma, l'histoire sainte, la pédagogie, malgré Savonarole, Galilée, l'invention de la bicyclette, de la pénicilline, des îles Galapagos et du yo-yo. En plein infantilisme primaire. On pousse la barrière du jardin et c'est pour s'apercevoir qu'il n'y a rien derrière. Même pas le vide qui constitue une entité en soi. Moins que le vide évidé. Rien. Rien que des suppositions. On entre comme un acteur de rechange dans la seule authentique tragédie humaine, celle de l'incohérence. Il faut vivre l'absurde ou mourir. Entendre développer ces arguments vous ennuie mortellement, je sais. Je me mets d'ailleurs à votre place. Vous êtes là, vous, Nora, noire divinité du pèze boulonnée sur un socle d'abondance au milieu de votre chambre, comme le schéma de la leçon de choses des stupidités universelles.

Quelle réponse concrète donnerait le yoga à une question aussi élémentaire que celle-ci : « Voulez-vous nous dire, cher maître, en langage clair, ce que peut représenter du point de vue pratique pour Mlle Van Hoeck ici présente, originaire d'Amsterdam, l'angoisse cosmique d'un miteux de mon espèce en regard de la volonté glaciale de son coffre personnel à la Banque des Pays-Bas ?

— Areu... areu... » bafouille péniblement le yoga transi de peur ; et Mlle Van Hoeck de se tenir les côtes après lui avoir jeté une poignée de vieux sous de bronze à l'effigie de George V. La visite est terminée.

Midi s'approchant, c'est comme si j'étais attiré par un aimant à grande puissance. Elle m'attend, prêtresse crapuleuse de l'or et du sexe. Demi-tour, gars ! Je me dirige à grands pas vers le temple. Laissons l'écrivain dans l'ombre, si vous m'en croyez. J'ai mieux à faire. « Prenons les choses comme elles viennent » a toujours été ma devise. La vie est si paisible sous la guérite hollandaise. Si plane. Si vénielle. Jus de framboise et macédoine rafraîchie, avec un soupçon de toccata en arrière-plan. Du sexe à profusion. Même un peu trop à mon goût, mais ce n'est là que vétille. Je me suis magnifiquement acclimaté. Le don d'adaptation hérité de mes ancêtres errants, sans nul doute. Je me suis habitué à prendre la vie sous le jour de l'inertie luxueuse. Et qui n'a jamais entendu dire que le luxe est un virus ?

Le virus, donc, m'empoisonne le sang. Depuis des mois, tout ce que je me mets sur le dos, tout ce que je mange, bois, fume, ingurgite, tout ce que je peux m'offrir, y compris les grasses matinées, je le tiens en totalité de Mlle Van Hoeck qui dépense sans compter, et c'est du reste son meilleur côté. Je sais combien je lui suis redevable. A un sou près, pourrais-je dire. Aussi, lorsque je rumine cette histoire, je ne suis que modérément surpris de constater que la trouille me gagne. Une trouille fébrile. Je songe avec terreur au dénuement qui m'attend si, du jour au lendemain, je devais à nouveau voler de mes propres ailes. Après tout, elle n'a qu'un mot à dire pour me foutre à la porte. Simple comme bonjour. D'ailleurs, qu'est-ce qui n'est pas simple pour cette maquerelle ? Quand je réalise à quoi ça tient, j'en ai la chair de poule.

Avec le temps, j'ai compris que je n'aurais jamais l'envergure d'un gigolo orthodoxe. Il me manque je ne sais quoi, peut-être le doigté. Par contre, le rôle de bouffon payant de sa personne me va comme un gant. J'excelle dans les scènes de *mea culpa* les jours où l'ambiance est au caprice, reconnaissant tous les défauts, toutes les tares dont elle m'accable. Je rampe vers elle comme un chien repentant. La manière dont je me conduis quand elle prend la mouche éveille des lueurs d'indignation dans le regard de Jiecke qui assiste souvent aux séances de dressage. Voir un homme se laisser mortifier sans sourciller a l'air de lui retourner les sangs. Jiecke, elle, de temps en temps, a le courage de dire ce qu'elle pense sans mâcher ses mots. Moi pas. Bouche cousue. Et un sourire passif collé par-dessus. Merde, n'oublions pas qu'il y a une essentielle différence entre Jiecke et moi. On trouve des dizaines de petits mecs à tous les coins de rue, *pas des bonniches !*

Tant que je peux me goberger à l'œil et prendre du bon temps, je relègue les scrupules, l'infamie et tout le bazar ! Laissez-moi seulement le bout de la table, le couvert du pauvre, et je baiserai les pieds du lépreux. Voilà ma conception. Le prix que ça coûte ne regarde que moi. Au-dessus de nous le ciel est toujours si pur, si vous saviez ! D'un pur éther décoloré. Pur et net comme un os rongé. Nous avons affaire à un ciel de canonisation. Ce qui signifie que nous vivons coutumièrement dans une lumière spermatique bienheureuse dont le moindre effet est de m'inciter à m'enterrer chaque jour davantage. Nora voit en moi un objet utilitaire de première nécessité dont elle se sert en conséquence. Elle aime ça. Elle aime ça à la folie et je le sais. Tant que tu voudras, pauvre vieille cinoque ! Prends-en pour ton argent, ça ne durera pas *æternam*. Elle se ruinerait jusqu'au dernier centime pour le plaisir d'avoir un homme sous sa dépendance. C'est son vice. Sa perversion préférée. La journée ne se passe pas sans qu'elle donne ordres et contre-ordres à tort et à travers. Et quand vous vous êtes bien décarcassé pour les exécuter à la lettre, elle vous éclate de rire au nez. Lunatique. Égoïste. Exclusive. Bornée. Avec une dose de sadisme dans les veines pour tout arranger. Elle est douée d'une espèce de génie de la persécution mesquine, ses armes favorites étant l'arrogance et le mépris. Sa tyrannie ne s'exerce jamais qu'au niveau des petites choses insignifiantes. Elle est capable de tenir le crachoir un jour entier, de faire un monde d'une bagatelle, dénaturant systématiquement à son profit les quelques rares paroles d'explication que vous avez timidement tenté d'avancer dans un but d'apaisement. Inutile de vouloir discerner une quelconque logique dans le fatras qui s'abat sur vous à pleins seaux. Une fois lancée, son esprit, déjà passablement biscornu au repos, emprunte toutes sortes de labyrinthes et de conduits ténébreux où il est impossible de la suivre autrement qu'à la trace. Vous êtes encore sur la marche de l'escalier quand brusquement vous vous entendez appeler du fond de la cave par sa voix de chaîne rouillée. Elle s'arrange pour conserver sur vous une certaine avance. Course échevelée. Les questions et les réponses aux questions se croisent en cours de route avec des réponses et des questions nouvelles qui vous assaillent à la vitesse d'une flèche. Elle mélange les jours, les dates, elle embrouille les noms, les circonstances, répond à côté, prend la tangente, dévie, dérive, dérive à l'infini, du nord au sud, fait un plongeon, un saut de carpe, des apartés avec elle-même, en galimatias hollandais, et cela jusqu'à ce que la discussion ressemble à un écheveau de fil de fer barbelé. A peine pense-t-on s'en dépêtrer qu'elle saute sur des preuves imaginaires de votre mauvaise foi. Elle sait, elle *sait* que vous mentez, que vous mentez tout le temps, tous les jours, à chaque minute, à chaque mot, à chaque silence, elle ne vous dira jamais *comment* elle le sait, mais cela n'en reste pas moins pour elle un point indéniable, vous avez le mensonge chevillé au corps, personnage répugnant, pas à prendre avec des pincettes. *Calmez-vous un instant, ma chérie...* La phrase qui déclencherait le détonateur, s'il en était besoin. Primo, elle n'a pas d'ordres à recevoir. Ici, c'est chez elle. Tout lui appartient. Le mobilier, les bibelots. Les bijoux. La bonniche. Moi. Tout. Alors, si elle a envie de faire un esclandre, ce n'est pas vos oignons. Personne ne l'empêchera de hurler ou d'appeler police secours si tel est son bon plaisir. On ne l'a jamais commandée, ça ne va pas commencer avec moi. Secundo, que je ne me fasse surtout pas d'illusions, je ne m'en tirerai pas par une pirouette. *Un sale petit krapaud komme moi !* Il est bien possible qu'elle se contredise depuis le début. Et si ça lui plaît, à elle, de se contredire sans arrêt ? Que je ne la prenne pas pour plus bête qu'elle n'est. Les petits Français se ressemblent tous, n'est-ce pas ? se croient tous très fortiches, délurés, ont l'habitude de traiter les femmes comme des putains, oui, eh bien, pas avec elle ! Mlle Van Hoeck est un vieux crocodile. En ce moment, c'est moi la putain ! Ne confondons pas ! Au fait, je ne suis même pas français, ça lui revient ! Un raton, un rital, voilà tout ce que je peux me vanter d'être. Et Juif par-dessus le marché, naturellement, ça se sent à dix pas. Seul un Juif peut encaisser ce que j'encaisse, la bouche en cœur. Je ne veux pas l'avouer, mais je ne suis qu'un sale petit youd à la remorque des uns et des autres. Elle aurait dû s'en douter. Crasseux et orgueilleux comme je l'étais quand elle m'a trouvé, avec ces idées de me faire passer pour un artiste, — excellent prétexte à ne rien faire de mes dix doigts, — avec mes théories d'anarchiste, fainéant comme une couleuvre, vantard, vaniteux, soi-disant au-dessus du commun des mortels, en paroles, ça oui, pour les actes vous repasserez. Typiquement Juif à son avis. Bon pour lui casser les pieds comme je l'ai fait pendant toute la première quinzaine, tenant un langage soporifique sur la peinture, la poésie et sur cette chose, là, comment donc déjà ?... *L'ésotérisme*, c'est ça ! L'ésotérisme ! Il n'y a que les Juifs pour barboter dans pareille sauce ! Ai-je pu la faire bâiller soir après soir avec mes monologues alambiqués, ne tarissant pas d'éloges sur ma bande de dingos qui doivent probablement me ressembler, jamais un sou en poche, mais pavanant comme des paons, encore tout un tas de youpins, eux aussi, à coup sûr. Si elle avait su cela, elle ne m'aurait même pas jeté un regard. M'aurait laissé croupir dans ma misère et ma saleté, c'est la place des miens sous le soleil. (Pourquoi ne me liquide-t-elle pas sur-le-champ ? Mystère. Parions que ma queue, juive ou pas, doit peser lourd dans la balance.) L'énoncé des noms de la plupart de mes amis dont je lui ai parlé, ce

Brandès, ou ce Simon Wierne, ça aurait dû lui mettre la puce à l'oreille. Le sujet l'envenime. Il n'est bientôt plus question d'autre chose. Je connais sa litanie du premier au dernier mot. Elle me l'a déjà resservie une bonne dizaine de fois. Entre par une oreille, sort par l'autre. Au bout d'un quart d'heure, je n'enregistre plus qu'un brouhaha approximatif ponctué par des coups de cymbales lorsqu'elle grimpe d'un ton. Sa voix surtout est exaspérante. Instrument contondant, si ça peut donner une idée. Entraîné comme je le suis, j'arrive presque à suivre n'importe quelle pensée pendant qu'elle rugit à mes côtés. Mon truc préféré consiste à me concentrer sur un objet. Une boîte d'allumettes sur la table. Partant de là, je me demande comment cet objet est fabriqué. J'essaie d'imaginer des ateliers, les machines, les ouvriers. Par combien de mains d'hommes et de femmes passe un objet quelconque avant de nous parvenir ? A quoi a pu penser l'employé au moment précis où il a eu *cette* boîte entre les doigts ? Quel genre de type est-ce ? A-t-il lu, a-t-il seulement entendu parler du dénommé Anton Tchekhov, le petit toubib de la province russe ? Non, il n'y a aucune raison pour qu'il connaisse ce fils d'épicier, puisque moi et des millions de gens à travers le monde qui nous servons d'allumettes ne savons pas et ne saurons jamais comment une boîte est fabriquée...

Il est rare qu'elle ne se soit pas épuisée pendant que j'accomplissais ce tour de piste dans le vide.

En principe, je la retrouve assise sur le lit, allumant une cigarette, encore nerveuse, mais ne demandant qu'à se laisser dompter. Si je réussis à glisser une main sur ses cuisses, c'est que nous en sommes à l'épilogue. Nous ne tarderons pas à nous retrouver en position, ce flux d'amertume n'ayant jamais d'autre origine que vulvaire. Il me manque juste la dose de dignité voulue pour lui refiler deux ou trois gnons dont elle aurait souvenance. Je serais d'ailleurs curieux de voir comment elle se comporterait si, au lieu de dire *amen* à ses quatre volontés, je lui appliquais placidement en travers de la gueule une paire de taloches à lui dévisser la tête. Toujours eu comme un regret latent au fond du cœur de n'avoir pas tenté le coup au moins une fois. A froid. Sans me démonter. *Zunck !*

Il faut me voir à l'œuvre dans mon numéro. N'oubliant jamais que ma sécurité est en jeu. Je fais de mon mieux pour lui être agréable sous toutes les coutures. Prenez-moi à l'essai, *mademoiselle*. Je parle, je saute, je ris, je danse, je peux même vous réciter dans le texte des passages entiers du Dante si, par bonheur, la poésie vous intéresse. Je fais caca, pipi, tout comme un petit homme. J'ai mille tours dans mon sac. Comment me voulez-vous ce soir ? En rongeur ? En reptile ? Ou plutôt non : en alouette babillarde voletant à travers l'appartement, joyeuse et légère, s'égosillant pour vous en menues anecdotes du terroir qui vous distrairont très certainement jusqu'au moment où vous reviendrez à votre idée fixe, le sexe, et que d'alouette innocente je devrai vous réapparaître sous la forme brutale d'un bon gros pénis résistant, car c'est encore au naturel que vous me préférez. Ayant toutes les complaisances d'un homme qui sait pertinemment que, sans vous et votre putain de pognon, il en serait encore à moisir au dernier étage d'un hôtel meublé, sans profession définie, pas de métier dans les mains, une maigre chance de s'en tirer honnêtement, son avenir exactement calqué sur le modèle du passé ou du présent, s'accrochant quand même en désespoir de cause à de vagues ambitions d'écrivain parce que enfin, comme dit Dostoïevsky, le bagnard qui n'a pas pour habitude de parler en l'air : « Il faut bien qu'en fin de compte chacun trouve quelque part où aller. »

Tout à fait mon avis. Cela m'encourageant à faire mon trou à l'endroit où je me plais. Ici même. Sous votre protection. Entendons-nous bien : je ne sollicite qu'un coin modeste, mettons comme le poisson rouge ou le chat de la maison. Docile. Peu encombrant. Il y a en moi d'immenses ressources de pleutrerie. Tout un fonds d'humilité craintive dont j'ignorais l'existence pour n'avoir jamais eu à m'en servir. Mais Nora, qui s'y entend en marécages humains parce que c'est l'une des prérogatives de l'argent que de remuer la vase autour de lui, Nora a su flairer juste. Prudente comme elle l'est, je suppose que sans cette garantie à long terme elle ne se serait même pas aventurée. Mise pas au hasard, ma Hollandaise. A deviné tout de suite que nous étions faits pour nous associer. Dans un sens, effectivement. Je n'ai pas mis des siècles à m'apprivoiser. Bon signe. Et maintenant que les habitudes sont prises, quand par extraordinaire la journée s'est déroulée sous une bonne étoile, sans venin ni coups de pattes, couronnée par un plantureux repas, des liqueurs fines, le cigare obèse entre les dents, quand nous sommes seuls tous les deux, comme un vieux couple, engourdis dans nos fauteuils, trop gavés pour parler, l'avenir se présentant à moi sous des auspices bon enfant, je savoure cette paix immobile que je n'avais jamais connue. Climat de serre chaude qui accompagne Nora où qu'elle aille. Je m'en imprègne voluptueusement. Goutte à goutte. La minute présente est irremplaçable. Il faut la vivre intensément. La marquer au fer rouge dans la mémoire.

Sur une étagère, il y a un bibelot de petite taille que

j'aime tout spécialement. Une licorne de bronze, grossièrement sculptée, comme par un amateur malhabile dont l'idée première eût été de faire un diplodocus qui, peu à peu, se serait amenuisé sous le ciseau. L'angle de la lumière dans la pièce donne comme un aspect de vie à ce petit animal de légende. De vie brutalement stoppée. En plein essor. L'ombre s'applique, creuse les muscles des cuisses qui ont ainsi l'air d'avoir frissonné une dernière fois de l'échauffement de la course avant que la mort les paralyse. Ce que j'aime tant dans cet objet c'est le symbole de l'élan foudroyé par une force incommensurable. Qui a été assez fort pour mettre la vie en veilleuse? Le parallèle avec ma propre situation me paraissant lumineux. J'aime l'idée que cette licorne ait interrompu sa chevauchée pour venir, comme moi, garnir une étagère de l'appartement Van Hoeck. Nous savons confusément que notre présence ici n'est qu'éphémère. Il suffirait d'un nouvel éclairage et les muscles se tendraient sous la peau, le sang se remettrait à circuler, à inonder le cœur, l'œil à guetter les dangers des espaces libres, les naseaux humides se pencheraient d'eux-mêmes sur la terre molle, lourde, retrouveraient les fraîches odeurs d'avant la mort, nous nous mettrions une touffe de thym bleu sur la langue et, tête baissée, la corne pointée vers ce dégueulis écarlate du soleil matinal, nous ferions feu des quatre fers, fous, ivres, battant la terre de nos sabots.

Malheureusement, personne ne songe à déplacer la lampe. La clarté de ce salon semble réglée de temps immémorial. Restons en place. Pattes écartées. La licorne de bronze sur son étagère, moi dans mon fauteuil. Tassés sur nous-mêmes jusqu'à retrouver les proportions exactes de nos fœtus respectifs. Nora en fait autant dans son coin. Soirée fœtale à trois personnages. Il n'est pas exclu que sur le coup de minuit nous roulions tout doucement vers le trou noir de la cheminée que nous reconnaîtrons comme étant notre vieil emballage matriciel. Peut-être alors pourrons-nous, à ce stade de la soirée, engager à mi-voix une discussion sur le thème obsédant de notre naissance prochaine. *Du point de vue de l'ovule et du spermato réunis.* Propre à chambouler nos vieilles conceptions d'adultes.

Mais quand sera-t-il minuit sur le monde ? Il y a de fortes chances pour que nous ne le sachions qu'après le douzième coup. Toujours trop tard.

Pourquoi diantre se préoccuper de l'heure puisqu'elles se ressemblent entre elles à s'y méprendre ? Il ne peut être que l'heure de manger, l'heure de sortir pour aller manger, l'heure de rentrer le ventre plein, l'heure de la digestion, et ainsi de suite. Décrochez le soleil-ersatz. Dorénavant, nous vivons au rythme intestinal, intermèdes génitaux inclus, le sexe n'est-il pas le prolongement et l'embouchure d'un autre boyau ? Nous nous suffisons à nous-mêmes en tant qu'entrailles carnivores.

C'est au cours de soirées comme celles-ci que je prends vraiment le temps d'observer Nora. Grasse. Ridée. Un peu obscène aussi, je ne saurais dire en quoi, cela tient à sa nature. Le goût du vice et du plaisir, la passion du sexe sont imprimés, ancrés sur ses traits affaissés. Comme une bave cristallisée dans la peau en refroidissant. Je sais, moi, comment ses yeux s'ouvrent, luisent, s'élargissent sur une pointe de feu quand le désir la travaille. Regard ventral. Regard de sécrétion chaude. Visage vivant du sexe. Visage du sexe à découvert. Dégueulasse et excitant. La suivre équivaut à marcher au bûcher. Zone infernale des ensorcellements. Elle incarne la splendide laideur de la débauche vécue de degré en degré jusqu'à sa propre perdition. Dans ce sens, elle est belle. Fascinante. Le luxe dont elle s'entoure lui confère une sorte de grandeur, de majesté religieuse. Manteau de pourpre et d'or. Page favori, je porte la traîne dans les cérémonies clandestines de nos accouplements. Par privilège spécial, j'ai donc droit, moi aussi, à la communion des richesses. Bon Dieu ! si je l'aime dans ces moments-là, seul avec elle au fond de la pièce bien propre, bien ordonnée. Si seulement elle était un peu différente de ce qu'elle est, moins garce, moins tracassière, si elle consentait à faire un effort pour entrevoir les choses d'un peu plus haut, je crois bien que je tomberais à genoux en la vénérant. Parfois j'ai envie de lui sauter au cou et de l'embrasser comme une mère. Purs instants de lâcheté. Il est vrai qu'elle aurait pu me donner le sein quelque vingt ans plus tôt. Ce qu'elle a entre les cuisses n'est qu'une vieille poire flétrie qui me flanque des haut-le-cœur lorsqu'elle me la fourre d'autorité devant les lèvres pour que je la lui suce. Ce que nous faisons ensemble, cette vieille toquée et moi, est passablement dégoûtant, c'est entendu. Et après ? Les choses étant ce qu'elles sont, il n'y a pas à ergoter. La fête continue ! Le monde proprement dit, avec ses chausse-trapes et ses coups durs, n'a plus prise sur moi. La présence de Nora m'immunise. Je reste couché, indolent, bras en croix dans la marge blanche. Crucifié sur la plus haute branche. Je suis comme qui dirait en stage expiatoire dans les soutes hétéroclites du purgatoire sexuel. Ce qui se passe loin du pôle Van Hoeck n'est que suite d'arpèges en mineur. A croire que l'aiguille de la boussole est aimantée dans sa direction. Possible aussi que Nora soit à elle seule les quatre points cardinaux, et les douze signes du Zodiaque, et le clou de la main gauche de Seigneur Christ qui m'a demandé de le remplacer un moment sur la potence flageolante, le temps d'aller se dégourdir les jambes et de pissoter contre un arbre des environs. Rien de mal à cela si ce n'est que je ne le vois toujours pas revenir. Les jours qui passent, inoccupés, me laissent l'impression d'explorer un cadavre. Curieuse sensation, me direz-vous. Pas tellement quand vous saurez que ce cadavre c'est moi. Me ressemble comme deux gouttes d'eau. Or ce moribond d'un type peu commun se mêle d'avoir faim et soif, d'avoir des coliques et des besoins d'argent. Je n'ose trop me demander ce qui se produira quand il ne restera plus rien à explorer, quand la moindre parcelle de chair confite sera soigneusement dépiautée et que je pourrai en quelque sorte me contempler dans toute la froide rigueur de mon squelette suranné.

Et pour en rester au présent — ce qui devait arriver arrive. A la manière Van Hoeck. De but en blanc. M'en souviens aussi clairement que si ça datait d'il y a un quart d'heure.

Nous revenons du ciné où, comme à l'ordinaire, j'ai eu toutes les peines du monde à la faire se tenir à peu près tranquille, une de mes mains à la jointure sous la jupe, deux doigts en fourche galvaudant en pleine motte, l'autre lui pelotant un sein par l'échancrure de son corsage. Patin sur patin comme de juste. Les types du rang derrière, penchés sur nous à angle droit, se rinçant l'œil. J'ai l'habitude.

Cette furie, exacerbée par la pénombre ou par l'ambiance de collectivité ou par les deux à la fois, n'a de cesse qu'elle ne m'ait glissé ses doigts dans la braguette. Au bout d'un court instant, c'est la petite guerre, les ruses de Sioux pour l'empêcher de parvenir à ses fins, de me le sortir en public. Rien que de très normal avec elle.

Un demi glacé en sortant du spectacle dans le premier bistrot venu. Elle me passe les clefs de la voiture. Cap sur l'appartement. Aussitôt vautrée contre moi, cuisse à cuisse, la tête sur l'épaule. Elle le tire délicatement de sa niche, ses doigts pianotant tout leur saoul à présent qu'elle n'a plus à se gêner. Je conduis comme ça, mon outil à l'air, c'est dans le protocole. Et l'apercevant là, tout droit, tout bête, entre les tiges sous le volant, je prends chaque fois le fou rire. M'a l'air d'un objet anachronique. « Pauvre vieux, où sommes-nous allés nous nicher, toi et moi ! » ou encore : « N'as-tu pas honte, dis, vieux frère, dans la plus grande artère de la ville ? » Telle est la teneur des messages de cordiale sympathie que je lui adresse par voie télépathique tandis que, n'y résistant plus, Nora entame une pipe hâtive du bout des lèvres comme si elle voulait le tenir en forme pendant le laps de temps où nous roulons.

Sincèrement, je n'aurais jamais cru que l'on pût se faire autant sucer en bagnole. Cadre plaisant d'ailleurs, force m'est d'en convenir. Elle me le range et me reboutonne elle-même pendant que je manœuvre pour caser la voiture. Dans l'ascenseur, ayant retrouvé le libre usage de mes mains, le moins que je puisse faire pour elle est de lui attraper le minet par-dessus l'étoffe. Elle me facilite la prise en écartant les jambes. Je le tiens ainsi jusqu'à destination, serré dans le creux de ma paume. L'humour de la situation est loin de m'échapper. Je me fais une idée de la gueule des voisins qui nous surprendraient dans cette attitude. Mais peut-être ne sommes-nous pas les seuls à entamer le morceau entre les étages. Pour moi, c'est devenu un réflexe automatique. Comme d'allumer une cigarette. Ascenseur et sexe. Ça la fout dans tous ses états, hyper-moite depuis le début du film, c'est-à-dire depuis plus de deux heures d'horloge, à supposer qu'elle n'ait pas commencé de bander en fin d'après-midi, soit dans la rue, soit à table. Nous échouons généralement devant la porte de l'appartement comme greffés l'un à l'autre. D'une traite jusqu'au lit, et le roulement de grosse caisse ne se fait pas attendre — non sans que, toutefois, j'aie d'abord pris le temps de picorer quelques crudités que Jiecke a préparées sur un plateau, à ma demande. *Afin de me munir en petite mitraille...*

Distraite, évasive cette nuit-là en rentrant. Le prélude de l'ascenseur ne semble pas lui avoir autrement ouvert l'appétit, ce qui est rare. Plutôt frigide, distante. Renfrognée, même.

Je repasse mentalement en quatrième vitesse tous les événements de la soirée. Qu'ai-je pu faire ou ne pas faire, dire ou ne pas dire qui lui ait déplu ? Je la connais, je sais ce que présagent ses mines austères. Chamailleries et contestations à n'en plus finir. Pompé comme je le suis ce soir-là, je ne me sens guère d'humeur à me laisser embarquer dans une engueulade filandreuse dont elle a le secret et qui risque fort de ne toucher à son terme qu'au petit jour. Ça la prend, de temps à autre. Quand elle n'a pas sommeil, probablement. La nuit entière à battre la campagne. Increvable. Venant me secouer ou me corner aux oreilles si par hasard elle s'aperçoit que je m'assoupis dans un fauteuil. Puis, lorsqu'elle juge que j'ai mon compte, la tête bourdonnante comme un essaim d'abeilles folles, empâté de fatigue, me tenant tout juste sur mes guibolles, c'est le moment qu'elle choisit pour découvrir que je lui fais horreur. Elle ne saurait plus longtemps supporter ma vue sans piquer une crise de nerfs. Elle a besoin de solitude réparatrice, d'une matinée de calme *après la nuit abominable que je lui ai imposée.*

Sur quoi, je n'ai plus qu'à prendre la porte, me retrouvant comme un petit péteux sur le trottoir, à l'aube, transi de froid et de sommeil, pestant contre cette salope qui m'oblige maintenant à poireauter à la station de taxis déserte à cette heure-là dans ce quartier de bourgeois où personne n'a idée de se lever à cinq ou six heures du matin.

Si elle s'est mis en tête d'engrener la bagarre, qu'elle aille donc réveiller Jiecke et qu'elles règlent ça entre elles. Très peu pour ma pomme. Projet immédiat : me glisser dans les toiles au plus vite, ici ou chez moi. Chez moi de préférence, ça m'évitera d'actionner la dynamo.

Beau me retrousser les méninges depuis l'arrivée, apparemment rien trouvé à me reprocher envers elle de toute la journée. Ai été prévenant, gentil au maxima, gai comme un pinson. Ai même accepté, sur son insistance, le ridicule épouvantable de la prendre dans mes bras et de l'embrasser en pleine rue. Genre de scène qui me fait monter la pudeur au front, honteux, gêné comme un puceau, tellement j'ai l'impression que les passants vont s'amasser autour de nous, crier au scandale, nous conspuer, nous lyncher, nous réduire en miettes, la vieille et moi. La soirée s'est passée normalement. Ciné, retour, rien d'autre. Me sens blanc comme la colombe.

Si ça lui chante de faire la gueule, c'est comme elle veut. Mais nenni pour cette fois, amour ! Vous ne m'y prendrez pas.

Au lieu de me déculotter comme je le fais rituellement chaque soir en rentrant dans la chambre, je m'enfonce dans un fauteuil, cigarette au bec, bien déterminé à foutre le camp dès l'apparition des premières nuées.

Mademoiselle va et vient, quitte ses bijoux, brosse ses cheveux, enlève ses bas, passe le déshabillé, se met à l'aise. Gestes routiniers. Avec cependant une modification insaisissable, une lenteur qui m'a l'air d'être calculée. D'habitude, pendant qu'elle exécute ce petit ballet de toilette vespérale, je me tiens à poil sur le lit où je suis censé l'attendre impatiemment, songeant naturellement à des foules de choses aussi peu en situation que la science ontologique ou la loi des correspondances. Répondant d'un mot vague à ses propos plus ou moins érotiques qui lui sont directement inspirés par la vue du plumard et moi dessus nous reflétant dans le miroir de sa coiffeuse. (Notons que dans cette chambre, la disposition du mobilier, le sujet des gravures, le choix des tissus, tout converge vers ce but unique : l'omniprésence du sexe.)

Les choses traînent en longueur ce soir. Elle n'a pas prononcé un mot depuis que nous sommes de retour. N'a pas paru remarquer que je restais habillé. Par pure courtoisie, je refoule une envie de bâiller à m'en décrocher les mâchoires. Qu'elle ne puisse prendre ce prétexte pour allumer la mèche. Le terrible avec ce truc-là, c'est que plus on essaie de lutter contre, plus ça vous travaille. J'ai sommeil, voilà tout. Trop bouffé. Terrine de lièvre à l'armagnac. Le légume de saison. Le coq de bruyère sauté chasseur. Un vieux vin blanc en contrepoint. Vouvray, autant que je me rappelle, mon faible. Bouffe trop, bois trop, dors trop, baise trop — par découlement. Mais aussi loin que je remonte en ma mémoire, je suis forcé de me reconnaître une attirance pour la bonne chère et les libations. Et le même mode d'investigation me prouve clair comme le jour que je n'avais encore jamais si parfaitement festoyé. Du moins pas avec une telle régularité. Nora a le don de mettre dans le mille sur une carte de cinquante plats. Peux lui faire confiance une fois installés à table.

Nora, qui se démaquille. En silence. Tendue, semble-t-il. Qu'elle se décide et qu'on en finisse. Je ne vais pas passer la nuit à la regarder se masser le gras des joues. Me prend pour qui ? Je suis bien bon, moi, de patienter, de lui faciliter la tâche. Je me tire, et à la revoyure ! Demain, elle aura digéré son mutisme. Nous nous retrouverons frais et dispos.

Décharge fulgurante d'un éclair. En plein dans le crâne. « Si elle ne dit rien, c'est que ce qu'elle a à me dire n'est pas commode à sortir. »

Cette pensée, toute de bon sens, s'impose à moi avec la netteté d'un cliché. S'agit plus de badiner. Plus d'amour-propre. Je hume le danger. Pour le coup, les lourdeurs et le sommeil s'évanouissent comme par enchantement. Je crois me rappeler avoir éprouvé exactement le même malaise suivi du même réveil en fanfare de toutes mes facultés lorsque, à deux reprises différentes, des contremaîtres étaient venus m'annoncer qu'on me demandait d'urgence au bureau du personnel pour être saqué prompto. Va me donner mon congé, la vache. C'est là la clef du mystère. Actuellement, elle doit brasser ça dans sa tête. Chercher un biais. Le moyen d'adoucir la rupture. Dire que j'étais à cent lieues de subodorer quoi que ce soit ! Nom de Dieu ! si elle me joue ce tour, à moi, je ne sais pas ce que je fais, mais je m'arrange pour lui laisser un cuisant souvenir. Je ne ferai rien du tout, voilà ce que je ferai. Rien que lui mendier des explications, pourquoi, comment, la supplier de réfléchir encore un peu, de comprendre, de remettre sa décision à plus tard. J'imagine que si elle m'envoie paître, elle a déjà dû prendre ses précautions, choisir mon remplaçant. Ce n'est pas incompatible ! Je veux bien qu'on soit deux, qu'on soit dix, qu'on soit douze. Tout un harem. Pourvu que je reste en place. Je peux toujours lui proposer cette solution.

Je décolle du fauteuil. Marche en rond dans la chambre. Je la guette du coin de l'œil. Impassible, elle, la putain ! Se pomponne. Tapote ses tempes du bout des doigts. Muette. Elle le fait exprès ou quoi ? Que vais-je trouver à lui objecter qui tienne à peu près debout le moment venu ? Retourne me poser sur le fauteuil. Sur l'arrondi de l'accoudoir. Elle est à un mètre de moi. De profil. La peau dégraissée de tous ses fards. J'entrevois le haut des nichons dans le col bâillant du déshabillé. Sa peau rousse. Lait rouillé. L'accordéon du cou. La joue renflée. Le grand lobe de l'oreille. Moche. Tocard. Vieille croûte. Elle s'arrache un cheveu blanc. Met un temps infini à en trouver la racine. *La racine du mal*. Ces quatre mots galopent dans mon esprit. Aucun rapport. Je redécolle du fauteuil. C'est mon impuissance totale qui est exaspérante. Cette pourriture de femelle sait ce qu'elle va me dire, elle n'a qu'à parler et, en dépit de mes exhortations, on ne fera pas machine arrière. Fini. Bâclé. Ainsi soit-il.

Et je ne soupçonnais rien ! Aucun signe avant-coureur. Depuis quand préméditait-elle son coup ? Huit jours ? Un mois ? Rien vu, rien senti. Je m'assieds sur le lit. Il fait une chaleur à crever dans cette casbah. L'air est tapissé de son parfum et d'odeurs de pommades. Elle a posé son sac à main sur la table de nuit. Elle le pose toujours au même endroit en rentrant. Ça me remet en mémoire notre première soirée. Ce fameux sac à main et tout le pognon qu'elle traîne dedans. Elle avait le même jour où je l'ai rencontrée. Te laisse pas abattre, old boy ! Un peu de nerfs ! Dès la première allusion à mon départ, je lui fais voler une paire de claques. Aussi sec. Excellente entrée en matière. Et si ça ne suffit pas, je réitère. Je réveille Jiecke, la bonniche mammifère. Je fais du barouf. Je gueule par la fenêtre. J'apprends d'emblée à tout son quartier quelle funeste engeance de maquerelle elle est en réalité. Toujours le temps ensuite de voir quel tour prendront les événements. Elle ne se débarrassera pas de moi sur du velours. On va être deux. Je ferai donner les cuivres. Me sens d'ailleurs au mieux de ma forme pour me suspendre chaque matin à sa sonnette après avoir été vidé des lieux. Présentement, je fais main basse sur son sac. Doit contenir un bon pécule. En guise d'acompte.

Ce plan aisément réalisable dans l'immédiat contribue à m'apaiser un peu. L'idée d'être viré fait son chemin en moi. Moins affligeant que de prime abord. Ce sont les conséquences pratiques qui s'en dégagent à la lumière de la réflexion. Le seul regret que je garderai de cette passe bénie, j'en ai brusquement la révélation, sera de ne l'avoir pas mise à profit pour écrire ou au moins ébaucher une large partie de ce bouquin mythique au nom duquel, en définitive, j'avais accepté de me faire nourrir par une femme. Tout à fait moi. M'élance du bon pied sur le tremplin et, une fois soulevé de terre, me voici folâtrant en pays inconnu, attiré loin de mon champ d'action initial par n'importe quelle toquade de dernière heure susceptible de me procurer une diversion quelconque. *Le bouquin attendra.* Maxime de la marche à rebours que j'ai bien dû me répéter une centaine de fois sur tous les tons et dans toutes les occasions au cours de ces quatre ou cinq dernières années. Rien d'étonnant à ce que la lune fluctuante, et dissolvante, et fluide comme le torrent, soit la planète que l'Éternel, dans son infinie sagesse, ait cru bon d'accrocher au fronton de mon berceau. Mais si le Ciel veut qu'un jour je puisse, par le truchement des mots, joindre ma voix au concert, il faudra à coup sûr mobiliser les équipes de déblaiement, les équarrisseurs, les ambulanciers, les croque-morts, les fossoyeurs et tous les prêtres de la paroisse avec des citernes d'eau bénite. Il ne sera plus temps de compter ni d'ensevelir ses morts. Sépulture de chaux vive pour tout le monde. Je me charge de creuser la fosse, d'alimenter le charnier, d'entasser vos os tordus comme des poutrelles dans le gigantesque anus hémorroïdaire de la Création. Une goutte du liquide décapant qui circule en moi suffira à cette besogne. Une goutte tous les deux ou trois siècles. La perle de rosée annonciatrice de l'éternel matin d'ascendance. Je vous obligerai à vous tenir le nez sur le chancre. *Le chancre.* Que vous sachiez un peu de quoi il retourne en vérité. Que vous cessiez de miauler à l'amour virginal, à l'innocence enfantine, au bonheur, au pardon, à la charité qui partage en deux parts inégales, la plus maigre pour le pauvre. Que vous vous fassiez à l'idée que Petit Jésus est mort, mort et enterré après d'innommables tortures, mort ni pour Pierre, ni pour Pilate, ni pour le bon fonctionnement du métro aérien, mais pour Lui, pour Lui tout seul, comme nous mourons tous, chacun pour soi. Que vous sachiez que tout se détériore, se gangrène, amours, pureté, croyance, génie, et finit sous la forme synthétique du chancre. Du chancre immuable. Beau et puant comme la rose d'été.

Qu'est-ce que je fous dans cette chambre bonbonnière au lieu d'aller vivre ma misère, mes privations, mon désespoir ? *Mon destin.* Qu'est-ce que j'attends pour ouvrir le robinet? Cette femme me fournit le boire et le manger, mais je n'ai besoin de pain que pour communier avec l'espace. Comme je n'ai besoin d'un sexe que pour me fondre dans le germe de la conception. Écrire, c'est ne jamais trouver. A quoi bon en attendre autre chose?

Bon Dieu! quel bien ça me fait de retrouver le fil de ces vieilles vérités que je trimballe en moi depuis l'époque où je me suis mis à gribouiller! Il y a belle lurette que je n'avais plus fait un pareil tour d'horizon. Cette pauvre folle ne sait pas quel service elle va me rendre en me remettant sur le sentier de la guerre. Je n'ai jamais complètement oublié où était ma véritable place. Ce sera comme si j'avais vécu une éclipse de plusieurs mois. Incursion chez Aladin. La fringale d'écrire me chatouille délicieusement la cervelle. J'ai faim. Faim de mots, de phrases, de paragraphes, de pages, de ponctuations, de livres, de rêves éveillés, de personnages. Faim de Verbe. Faim de Vie. Vivre *ma* vie. Dans mon cas, cela signifie : *vivre pour interpréter la vie*. Et parce qu'il y a Dieu, je suis un désespéré joyeux. Puiser la vie en moi et la faire jaillir sur le papier. Chaude. Rayonnante. Et un jour, dans des dizaines d'années, je reviendrai par la pensée dans cette chambre saturée de parfum, j'entrerai sur la pointe des pieds comme un cambrioleur, Nora sera encore assise à sa coiffeuse, des bouts de coton maculés de fard en tas à côté d'elle, massant toujours ses rides que rien ne peut effacer. Je la prendrai ainsi, en négligé, grosse rousse blafarde, pour la glisser entre les pages de mon herbier anatomique — à la rubrique Floris-Sexonékros.

Et maintenant, vous pouvez sonner le glas. Carillonnez, cloches de l'Advènement. En mettant les choses au pire, je ne serai jamais qu'un homme en marge qui accepte bien volontiers de payer sa liberté rubis sur l'ongle, dût-elle lui coûter ce minimum de confort et de repos d'esprit auquel aspire le plus humble d'entre nous. Pour vous mettre à l'aise, sachez que j'étouffe dans la cage dorée. Chez moi, nous serions plutôt de la race migratrice. Ancestralement dispersés suivant la girouette. Nomades solitaires. C'est pourquoi mon œil gauche, si vous le regardez de près, ressemble à la Rose des Vents telle que l'employaient autrefois les vigoureux pirates de l'océan Zostérops, appelé à tort océan Kélotomique. Comprenne qui pourra, et si j'ai un conseil à vous donner, c'est de faire vos valises et d'entreprendre une longue croisière dans ces parages favorisés des dieux. Écrivez-moi à l'hôtel Atlas, chambre 65.325, la porte à côté des chiottes. Les pigeons voyageurs desservent régulièrement ce coin secret de la Cité des Tentacules. C'est du reste un peu la raison qui m'a poussé à m'y loger. Votre tout premier message pourra me parvenir avant l'aube prochaine si vous câblez sans perdre une seconde. Je me trouverai dans ma chambre à l'heure dite, certainement en train d'épiloguer tout seul sur l'orientation capricieuse de ma destinée.

Je vous écoute, Nora.

Je la reverrai toujours se lever du petit siège en tapisserie garni de volants roses. Refermer d'une main le col du peignoir. S'avancer vers moi comme si elle avait mission de m'hypnotiser. Le mouvement soulève le tissu souple, fend sa cuisse nue de bas en haut. Parce que je crois que c'est la dernière fois que je la vois chez elle, je me mets à avoir envie d'en tirer un solide. Mieux : soudain, inexplicablement, je prends idée de l'enculer. Pas seulement le bout du nœud, ce à quoi elles consentent toutes plus ou moins avec plus ou moins de chinoiseries, mais le lui planter jusqu'à la garde, m'acquitter d'un dépucelage complet sous cette latitude. Gros œuvre qui risque fort d'avoir été négligé jusqu'ici. Façon élégante, je pense, de se séparer bons amis. J'en ai des frémissements. La marotte testiculaire reprenant le dessus, je ne me soucie plus de ce qu'elle a à me dire quand, s'asseyant à ma droite sur le lit, elle repousse fermement la main que j'avance pour écarter la soierie. Le dialogue s'engage malgré moi.

— Attendez, chéri... Il faut ke je parle à vous. Je veux dire chose importante pour vous et moi...

Nous y sommes. Pour m'inciter à la patience, c'est elle qui pose une main sur mon pantalon gonflé. Passe et repasse légèrement au même endroit. Comment interpréter autrement que par une tendance au magnétisme le fait qu'à travers l'épaisseur du tissu elle vous mette exactement le doigt sur le prépuce et pas ailleurs ! Sans tatillonner. Droit au but.

J'éprouve toujours une certaine difficulté à suivre correctement ce qu'elle baragouine. Son langage serpente dans le maquis broussailleux, encombré de locutions d'origine qu'elle oublie de traduire.

— Oui, chérie..., dis-je çà et là, le ton neutre, afin de montrer que je suis attentif.

Je démêle vaguement qu'elle esquisse un historique de notre rencontre. Le nom de Jiecke revient souvent. Je l'écoute d'une oreille distraite. Le frottis de son index me fortifie dans mes intentions. Je ne songe même qu'à cela. Les couilles dures comme des cailloux. Mentalement, c'est comme si je me trouvais d'ores et déjà la verge enterrée entre ses deux fesses. Elle file son discours sans me regarder. Grave. Butant tous les deux ou trois mots. Je trouve franchement ahurissant qu'elle puisse ainsi se débattre avec les phrases et manœuvrer sur ma queue en virtuose. J'intercale ma formule passe-partout :

— Oui, chérie...

Me disant qu'elle est finalement moins forte que je ne le prévoyais. Elle pouvait régler l'affaire en deux mots, me prier de ramasser les quelques vêtements et objets qui m'appartiennent ici et me raccompagner à la porte. Bon vent ! Nous aurions arrangé les modalités ultérieures à l'amiable. Pourquoi ce long préambule où il est question de l'appartement, de Jiecke, des heures où nous nous voyons, des matinées que je passe à mon hôtel ? Superflu.

Mais subitement je tombe en arrêt. Ne vient-elle pas de faire allusion aux livres, ou à ce qu'il faudrait pour écrire des livres, je n'ai pas très bien compris. Entrerait-il dans ses vues, afin de se débarrasser de moi, de m'allouer une pension alimentaire ? Pourquoi pas ? M'intéresse vivement à présent. Je tâche de ne pas perdre un mot du hachis guttural. Dans son esprit, c'est bien elle et moi qui sommes sur la sellette. Je la laisse venir.

— Oui, chérie ?

Interrogatif cette fois. Pour la stimuler.

Enfin, au milieu d'un amas de mots déformés, j'apprends de sa bouche ce qu'elle hésitait, paraît-il, à me dire depuis un bon mois.

En raccourci, elle me demande de venir habiter avec elle. Ici. A demeure. En ménage.

Ébahi. Si déconcerté que je lui demande de répéter, et mon oiseau débande instantanément.

Le temps de réaliser. Une minute. Deux minutes. Et me voici en proie à l'hilarité. Impossible de me contenir. Mettons cela sur le compte de la nervosité. Pas tout à fait cependant. C'est une sorte de rire dont Nora ne peut connaître la source pour la bonne raison qu'il m'est spécifique. Rire d'anathème, rire sacrilège qui me saisit invariablement avec la même force chaque fois que le hasard ou quelque autre éventualité imprévue fond sur moi à bride abattue pour m'aider à redresser le gouvernail. J'ai l'impression distincte de me voir en effigie au milieu des conjonctions astrales qui composent ce cercle d'abstractions absurdes qu'on nomme ciel de nativité. Je me vois aux leviers de commande. Indiquant moi-même la direction des planètes et clignant de l'œil au vieil ange barbu qui me regarde faire, plein d'indulgence. Si j'ajoute que l'ange en question porte sur les tempes une superbe paire de cornes, on verra qu'il m'est difficile, pour ne pas dire impossible, de situer dans quelle partie du palais intérieur je me trouve effectivement. Sur l'une des trois premières marches en tout cas. Au poste frontière. Ce qui me pousse à conclure par une cabriole indécente à l'adresse des uns et des autres, hommes, femmes, embryons, Dieu, diable et toute la clique. Allez vous faire foutre au bordel du coin ! Moi, je persiste comme si de rien n'était, mon orfraie favorite perchée sur mon épaule gauche. Libre et obscène. Désespérément immortel. *C'est un jeu d'enfant pour qui possède les quatre clefs magiques.*

Tandis que Nora, un peu effrayée, piaille en mauvais français :

— K'avez-vous, chéri ?... K'est-ce ke vous rire komme ça, dites ?...

Je fais signe que ce n'est rien. Ça va passer. Tout passe. Le rire dans les larmes, l'amour dans l'habitude, la vie dans la mort et Dieu dans les fonts baptismaux.

Que votre règne arrive, Nora la vampiromane, que votre volonté soit faite, donnez-nous notre pain de chaque jour, notre nausée de chaque jour, notre argent, notre sexe, notre crapulerie quotidienne, pardonnez-nous nos meurtres inavoués comme nous nous les pardonnons si facilement à nous-mêmes, ne semez pas la tentation sous nos pas, délivrez-nous de cette hantise de mal vivre le peu que nous avons à vivre, et allons-y gaiement, sortons les masques, chaque lendemain ramène le Mardi gras du Carnaval d'Épouvante.

Ce n'est d'ailleurs pas une raison pour ne pas mettre mon projet à exécution. Venez vous asseoir ici, chérie. Ici. Sur ce petit bout de chair. Mon sexe. Sur le pilier du monde.

Le bouquin attendra bien encore un peu...

Danse de mort sur les pointes. Nous nous acheminons vers le déclin. Comme je pouvais m'y attendre, quelques mois seulement de cette vie en commun sous le même toit ont suffi pour que ça tourne au cauchemar. Fiasco sur toute la ligne.

Après ce temps de galop sous la cravache Van Hoeck, l'ambiance maison est comme qui dirait doucement teintée d'épilepsie rasante. S'il me reste pour elle un semblant de sentiment, ce serait, je crois, une haine glaciale. Réfléchie. Quelque chose comme une arme blanche qui étincelle sur le velours de la panoplie.

Cent fois plus folle et cent fois plus hystérique encore que tout ce que j'aurais pu imaginer. Même avec de la patience, même avec une patience angélique, elle rendrait fou n'importe quel homme. En résumé, la vie est intenable, et au point où nous en sommes, à moins de me laisser digérer par elle, pas d'autre solution en vue que la rupture pure et simple. Ce à quoi je me prépare activement avec toujours ma vieille idée de me prémunir, afin de m'attaquer au grand œuvre, liberté reconquise. Une démangeaison caractéristique me laisse présager que j'enfilerais les mots comme des perles si, toutefois, j'avais une chance de pouvoir m'isoler régulièrement deux ou trois heures par jour. Ici, pas moyen. Ce serait trop lui demander. Ici, qu'on le veuille ou non, c'est le jeu de massacre privé de Mlle Orthoptère, que je désigne aussi parfois du nom androgynien de Mante hermophile, ce qui revient au même. Mon envie d'écrire refoulée a une part capitale dans ma nouvelle conception des réalités. J'échangerais volontiers ma dernière chemise contre un coin tranquille, disons mon ancienne chambre d'hôtel, et quelques mois de solitude plume en main. Chaque jour qui passe me fait amèrement regretter mon indépendance et tout ce temps perdu sans résultat.

En quel honneur ai-je accepté de venir de mon plein gré me fourrer sous le couvercle de la chaudière ? Coup d'amnésie, pour sûr. Dieu m'est témoin que je m'interroge tous les matins au réveil en ouvrant l'œil, couché à côté du vieux bouc qui va me réclamer sa pâture matinale. Fureur utérine, pour ne pas changer. Bander pour elle est devenu au-dessus de mes forces. Il faut qu'elle me masse la queue un bon moment avant que ça se décide. Micmac préliminaire pas fait pour réchauffer la température. Origine de la plupart de nos bagarres de ces temps derniers. Mais ce dont elle n'a peut-être pas idée, c'est à quel point j'en ai marre d'elle. De la vie avec elle. De ses scènes. De son charabia. De son caractère. Des mornes tête-à-tête. Marre !

Cet épisode en vase clos me convainc que je n'ai plus qu'à lever l'ancre, nanti si possible d'une somme rondelette qui couvrira les premiers frais de l'expédition.

En attendant, j'avale les couleuvres. Avoir cette bonne femme devant moi toute la journée me rend malade. Je ne peux plus la piffrer. Plus la voir en peinture. Quoi qu'elle dise. Quoi qu'elle fasse. Ça tombe toujours à côté. J'ai envie de la touiller, de la piler. Sa présence est devenue obsédante à un rare degré de saturation. Comme si vous ne pouviez vous défaire du ver solitaire ou que dix mille sangsues affamées aient trouvé le moyen de se faufiler dans votre crâne, suçant et pompant là-dedans à qui mieux mieux. Elle me crispe. Elle m'agace. Sa voix m'agace. Ses gestes m'agacent. Ses manières de faire m'agacent. Ses intentions aussi m'agacent, quand elle se mêle d'être à peu près sensée et qu'elle tente d'échanger avec moi quelques paroles sur mes sujets favoris. C'est plus fort que moi, je prends systématiquement le contre-pied de ce qu'elle débite, même si, par miracle, elle réussit à s'extraire une idée potable.

A part les banalités journalières qui ont habituellement trait aux choses de la maison, nul espoir d'entente ne nous est plus permis. L'impasse. Soit qu'elle se mette à déconner sur n'importe quoi, choisissant de préférence un thème qui m'est cher dans le but de me faire voir rouge, soit que par pure méchanceté, si ce n'est par sadisme, j'ouvre un feu de barrage devant ses moindres velléités de conversation, m'acharnant à souligner de la façon la plus cruelle pour elle son ignorance, le vide de sa vie, le peu d'attrait qu'elle représente pour un homme comme moi, sous-entendu que dans le passé elle n'avait probablement dû ramasser qu'une poignée d'imbéciles. Et quand il le faut, je me charge de la doucher d'un mot concernant son âge, la vieillesse qui arrive sur elle à grands pas. Rien de tel pour la démonter. Des victoires de ce genre me dédommagent en une fois de pas mal d'avanies de sa part. Ou alors je me contente de ne pas desserrer les dents de la journée. Pas un mot. Ni à table ni au lit. Puisqu'elle ne saurait s'en priver, quitte à forniquer avec un crapaud borgne, je la manipule, mais dans un silence absolu. Elle me parle, elle gémit, elle me griffe, elle me regarde. J'accroche son regard. Les yeux dans les yeux. A quelques centimètres au-dessus d'elle. Le visage imperméable. Je sais, je suis sûr que pas un de mes traits ne bouge. Une espèce de férocité me soutient. Meurtrier et sa victime. Bien que nous nous trouvions en position, ce chambard me laisse froid. Aucune peine à me contrôler physiquement. Plutôt l'air de faire une piqûre. Ou d'administrer un calmant. Elle finit par me supplier de lui parler. Mlle Nora est particulièrement sensible dans ces moments-là aux émanations de la voix, à la densité sensuelle de certains mots. En la baisant comme un automate, elle se sent frustrée et si, au bout du ventre, elle n'avait pas ce trou terrible qui se consume, je parie qu'elle laisserait les choses en plan, trop contente de me donner une leçon.

Lumière éteinte, c'est l'instant où j'élabore les modalités de la retraite éventuelle. Vieille habitude d'enfance de parcourir ainsi le panorama de long en large une fois tranquille sur l'oreiller. Qu'il s'agisse de ressasser des souvenirs, d'échafauder des projets ou, par exemple, aujourd'hui, d'équilibrer la suite de la page d'écriture que j'ai laissée en suspens, le canevas s'éclaircit aussitôt que je suis couché dans le noir. On dirait que la nuit et le silence, le cœur au ralenti, me permettent de me nouer sur moi-même. Sensation de prodigieuse stabilité. Je suis l'écrevisse cramponnée à la vase du fond pour le long sommeil hivernal. Commencement d'une nuit des siècles. Le balancier solaire s'est liquéfié sous l'effet de la chaleur. Le monde est peuplé d'ombres floues qui vont et viennent sur des chaussons de mousse dans une clarté baroque, fantômes élastiques aux cordes vocales amputées. Tous les dangers sont provisoirement écartés. Je peux prendre mon temps.

J'examine un à un les contours du problème actuel dans l'alambic Van Hoeck.

Et pour commencer, que fais-tu encore dans cette chambre ? Ce matin même tu avais juré de ne pas coucher ici ce soir. Tu entrais dans le premier hôtel qui se présentait et le tour était joué. Le lendemain, coup de téléphone à Jiecke la priant d'apporter la valise de bouquins et de papiers. Prendre la précaution de changer rapidement d'adresse au cas où l'épervier se lancerait à ta poursuite. Et se jeter immédiatement sur le travail. Écrire aussi longtemps que tu serais capable de voir clair. Sans relire. Sans rature. Vivre vingt-quatre heures sur vingt-quatre dans cet assommoir de l'écriture jusqu'à ce que les nerfs claquent. Penser au livre. Au livre. Rien qu'au livre. Van Hoeck aux plosses ! Le livre. Question de vie ou de mort. Finir avant le déluge. Arriver à la dernière phrase du dernier paragraphe par un beau matin ensoleillé, à la pointe de l'aube, accompagné par les premiers bruits de ferraille des poubelles sur le trottoir, par les premières voix des gens qui sortent sur le pas de leur porte, qui parlent de ce matin ensoleillé, du temps qu'il va faire dans la journée, des nouvelles entendues à la radio. Et toi, accouché de la dernière heure, descendant te mêler à eux, te précipitant vers un bistrot qui lève son rideau de fer, affamé de bonne et saine nourriture depuis le temps que tu avales les tasses de café noir que la bonniche de l'hôtel te montait à heures fixes. *Garçon, préparez-moi un casse-croûte copieux, les rillettes, le saucisson sec, le jambon fumé, les œufs sur le plat, le ketchup, le bocal de cornichons et de petits oignons blancs au vinaigre, tous les fromages que vous avez dans le garde-manger, ce qu'il vous reste de pâtisserie, et vous y ajouterez une bonne bouteille. C'est aujourd'hui le jour faste de ma naissance, j'entends célébrer cet événement sans plus tarder par un préambule nutritif qui ne fait qu'annoncer le banquet de baptême qui aura lieu dans la salle d'honneur, ce jour même, à minuit tapant !* Tu goûtes une gorgée de ce vin blanc sec et glacé, tu tailles dans le pain frais qui n'a jamais été aussi croustillant ni aussi savoureux qu'à cette minute de ta vie, et tu mesures le chemin parcouru en te demandant par exemple ce qu'il peut bien y avoir à la page 333 du manuscrit de ce foutu bouquin qui t'a fait suer sang et eau, et une joie sereine t'emplit le cœur.

Quoi de plus simple en vérité ? Ne vivais-tu pas avant de la connaître ? L'abondance ruisselle des mains du Seigneur à l'intention des fous, des saints et des oiseaux. Sans doute a-t-on prévu ta part depuis longtemps. Il faut se présenter innocent à la Providence. Désarmé et sans arrière-pensée. Chacun de tes cheveux est porté en compte sur le livre. Est-ce assez clair ?

Certes. Mais m'en aller d'ici avec quelques provisions de bouche ne nuirait en rien à l'objectif des opérations.

Pour parler franc, la perspective de l'usine ou d'un boulot quelconque que je devrais fatalement dénicher à brève échéance si je quitte Nora ne me sourit guère. Pourtant, si elle n'était pas tombée du ciel un certain jour ? Halte-là, camarade ! Ces hésitations de mauvais aloi ne signifieraient-elles pas un manque inquiétant de *cojones ?*

Possible. Mais je me connais. Ma décision est arrêtée. J'ai déjà revêtu l'ancienne défroque retrouvée. L'homme à tout faire de Mlle Van Hoeck a pris ses jambes à son cou par une nuit sans lune. Trop tard pour le rattraper. Le jour est proche où je me saluerai dans la glace d'un large sourire d'approbation. C'est moi. C'est bien moi. Enfant prodigue de la tribu méditative des descendants d'Issachar. Pardonnez-moi cette minute d'égarement. J'ai fait le tour des choses et me revoici parmi vous. L'œil frais et le teint hâlé. L'artiste n'a-t-il pas pour devoir de passer sa vie à marcher nu-pieds sur l'arête de silex ? Les plaies font partie de la vocation, si j'ai bien compris. Et les coups de tête, *idem.* Et les cuites, les copains, les entorses à la règle, les pieds dans le plat, les bris de clôture, la patrie sous les talons, etc., etc. Sans oublier les brochettes de femmes. Jeunes et jolies. De celles qui baisent en connaissant la marche à suivre. Tirer son coup quand on en a vraiment envie avec une fille qui vous fait bander pour de bon. Si longtemps que ça ne m'est pas arrivé ! Ne vous étonnez pas que j'aie la ferme intention de jouer des coudes. Méconnu si tel doit être mon lot, bataillant pour un sou, un café crème, un croissant, une cigarette, une piaule pour la nuit, tout ce que vous voudrez, à condition de sortir de cette mare gluante où nous pataugeons tous ici à des degrés divers, car Jiecke aussi est dans le lot. Mort aux tièdes ! disait Jésus. *Si l'on peut ainsi résumer la situation.*

Cela jusqu'au sursaut de l'agonie. Comment et pourquoi éclate cette dispute qui en fait sera la dernière, du diable si je m'en souviens. Peut-être ne l'ai-je même jamais su. Sur la fin la tension était telle qu'un seul mot de travers mettait instantanément le feu aux poudres.

Tout ce que je peux dire, c'est que je me revois hurlant et gesticulant dans sa chambre, séparé d'elle par la largeur du lit, en proie à l'une de ces colères noires qui vous déglinguent le système, le sang aux tempes, fou furieux, sorte d'ivresse à jeun.

Une toute dernière étincelle me retient de faire le tour du lit parce que j'ai l'impression que je serais capable de lui sauter à la gorge. Et elle, connasse invétérée, qui essaye de couvrir ma voix en criant de plus belle, provocante, faisant face, sifflante comme un aspic. Qu'elle soit là, devant moi, butée et arrogante, me stimule au sang. L'attraper à bras-le-corps, lui flanquer une dérouillée magistrale, voilà qui serait efficace. Seule idée en tout cas qui puisse encore germer du peu de raison dont je dispose. Ensuite pourrions-nous peut-être nous expliquer posément, encore que je ne sois plus guère en mesure de m'emberlificoter dans des explications. Pas plus que d'écouter ni de comprendre ce qu'elle me dit. Il n'y a vraiment que le son de sa voix qui me parvient. Aigu. Lancinant. Sirène folle. Un paquet d'épingles dans la peau. Cette voix, cette voix exécrée, ce fil crissant qui s'entortille dans les oreilles. S'infiltre, me pénètre, me met à bout. M'excite aussi. Drogue violente. Je m'étonne confusément qu'en me voyant dans cet état elle ne comprenne pas qu'elle devrait se taire. Surtout se taire. Ne plus articuler un mot. Attendre que je me vide. Dernière chance de m'apaiser, s'il en reste une. Mais bien sûr, elle n'a rien compris. Monte sur ses grands chevaux. Trouve même que j'y vais un peu fort. Elle me tient tête jusqu'à la gauche, ponctuant ses invectives de longs éclats de rire nerveux, volontairement calculés pour me narguer, pour finir de me mettre à cran. Du moins est-ce ainsi que je vois la chose sur le moment. Je sais également par expérience qu'elle n'aime rien tant que ces climats de foudre en action. Ça l'électrise. Mlle Van Hoeck n'a jamais cédé d'un pouce devant un homme. Ne s'en est-elle pas assez vanté avec toute la morgue voulue ? Elle cherche donc à avoir encore le dernier mot quand il s'agit pour moi maintenant de tout autre chose.

Hargneuse et imbue d'elle-même comme elle l'est, elle doit se figurer que je vais baisser l'oreille une fois de plus, comme au cours de nos multiples scènes précédentes. Je connais sa recette. Me saouler de paroles et de cris, appuyer sur la chanterelle jusqu'à ce que je considère inutile de m'égosiller plus longtemps pour rien. Claque la porte et vais faire un tour, dans l'espoir de me calmer les nerfs, ne rentrant au bercail qu'une heure ou deux après. Elle n'attend que ça. Et au retour, je serais accueilli comme chaque fois par toutes sortes de railleries humiliantes concernant mon manque de caractère, mon grand amour du bien-être, ma fainéantise, cette lâcheté incurable qui me pousse à revenir toujours au seul endroit de la planète où le lit et le couvert me soient assurés. Est-ce digne d'un homme ? A-t-on le droit, après cela, de faire la fine bouche ? J'ai le droit de la boucler, oui, m'estimant encore bien heureux qu'elle veuille me reprendre quand je reviens frapper à la porte, repentant, parce que, sans elle, je ne suis rien, je ne peux rien, je n'arriverai à rien. Allusion évidente à mon incapacité d'écrire. Une vantardise de plus à mon actif. Écrivain ! Laissez-la rire ! Qu'est-ce qui m'autorise à me comparer à un écrivain ? Ces gens-là passent-ils leur temps à se conduire comme de vulgaires gigolos ? Elle voudrait bien m'entendre citer des noms de célébrités qui vivent actuellement aux crochets des femmes, *en ai-je connu beaucoup ?* Pauvre de moi ! Je n'ai que l'étoffe d'un raté. Si par hasard je ne m'en doutais pas, elle me l'apprend. Malheureuse épave que le premier grain un peu fort balaiera de la surface comme fétu de paille. Elle m'a jaugé. Soupesé. Elle me destine aux soupes populaires pour le jour catastrophique où son aide viendrait à me manquer. Nous allons voir.

Et primo, c'est moi qui parle. Et je veux qu'elle m'écoute. Dussé-je pour cela la bâillonner et la ligoter au pied du lit. Ce que je lui annonce en termes plutôt crus, surajoutant une volée de grossièretés choisies parmi les meilleures de mon répertoire.

N'en croit pas ses oreilles. Elle bondit sous la décharge. Outragée. Elle s'empourpre. Roule des yeux furibonds. Que j'ose, moi, miteux ! Chez elle ! Car elle me rappelle que je suis chez elle, en présence d'une femme. Précaution superflue. Sûr que je ne me croyais pas à une partie de canotage un samedi après-midi sur les eaux irisées du lac Hersenkopffen. Grands dieux ! à en juger par la violence de sa réaction, on n'avait jamais dû lui parler sur ce ton. *Poli et galant avec les dames.* Curieux tout de même qu'une putain de son espèce ne soit pas tombée au moins une fois sur un type à la hauteur. Qu'elle ait pu les tenir à distance, se faire dorloter et respecter tout comme une authentique pucelle. Ça concorde du reste avec les bribes de confidences arrachées à Jiecke. *Wonderful !* C'est le monde à la renverse.

Piquée au vif, elle me convient tout à fait. Son air de grosse pintade courroucée réussit même dans une certaine mesure à me tempérer. J'y vois déjà plus clair. Je prends déjà du champ. Je m'étais emballé à vide. Trop vite. Sans autre idée préconçue que lui lâcher ce que j'avais sur le cœur avant de mettre les bouts. Enfantillage de ma part. A quoi bon précipiter le mouvement ? Je viens juste d'entrevoir tout le profit que je pourrais tirer d'une manœuvre conduite avec méthode et discernement. Ce n'est pas la patience qui me manque, mon passage ici en témoigne. Il ne tient qu'à moi de publier le bulletin de victoire dans un temps record, et, cette fois, je suis à tout jamais le raté qu'elle prétend si je ne m'en sors pas avec la gloire des armes.

D'abord, qu'elle comprenne bien que je ne flancherai pas. Si quelqu'un ici est maître du terrain, c'est moi. Pas de quartier. Un petit mot dans ce sens lui sert d'indication. Mlle Van Hoeck sait ce que parler veut dire. Ce calme que j'affiche tout à coup la déroute visiblement. Pas prévu. Pas dans l'ordre. *Comment donc !* J'allais oublier qu'elle n'en est pas à son coup d'essai. Tous ceux qui ont couché avant moi dans la bergerie. Mes prédécesseurs. Mes frères de galère. Ça a bien dû avoir une fin un jour. Elle a l'habitude. Connaît la procédure à fond. Un moment à passer, somme toute. Je suis manifestement le premier à ne pas respecter la règle.

Elle m'observe, méfiante. Doit se demander ce que ça cache ou ce que ça prépare. Rien que de très logique, Nora. L'échéance. Le terme.

Son intuition, dont elle fait grand cas, a dû lui donner l'alerte. C'est que la situation a considérablement évolué en l'espace de quelques minutes. Mieux qu'en plusieurs heures de discussion acharnée. Nous jouons la revanche. L'avantage pour moi à la marque. Ça ne l'enchante pas outre mesure. De l'autre côté du lit qui nous sépare toujours, elle tente de se composer une attitude d'autorité, ou de dignité, je ne sais trop. D'aplomb sur ses grands pieds, hérissée, parfaitement ridicule. Elle se rengorge. Agressive. Imagine qu'elle va m'avoir à l'influence. Au culot. Elle risque le coup.

Mon assurance la déconcerte. Ne doit plus cadrer avec l'idée qu'elle se faisait de moi et des hommes en général. Je la laisse vasouiller un moment, plaisir personnel avant de passer à l'action effective. La voir douter d'elle-même, perdre contenance, elle toujours si forte, toujours si sûre du présent comme de l'avenir, c'est un spectacle dont je ne me lasserais pas. Penser que j'ai pu endurer la présence de cette femme, manger avec elle, dormir avec elle, sortir, parler, lui donner le bras, lui faire part de mes impressions, obéir à ses caprices sans nombre, me foutre à poil devant elle, lui grimper dessus, tout l'assortiment. Quand le temps aura passé, dans quarante ans, quel souvenir aurai-je conservé d'elle, si tant est qu'elle ne se soit pas confondue avec les autres femmes de ma vie, passées ou à venir? Que représentera-t-elle exactement dans le compartiment réservé à cette époque? Si peu de chose, pauvre demoiselle! Votre silhouette, pourtant unique en son genre, ne devra de survivre encore qu'à la conscience incisive, presque douloureuse, que j'aurai gardée de ces jours désespérés de mon existence. Jours maudits entre tous. Vous surgirez à ma demande comme un accord explosif plaqué sur le fond uniformément médiocre d'un fragment de ma jeunesse. Tenant une place modeste dans le cortège. A moins que, par un effet de ma fantaisie, je ne vous honore quelque jour d'une mention spéciale sur la page de garde du livre d'or. Auquel cas je me verrai dans l'obligation de ne passer sous silence aucun des griefs que ma mémoire aura fidèlement enregistrés. Sans malveillance toutefois. Rien qui pût ressembler à de la calomnie. Considérant notre histoire du point de vue anecdotique. Un peu à la manière de Pétrone le Latin, vous voyez? A vous de conclure si le cœur vous en dit pendant qu'il en est temps encore, car ce soir ou demain il sera trop tard. L'angélus des pauvres couvre la campagne apprivoisée. Signal de la conjuration. C'est l'heure du grabuge.

Forte tête, Nora. Tiendra bon jusqu'à la dernière cartouche. Ce n'est pas grave, je m'y attendais.

Devinant plus ou moins mes intentions, elle me prévient tout de suite qu'on n'a jamais rien obtenu d'elle par les menaces. Les hommes ne lui font pas peur. *C'est qu'ils n'ont pas su s'y prendre.* Il y a une manière, chérie, comme en toutes choses. Peut-être étaient-ils trop timides, trop brouillons. Peut-être leur manquait-il d'avoir vécu ces dernières semaines de querelles incessantes, d'avoir subi sans broncher une avalanche d'excentricités diaboliques en se demandant si la camisole ne les attendait pas à la sortie. Il suffit parfois d'un rien pour modifier un caractère. Moi, par exemple, dans les dispositions où je me trouve maintenant, je vous jure bien que le temps que je vais employer à vous persuader ne sera pas du temps perdu. Maître de mes nerfs, mais aussi parfaitement capable de piller l'appartement, de le mettre à sac sous vos yeux, pièce par pièce, sans aucun égard pour les objets de valeur que vous affectionnez. Il se peut également que je vous enfouisse ensuite sous le tas de décombres, la tête la première, histoire de parfaire la besogne et d'arrêter vos cris de porc égorgé qui commencent à me casser sérieusement les oreilles. Ce ne sont pas à proprement parler des menaces. Vue d'ensemble sur mes impulsions éventuelles. Jugez.

Je peux suivre le travail de décomposition qui s'opère en elle. Blême. Tout le visage. Les lèvres sèches. Serrées. Si elle en avait la force, elle m'écraserait sous son talon. Elle qui aurait tant voulu être un homme d'après ce qu'elle m'a toujours dit, c'est maintenant qu'elle doit regretter.

Elle s'est adossée à sa coiffeuse. Les deux mains cramponnées au rebord de la table. Chat sauvage qui se sent pris, ramassé sur lui-même. Elle attend. Elle attend quelque chose, n'importe quoi, sachant que l'attente ne résoudra rien. Elle s'est tue. Elle me fixe. Répulsion, haine, colère, impuissance, mépris, tout ce qui se mélange, tourbillonne dans le regard qu'elle agrippe sur moi. Faites donc, pour ce que j'en ai à foutre! Tout à l'heure un autre sentiment viendra s'ajouter à ceux-ci. La peur. Une peur authentique. Bien charnelle. Non seulement dans le regard, mais coagulée sur les traits de la figure. Je commence à vous aimer ainsi, à peu près dépouillée de la cuirasse d'apparat, presque faible, à mon niveau. Redevenue femme devant le péril. Pas costaud. Au bord des larmes. Seule image attachante que j'emporterai de vous.

Nous goûtons là comme un entracte. A la fin duquel, charognarde jusqu'au bout des ongles, elle reprend du poil de la bête. Le genre hautain. Dédaigneux. M'intime l'ordre de quitter sa chambre sans délai. Jiecke, dit-elle, s'occupera de moi, linge, valises et menu fretin. Je n'ai qu'à aller la trouver dans sa cuisine. Après ce qui vient de se passer, plus de pardon à espérer d'elle, elle me ferme sa porte, irrévocablement, j'ai une heure devant moi pour détaler. Si, dans la hâte du départ, on oubliait quelque chose m'appartenant, — quelque chose qu'elle m'a offert, forcément, — on me le fera porter.

Je me suis assis pendant qu'elle tartinait de la sorte. Profondément enfoncé dans une bergère. Elle voudrait que sa voix fût ferme, tranchante, mais l'indignation prend le dessus. Ça chevrote. Ça fait faux.

Pourtant, rien que le ton cassant qu'elle choisit pour me réciter son laïus suffirait à me rendre fou de rage. Dix paires de claques ne seraient qu'une juste compensation. Je les sens frétiller dans mes mains. Au lieu de quoi, je lui adresse mon plus beau sourire. Tout doux, ma bien-aimée, je sortirai, je partirai, ne vous affolez pas. Je partirai pour ne plus revenir, c'est une affaire entendue, mais auparavant je vous aurai fait passer par le trou de l'aiguille. Vu ? Ne faites pas semblant de ne pas comprendre. Je ne discute pas pour le plaisir. Il va même falloir brusquer les choses si vous n'y mettez pas du vôtre. Jiecke, le pardon, vos esbroufes, vos grands airs, tout le barnum, c'est en dehors de la question. Vous savez où je veux en venir. Clair et net. Du pognon, mademoiselle. Du liquide. Je vais avoir une vie des plus hasardeuses en vous quittant. Un flottement, c'est fatal. Qu'est-ce que ça vous coûte de me tendre la perche, de soutenir mes premiers pas ? Il serait préférable pour nous deux d'éviter les extrémités, la brouille, de se séparer contents. J'ai bien droit à un petit dédommagement. Ça n'a pas été drôle pour moi tous les jours. J'admets que nous avons aussi de bons souvenirs, mais si rares, et, en général, gravitant de près ou de loin autour du fanion de la cabale sexuelle, vous ne direz pas le contraire. Hormis ces incursions, je n'avais pas le beau rôle. Ça vaut bien que vous vous penchiez sur mon cas avec un brin de sollicitude.

Elle suffoque. S'attendait sûrement à me voir déguerpir à la première injonction. Tant d'audace, tant d'insolence après ce qu'elle a fait pour moi. C'est trop fort. Tout y passe. Elle énumère mes costumes, les cravates, mes pompes, les liquettes, combien ça lui a coûté, qu'elle ne lésinait pas ; c'est un fait, je le reconnais, le trousseau dont elle m'a pour ainsi dire doté, les sous-vêtements, toutes les chaussettes, je n'avais rien en arrivant, gilets en daim, gants pécari, la robe de chambre, quelques foulards, les trois bijoux, ma chevalière, le briquet, la montre en or, et les livres qui s'entassent dans la petite pièce du fond qu'on m'a octroyée comme bureau, les reliures luxueuses que je commandais à tout bout de champ, est-ce la vérité, oui ou non ? J'étais nu comme un ver quand elle m'a connu.

Et aujourd'hui j'aurais le toupet de lui soutirer de l'argent, de l'escroquer, de la faire chanter, et puis quoi encore ? Ah ! ça, jamais ! Petit salaud. Pas un radis. Pas un centime. Que je foute le camp en vitesse. M'a assez vu. Me trouve puant. C'est scandaleux. Inqualifiable. Me comporter de la sorte avec une femme. Avec elle ! Allez, ça suffit, que je débarrasse le plancher et qu'elle n'entende surtout plus parler de moi. Si je ne quitte pas cette chambre immédiatement, c'est elle qui sortira. Me fera expulser si je l'y force.

Survoltée. Elle en tremble. Tord un mouchoir entre ses doigts. Je la regarde faire les cent pas. Ça ne va pas fort côté nerfs. Marmonne toute seule. S'agite. S'arrête. Repart. Elle vibre. On croirait qu'elle m'a oublié, là, écrasé dans ma bergère.

La mélancolie me dégringole dessus bien soudainement. Tristesse morne. Comme si je m'affalais intérieurement. C'est quand même un bout de ma vie qui fout le camp. J'y songe. Coup d'amertume. De fatigue aussi. Tant de mots rabâchés, partout les mêmes, si usés, si flétris qu'on se demande comment ils peuvent encore servir. Interminables combinaisons de formules, de vocables. Avec Nora, avec les gens, avec soi-même. Demain, avec l'ombre de Confucius ressuscité, qui sait ? Depuis que je suis censé voir clair et me servir de ma langue, il me semble que ça n'a été qu'une longue suite de discussions du même ordre. Tout ça misérable. Cette femme qui m'a nourri, avec laquelle j'ai fait l'amour, et voilà que ça flanche. Ennemis. Elle de son côté. Moi du mien. Elle ou une autre. Après elle, une autre. Un homme, une femme. Carambolages de milliards d'étoiles désaxées dans le creux insonore du rouge pourpoint de Sirius. Les débris emportés par un nouveau vertige vers de nouvelles collisions passagèrement mortelles. Ici, la chambre, le lit avec son couvre-pieds de soie, un insecte minuscule qui grimpe à petits pas serrés le long de la tapisserie. Dans quinze jours ou dans un mois, quand il aura fait le tour des quatre murs, s'il ne s'est pas desséché entre-temps, il se retrouvera au point d'où il était parti sans en savoir davantage sur cette force qui le pousse à cavaler droit devant lui sa vie durant, tenace, éternellement perdu dans ce monde de motifs peints, démesuré. Tout à fait comme nous autres. Errants dans un monde de motifs à répétitions, sexe, argent, nourriture, sommeil, le tour complet des quatre murs sur la tapisserie démoralisante. Ne vaudrait-il pas mieux s'endormir, laissant Nora à sa fureur ? Un roupillon de plusieurs siècles. En me réveillant, si je ne me souvenais pas avoir dormi ? Quoi de changé ? A part l'insecte minuscule qui serait peut-être crevé dans un coin de la chambre, au fond, devant la fenêtre, à moins d'un mètre du squelette poussiéreux de feu Mlle Van Hoeck, maîtresse femme de l'Éocène seconde manière. Morte en menant sa barque. La bonne blague ! S'asseoir sur une pierre dans le désert et aboyer à la lune.

Bien que Nora, elle, ne l'entende pas de cette oreille. Vient me rappeler à l'ordre, tout feu tout flamme, campée devant moi, grande et droite, m'indiquant la porte, le bras tendu, si je voulais sortir, me presser un peu, que nous n'avons plus rien à nous dire. Elle est à deux doigts de m'empoigner le bras, de me tirer de mon siège. Seul un reste de crainte instinctive l'en empêche. Peu accoutumée à ce qu'on lui résiste longtemps, mon silence a dû lui sembler significatif. Selon elle, je devrais me carapater ou lui demander pardon avec des marques de soumission. Elle a retrouvé tout son aplomb. Ma Nora des beaux jours en quelque sorte. Telle que Dieu l'a faite. Garce finie. C'est largement suffisant pour me remettre en prise. J'allais peut-être caner, par lassitude. Il n'en sera rien. Vingt fois je l'ai vue comme maintenant, impérieuse, tyrannique, sans avoir le courage de lui dire ce que je pensais d'elle, cédant toujours pour avoir la paix, jusqu'aux limites de la patience et même au-delà. Du moment que j'encaissais tout, à quoi bon se gêner avec moi ? Et pourquoi ne pas continuer en si bon chemin ? *Parce que le petit soldat en a décidé ainsi.* Vous aurez beau crier, tempêter, donner des ordres, je ne bougerai pas d'un poil tant que la galette ne sera pas en ma possession. Idée fixe, comme vous voyez.

Elle ne veut pas m'écouter. Prend la mouche quand je lui parle argent. Envenimée. Les joues cramoisies. Elle fulmine. Ne tient pas en place. Comment pourrait-elle s'y prendre pour me flanquer dehors, seule question qui la préoccupe.

Elle tourne, elle vire, m'insulte un coup en passant, je suis un salaud, un voyou, la racaille, un sale youd. Ça ne me fait pas remuer. Je suis calé entre les accoudoirs, jambes croisées, je me régale, ma vengeance. Elle songe à appeler Jiecke ; à quoi pourrait-elle bien servir, la pauvre fille, ou alors les flics, ou les voisins, ou faire sonner le tocsin pendant qu'elle y est. J'attends qu'elle se calme, qu'elle puisse raisonner de sang-froid. La résignation suivra. Pas moyen de se débarrasser de moi autrement, elle devra en venir à cette évidence. Son langage change déjà. Arguments de femme. Elle me déteste, elle me méprise, je suis un lâche. Ça va beaucoup mieux. Elle mitige, veut m'apprivoiser. Je dois partir, la laisser, elle n'en peut plus. Cette scène est odieuse. Je reviendrai demain, ou plus tard, quand je voudrai, je n'aurai qu'à lui téléphoner, elle me donnera rendez-vous quelque part, et si j'ai *réellement* besoin d'argent, à ce moment-là, nous verrons. Mais que je n'escompte surtout pas la faire chanter, je n'y réussirai pas. Si elle me dépanne de quelques milliers de francs, elle le fera parce qu'elle me connaît, par sympathie, jamais en lui forçant la main. Cela dit, au revoir, elle a besoin de rester seule.

Coriace, ma Nordique ! Finaude, tortillarde. Cherche à m'évincer en douceur. A gagner du temps. Avec les autres s'en est-elle tirée comme ça, par un entrechat approprié ? *Et sont-ils tous tombés dans le panneau ?* Si oui, ça lui fait un tableau de chasse pour le moins honorable. Toutefois elle n'y ajoutera pas ma dépouille. Trophée chèrement disputé qui manquera toujours à sa collection.

Guettant ma réaction, elle s'assied sur le lit en face de la coiffeuse, comme brisée, abattue. Mais son regard veille. Fixe et dur. Elle a fait donner l'artillerie et, logique avec elle-même, elle attend les résultats. Décevants, Nora. *Je ne marche pas.*

Elle le devine en me voyant me lever sans me presser, allumer une cigarette, attendre que l'allumette se soit consumée jusqu'au bout avant de la poser dans le cendrier. Gestes qui me sont naturels. Je jette un coup d'œil dans sa direction. Hoche la tête comme pour la plaindre d'avoir manqué la cible. Elle est debout. D'un bond. Devant moi. Nez à nez. Elle m'injurie. Dégoise. Braille à tue-tête. N'importe quoi. Dans les deux langues. Ça s'embrouille. Elle grimace. Les yeux exorbités. Les larmes giclent malgré elle. De colère. De rage. C'est la première fois que je la vois pleurer. On dirait que cette eau qui coule en vermicelles va lui ramollir la peau. Qu'elle va fondre, se dégonfler comme un gros bouton qu'on perce. Je la revois, sa tête sur l'oreiller, les lèvres ouvertes, quand je la tenais bien empalée sous moi. Sa gueule de jouisseuse. Et puis, maintenant qu'elle s'effondre, vioque, pitoyable. Un grand désastre. Je l'examine de la tête aux pieds. Elle porte une blouse d'intérieur bleu marine à grand col blanc. Ce corps. Ce corps ventru constamment surchauffé de désirs. Comme si les ovaires bien à l'abri dans leur caverne avaient oublié de vieillir. Une greffe toute fraîche sur le vieux cep. Si moche, les yeux en larmes, le nez mouillé, si délabrée. Elle chiale vraiment. Par petites saccades, en reniflant. Elle me débecte. Ça me glace de la voir comme ça. J'ai envie de sortir, de marcher, de voir du monde. D'aller boire un coup dans un grand café au milieu du mouvement. Me sentir libre, bien portant, jeune, comme après une année de plumard entre vie et mort. Ne plus savoir qui est Mlle Van Hoeck, qui est Jiecke, sa fidèle suivante. Qu'une paire de salopes portant ces noms barbares se soient installées dans un appartement de luxe sous nos latitudes, en quoi cela me concerne-t-il? Moi, le rejeton mâle du glorieux Hermanubis Thot, promis aux plus hautes destinées par la seule magie de mon verbe!

J'ai déjà gaspillé bien du temps en vain. Prenons par le sous-bois.

Elle proteste encore. Récalcitrante. Je la force à reculer vers le lit, marchant sur elle. Elle prend peur, comme prévu. L'œil agrandi. L'inquiétude. Voit que c'est sérieux. Bafouille quelque chose. Que je n'ai pas le droit de la toucher, pas le droit de lever la main sur elle, qu'elle va appeler, appeler qui, appeler quoi, elle heurte le lit et tombe assise. Visage blanc. Paralysée. Je n'ai pas articulé un mot depuis une demi-heure. Si je m'en réfère à la manière dont elle me regarde, je dois avoir un drôle d'air en ce moment.

Alors c'est un geste inconscient, automatique, comme un réflexe de prudence. Elle attrape son sac sur la table de nuit. Ses mains qui tremblent en l'ouvrant. Fébriles. Elle me tend l'argent à bout de bras. J'empoche. Sans compter. Elle croit que c'est fini, que je vais décamper. Ses jambes pendent devant le lit. Elle a perdu une de ses mules. Son bas a filé sur le cou-de-pied. Je ne sais pas pourquoi je remarque ce détail. Les femmes que j'ai connues du temps des vaches maigres avaient toutes des bas filés. Quand elles se déshabillaient dans la chambre, la jupe relevée sur le côté pour dégrafer en dessous, j'aurais pu parier dix contre un, ça ne ratait jamais. L'écaillure sur la cuisse, arrêtée au genou.

Nora ferme son sac. Elle ne dit plus rien. Elle attend, elle m'interroge du regard, ne comprend pas pourquoi je suis encore là. La peur se développe. Je m'étonne moi-même d'être capable de toutes ces manigances depuis le début. J'ai l'impression d'agir par procuration. Si je réfléchissais une seconde, je tournerais les talons, tant pis pour le fric, tant pis pour ce qui suivra, avec ce qu'elle m'a donné ça tiendra une semaine, deux semaines, peu importe. Mais je reste. Paradoxalement, je me dégoûte de faire ce que je fais et pourtant j'ai besoin de le faire. Délectation trouble, puissante. Je veux l'argent qu'elle garde toujours en réserve dans un tiroir de la commode. Elle a la clef dans la pochette de son sac. Elle se recule, comme si j'allais bondir sur elle par surprise. Elle ne me donnera rien de plus. Rien. J'ai de l'argent, j'ai ce qu'il me faut, que je m'en aille, que je la laisse, par pitié ! Elle serre son sac contre elle. En boule sur le lit. Nos regards se nouent. Se comprennent. Le silence dans la chambre. Un camion qui passe fait trembler les vitres. Lentement, sans me lâcher des yeux, comme fascinée, sans regarder ce qu'elle fait, lentement, elle ouvre le sac. J'attrape la clef au vol. Derrière moi, pendant que je me sers dans le tiroir, je l'entends pleurer, gémir. Elle répète un mot que je ne comprends pas. Je fourre les billets dans la poche de ma veste. Je ne sais plus si je dois m'en aller en courant ou d'un pas tranquille. Elle est affalée, la tête dans le traversin. Sous sa blouse, sa jupe plissée s'est retroussée sur tout un côté de la jambe. Sa cuisse grasse. Blanc rosé. Un poisson. Poisson frais échoué sur la berge. Cette idée cocasse brise le charme. Me revoilà en selle. Parfaitement à l'aise. Moi-même. Connaud que je suis, qu'y a-t-il de si grave à avoir ponctionné le trésor de Mlle Van Hoeck ? Qu'est-ce que ça changera à sa manière de vivre ? Toujours la bonniche pour la servir et toujours les petits déjeuners plantureux. Alors donc ! Puisque ça m'arrange. Où est le mal ? Sinon que j'ai un peu pressé le mouvement, j'en conviens. Affaire d'appréciation. Je lui en aurais largement bouffé autant en restant six mois de plus à sa charge. Nous sommes quittes.

Il faut voir les choses de ce monde avec l'œil exercé de l'anachorète.

Pour un peu, je m'attarderais volontiers. Si je lui proposais de lui mettre le dernier ? Une séance d'adieu. Pas sûr qu'elle refuse, même après ce qui vient de se passer. Elle est d'ailleurs en position. Étendue. La croupe bombée. Ou bien devrais-je, avant de partir, lui appliquer une bonne claque sur les fesses, affectueuse, fraternelle, c'est un geste machinal dont elle ne manquerait pas de goûter l'attention. Elle aimait ça dans notre intimité ! Sacrée vieille bique !...

Mais le paquebot s'éloigne dans la rade miroitante sous les feux du clair soleil d'avril. Nora, Nora, je vous en supplie, agitez vite votre mouchoir blanc dans la confusion de la mémoire. L'horizon n'est déjà plus qu'une mousse indécise aux confins des regards intérieurs. Que dites-vous, que murmurez-vous entre vos dents, qui m'échappe ? Je vous entends à peine. Quelles seront vos dernières paroles ce jour-là, gravées à mon oreille pour la durée incertaine du voyage ? Je pose ma main sur sa tête. Elle se retourne, révoltée, ses yeux brûlent, elle accroche ses ongles dans la soie du couvre-pieds. Si elle n'avait pas tant de mal à s'exprimer, elle m'accablerait de malédictions.

Elle se soulève sur les avant-bras. Elle cherche, elle hésite. Le mot lui vient. Jaillit des lèvres. Comme un crachat.

— Makereau !... Makereau !...

Écumante.

Souveraine Nora.

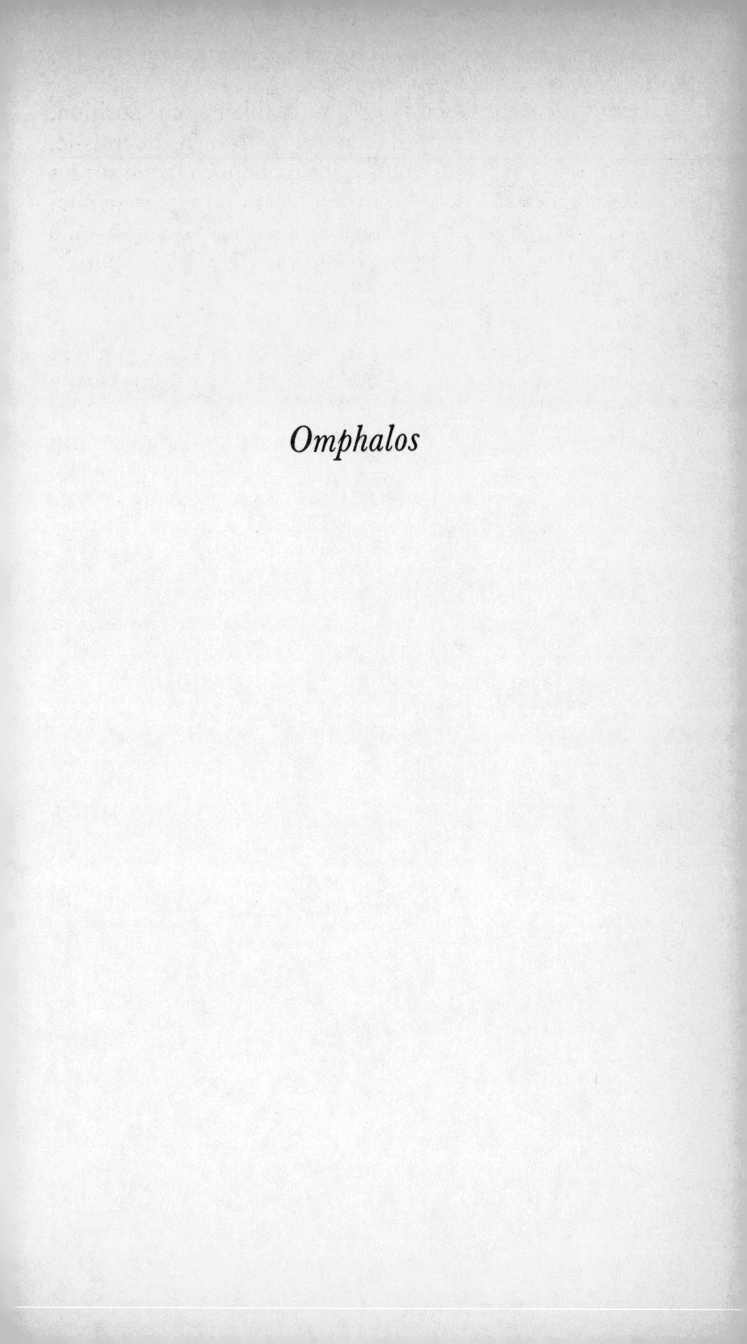

Omphalos

5

De retour dans la vallée de larmes. En pleine fièvre ou, pour parler crûment, en plein merdier. L'eau a coulé sous le pont et chacun a fait son temps.

Le premier homme hagard que vous rencontrerez en sortant de chez vous, c'est moi. Costume de velours et cheveux dans le cou. Avec un rien de folie criminelle au fond de l'œil. Juste assez pour aller déloger Dieu de son piédestal sublime et lui écraser la gueule à coups de savate, en supposant qu'on sache enfin où Il perche.

Provisoirement rien ne se profile à l'horizon. Pas plus Dieu que le pékin inconnu qui m'attablerait devant un bon plat de choucroute garnie. Personne, en fait, ne paraît se soucier de la boustifaille. Ils ont tous la panse pleine, les joues roses, les boyaux engorgés. C'est prodigieux. Comme si je circulais dans un monde aseptisé qui aurait trouvé le joint pour abolir la faim et la soif.

Dans cette foule dodue qui m'a l'air de jouir d'une santé resplendissante et de tous les privilèges de la démocratie, je me fais l'effet d'un cas clinique. Ce qui doit motiver la façon réprobatrice qu'ont les gens de me lorgner dans la rue. Regards en biais pour la plupart, ou alors en plein de face, sans gêne, glacials, à m'éplucher, que je les dégoûte. Si ça ne tenait qu'à eux, je serais en cabane sous les vingt-quatre heures.

Un peu crado, c'est vrai. Pas présentable. Puant des pieds. De l'entrejambe. Aussi de la bouche, à cause de la carie qui me ronge tranquillement les gencives. Il est évident que j'aurais besoin d'un tas de soins élémentaires, à commencer par un bain complet. Vu ma dégaine, j'évite de rester planté trop longtemps aux devantures des magasins de comestibles. Une question cependant me turlupine : toutes ces victuailles si joliment parées auront-elles le temps d'être vendues avant que les vers s'y attaquent ? Dans le cas contraire, n'y aurait-il pas moyen de partager les restes ? Idées qui m'accaparent la cervelle une grande partie de la journée. Exception faite pour le soir lorsque je commence à penser qu'il serait bon de me mettre en chasse d'un endroit où passer la nuit. Dans tout cela, j'ai une chance, c'est l'été et nous partons sur la canicule. Mais, pour mille raisons, il est quand même préférable de coucher à l'abri.

Au début de ce vagabondage, trouver un lit chaque soir me semblait être l'enfance de l'art. Je connaissais nombre de types ayant de quoi me coucher, me loger au besoin, et qui se feraient un véritable plaisir de me tirer de la panade. C'est du moins ce que je pensais ingénument.

Donc, le jour où mon taulier me signifia qu'il convenait d'arrêter les frais et d'aller me faire pendre ailleurs, gardant mes deux valises en gage, je digérai la chose avec optimisme.

Puisque, pour un temps, je n'aurais plus à veiller aux notes de fins de mois, je consacrai le dernier argent qui me restait à un repas plaisant, suivi d'un film dans une salle d'cxclusivités. Enchanté de ma soirée, le cerveau bourdonnant d'idées, je pris encore le temps de rêvasser une petite heure à une terrasse avant d'aller sonner chez un copain en lui demandant de m'héberger. Je me rappelle que la nuit était splendide. Tiède et calme. Un filet de brise. On serait resté là des heures, comme au bord de la mer. Le gros de la foule était encore dans les cinémas. L'éclairage vert fané mouillait toute l'avenue en enfilade. Parmi les piétons qui traînassaient devant moi sur le trottoir, quelques poules extraordinairement bien habillées et quelques putains hors de prix qui ne guignaient que la clientèle en bagnole. Bref, une de ces soirées où l'on se dit qu'il serait fameux d'avoir un costume neuf, sa voiture au coin de la rue et un paquet de pépètes dans le portefeuille en vue d'emballer un de ces cons de luxe qui se prélassent en plein air sur les sièges des grands cafés. Un poil d'imagination et on se verrait déjà cinglant pour les voyages au long cours, le con de luxe toujours à vos côtés dans l'ondulation lamée de sa robe du soir.

C'est à pied et d'un bon pas que je m'acheminai, cette nuit-là, sans la moindre anxiété, vers l'asile présumé. Pourquoi avoir choisi d'atterrir chez le camarade Desmarchy plutôt qu'ailleurs ? Aucune idée.

Après avoir demandé derrière la porte qui pouvait bien sonner à cette heure avancée, on tire le verrou et Desmarchy lui-même m'ouvre sans beaucoup d'empressement, me semble-t-il, mais j'attribue cette première impression à sa surprise.

Il est en pyjama. Le pyjama à rayures. Les cinq ou six poils en bataille dans l'échancrure du col. Je le vois tout maigrelet, tout mignard, infime dans cette veste trop large. Les poils surtout sont ridicules. Marque peu d'enthousiasme. Stupéfait de me voir chez lui. Je songe tout à coup qu'il était peut-être bel et bien en train d'enfourcher sa femme à la seconde où j'ai appuyé sur la sonnette. Si maigriot, si flûtif d'apparence dans ce pyjama flottant, que la pensée qu'il puisse lui aussi culbuter une femme comme tout un chacun me met en verve. Pour moi, la tonalité est à la franche bonne humeur. Changer de décor n'a jamais été fait pour me rebuter. Je m'enquiers poliment de sa santé, de celle de sa femme, si les affaires vont comme il veut et est-ce que par hasard je ne les aurais pas interrompus au mauvais moment, cette dernière question avec un clin d'œil complice. Il se force à sourire, me poussant vers une pièce qui doit leur servir de salle à manger. Il me laisse seul, il va revenir ; ne te gêne pas pour moi, vas-y, fais ce que tu as à faire.

Mon premier regard est pour le divan qui se trouve dans un coin près de la fenêtre. Je me sens comme qui dirait euphorique. C'est l'heure où je me mettrais volontiers quelque chose sous la dent. Pain et fromage, par exemple. Tout est briqué. La grande glace encadrée de macarons. Je m'adresse un sourire plein de bonhomie. C'est dans la glace que je le vois revenir. Il est allé passer un pantalon. Fallait pas te déranger pour moi, vieux, je tombe chez toi à l'improviste, je vais te dire ce qui m'amène, cigarettes, et nous nous retrouvons assis autour de la table.

Desmarchy, lointain pendant tout ce temps-là. L'œil cave. Ne pense même pas à me proposer un coup à boire. Il se tient sur le bord de sa chaise comme s'il s'attendait à ce que je lève l'ancre d'une minute à l'autre. Fume nerveusement, sans plaisir. Son idée de m'éconduire tambour battant devient tellement visible que je m'ingénie à faire traîner les choses. J'entame la conversation à côté du sujet, sur son travail, son mariage récent, l'appartement bien situé, comme si je m'étais levé en pleine nuit exprès pour venir le féliciter. Me répond froid, élude, phrases brèves, mal embouché, pas liant. Il se lève, fait trois ou quatre fois le tour de la pièce pendant que je continue de le harceler de questions sur sa nouvelle vie, revient poser une fesse sur sa chaise, impatienté. Accueil tempéré, pour le moins.

Je commence à pressentir qu'il ne sera peut-être pas aussi facile que je le supposais de m'installer chez lui pour quelques jours. Ce petit trouduc avec son appartement et toute la quincaillerie qui l'entoure aurait-il le culot de me refuser l'hospitalité ? Parions que sa femme a dû lui recommander de m'expédier en vitesse. A l'heure qu'il est, ils seront quand même bien obligés de me garder au moins pour la nuit. D'ailleurs, voici la maîtresse de maison qui fait son entrée. Pincée. Fumiasse. Me dit bonsoir du bout des lèvres. M'examine. Jusqu'à la pointe des souliers. Bilan désastreux à son goût. Se renfrogne, terrible. Je sens que ça ne va pas être commode. Une question leur brûle les lèvres à tous deux. Qu'est-ce que je peux bien venir foutre chez eux au milieu de la nuit ? Il me semble que c'est le moment de foncer tête baissée. Négligeant les détails, je brosse un tableau de la situation, l'usine en chômage, plus d'un mois que je ne travaille pas. (La vérité vraie est tout autre, est-il besoin de le souligner.) Par voie de conséquence, je n'ai plus un sou vaillant et, partant, plus d'hôtel où coucher.

Glacés. L'un et l'autre. En arrêt sur leur chaise. Fixes comme s'ils sortaient de l'amidon. Il y a un silence. Desmarchy n'ose plus me regarder en face. Enfin, sur un signe de tête de sa femme, il prend la parole. Pour me dire, circonlocutions à l'appui, qu'ils ne s'attendaient pas à pareille démarche de ma part, que je les prends au dépourvu ; si ce n'est que l'affaire d'une nuit, évidemment, on pourra toujours se débrouiller ; sa femme fait remarquer que les draps ne sont pas revenus du lavage, mais *pour une nuit* je me passerai bien de draps, que je n'aille pas croire pourtant, qu'ils sont heureux de me venir en aide, d'ailleurs ma situation se rétablira certainement plus vite que je ne le pense ; c'est elle surtout qui insiste, met toute la gomme ; je l'entends me dire qu'il faut tout de suite prendre le taureau par les cornes, énergiquement. Pas une goutte de sympathie sur le visage de cette putasse. Elle est grande. Elle est maigre. Les cheveux secs. Elle a un grain noir au-dessus de la lèvre. Arrivée au bout de sa morale, elle disparaît pour aller me chercher une couverture.

Ça l'ennuie, Desmarchy, de se retrouver seul avec moi. Il n'est pas sans avoir remarqué ma déception. Vient me taper sur l'épaule. On a besoin de magasiniers dans la boîte où il travaille. Il pourra demander. Il voudrait bien que sa femme revienne vite. Avec elle, il se sent en sécurité. Elle a la manière. Entre hommes, c'est délicat. Atterré. On dirait que c'est lui maintenant qui ne sait plus où coucher. Il esquisse un pâle sourire. Sa gueule pauvrette. Je me demande s'il est beaucoup plus âgé que moi. Il a un tic qui lui plisse l'œil gauche.

La revoilà. Elle traverse la pièce. Pas un mot. Ne regarde personne. Elle va droit au divan et l'arrange en quelques minutes avec des gestes précis. Ça y est. Je peux me coucher. Si j'ai besoin, c'est tout de suite à droite dans le couloir. La voix rogue. Procéderait pas autrement pour les préparatifs d'une mise en bière. Bonne nuit. Ils vont se recoucher, il est tard. Je le rattrape tout de même par le bras, discrètement, au moment où il allait refermer la porte sur lui, ne quittant pas sa guenon d'une semelle. Deux mots rapides. Pourrait-il m'avancer un peu de fric? Il rougit, s'embarrasse, meurt de peur qu'elle ne nous entende, il me dit : bien sûr, bien sûr, qu'il me donnera ça demain matin, entre nous, que sa femme n'en sache rien, il préférerait. Moi aussi, sans quoi je risque de m'en aller les poches vides.

C'est dans le couloir, le lendemain, en sortant des cabinets, qu'il me glisse furtivement un billet plié dans la main. Personne ne me demande si je veux faire un brin de toilette. Le café est servi dans la cuisine. Une petite tasse. Rien à bouffer avec. Probable que les tartines feront leur apparition dès que je ne serai plus là. Nous buvons ça en silence. Desmarchy au supplice entre sa femme et moi. Quand je me lève pour partir, une espèce d'instinct charitable le pousse à m'expliquer qu'à l'occasion, si ça se présente, en cas d'urgence, ils peuvent toujours me dépanner, comme ça, une nuit en passant. Je la regarde, elle, pour savoir ce qu'elle en pense. Impénétrable. Ça lui ferait mal à cette salope de me laisser seulement espérer qu'on ne me fermerait pas la porte au nez. En descendant l'escalier, je fais des vœux pour que la gangrène gazeuse se mette à lui grignoter les ovaires à petit feu. Jamais vu pareille punaise.

Et à présent? Que vais-je faire de ma journée et de celles qui viennent?

Soleil blond dans la rue. Raisonnablement, je devrais me lancer sur les annonces du jour sans perdre un tiers de seconde. M'excite pas. Fait trop beau pour plonger délibérément dans le cauchemar. Demain, il y aura encore des annonces et encore après-demain, et si le monde n'est pas réduit en poussière le soir même de ma mort, il y en aura encore des pleines colonnes le lendemain. On lave les rues à l'eau claire. Quand j'étais gosse, on lâchait des bouts de bois, des bouchons, des bateaux en papier et on les suivait lentement jusqu'à la bouche d'égout. J'essayais de me représenter à quoi pouvait ressembler un égout. Il y eut même une époque où je me figurais que c'était ce qu'on appelait l'enfer. Je ne me trompais pas de beaucoup. C'est l'enfer. A cette différence près que les rigoles ne sont pas les seules à charrier les détritus. Les rues, les avenues, les boulevards roulent, affolés, en se débattant, vers le collecteur central.

Je suis le mouvement. Ils courent, ils vont vite, me bousculent en passant, murmurent une excuse, sans me regarder. Les escaliers au pas de course. Sortent du métro. Plongent dans le métro. Ressortent plus loin. Replongent. Remontent. Redescendent. Et ceux qui ne remontent plus jamais ? Fauchés par la hantise de leur propre vide. On a dû installer une morgue clandestine au fond noir du trou névropolitain. De quoi se nourriraient les rats dans les tunnels déserts s'il n'y avait pas quelque part un amoncellement de viande morte à dépecer ? J'assiste au défilé de millions de fœtus des deux sexes devenus adultes par erreur. Sorte de gestation sans fin, sans cause et sans but, comme s'ils ne devaient jamais, jamais venir à terme. Ce coma accéléré, avec le divin sexe tout-puissant pour boussole. Une agitation colossale et insignifiante. Fourmillement à l'échelle microbienne. Hommes castrés au fer rouge. Étourdis. Assommés par le vent de panique intérieure. Monde fantasmagorique gavé d'opium, en hypnose entre les pages jaunies des grimoires anciens, marqué au flanc de l'estampille divine, cependant, contre toute attente. Monde monolithique de la sempiternelle agonie. Foutoir de térébenthine et de vomissures saignantes.

Qui a élu domicile dans cette vacuité ? Qui ? Dieu. Dieu ou un autre petit avorton de la même espèce. Au sein de la nullité avançons donc d'un pas ferme pour tromper notre expectative. Libre à nous de supposer que sur l'amas des cendres grises déposées au petit jour dans les poubelles débordantes perlera bientôt, symbolique, la lentille tremblotante d'une goutte de foutre blanc. Pollen des mondes à venir, que des vierges nouvelles à plat ventre sur le bord des trottoirs, frottant, usant leurs sexes fous contre la pierre, butineront du bout de la langue, éructant d'amour au milieu des ordures ménagères en attendant que l'Annonce soit officiellement renouvelée par l'ange de service ensommeillé, accroupi dans ses loques, sous la porte cochère d'une façade creuse bâtie en lisière des abîmes, les ailes racornies, mitées, gardien des origines terrifiantes de la nuit. Et si personne ne loge sous la voûte du vide ? La belle affaire ! Nous le trouverons déjà peuplé de nos mythes d'effroi, lieu d'asile de nos idoles, la femelle au pinacle, enfantant des momies à têtes d'enfants roses, les placentas, outres informes, millions de ballons éventrés, mélangés aux immondices de la ville, peaux flasques, en compagnie des restes de nourriture avariée, arêtes de poissons, carcasses vides de crustacés, boîtes de conserve défoncées, chiffons, mégots, ficelles et vieux papiers gras enveloppant les tampons de coton mensuels. Confondues dans ce magma, les créatures vivantes se télescopent, fébriles, à des toises de profondeur dans leur nuit impénétrable qui se referme, molle, sur des âmes désemparées. Lieux diffus de la cruauté. Rien de ce qui se produit au courant des jours n'effleure l'écorce de ce monde prostré enfoui au plus sombre d'un sommeil atroce entrecoupé seulement à intervalles par les sursauts fulgurants du réveil sexuel. Le sexe, enfoncé comme une épine empoisonnée partout où la vie se manifeste. Nœud de fusion des relations humaines. Les échanges ont lieu sans qu'il y paraisse au-dessus d'un volcan assourdi alimenté par la notion toujours présente d'un formidable rut collectif au cours duquel tout serait enfin permis, dénoué, le rêve des possessions impossibles comblé dans l'instant même, rassasié avec des corps intacts, pris de force, au hasard. Mâles et femelles replongés dans leur sauvage réalité première devant la seule évidence de leurs sexes. Tout se résout par la nutrition et par le meurtre. Chaque contact est comme une tentative de vivisection à froid et sous-entend la mutilation d'une part de soi. Au fond de cette cohue nerveuse, dévorer sa proie pendant l'amour n'a ni plus ni moins d'importance que chercher à dissocier l'esprit de la matière. Si le climat n'est pas aux hémorragies soudaines, vous pouvez verrouiller la porte de la chambre derrière vous et donner à la patiente un mouchoir à mordre. Fœtus, votre jeune fils, coulera gentiment comme si de rien n'était dans la serviette éponge, ses yeux encore éteints et ses petites pattes fluettes repliées, collées à son corps marbré, comme dessinées, gravées à la pointe sèche dans une pâte humide. Déjà, pas un ongle ne manque. Le petit sexe est en place, incrusté sur le ventre. Reste à plier le tout dans la page de dernière heure de la dernière édition du soir, à le jeter dans la cuvette et à tirer la chasse. Onction et baptême du pur néant. Vies parcheminées. Chair et poussière de chair. Fleuve de limon où surnagent sans fin une multitude de cadavres informes de la grosseur impensable du spermatozoïde humain. Univers strictement prisonnier entre les parois opaques d'un ovaire grand format. La seule chose à jamais introuvable dans cet ovaire cosmique, c'est une preuve ou une issue. Inutile de tenter quoi que ce soit pour enrayer la frénésie générale. Le bureau les attend. Les attendent l'usine, le foyer, la maîtresse, le bordel, l'église, le médecin, les urines en bouteille, le repos bien gagné, les pompes funèbres et l'effigie de cire du Créateur impassible qui se veut irresponsable d'un tel chaos et, à cet effet, a troqué son œil de lynx contre une paire de besicles de la plus inoffensive apparence. Ainsi affublé de verres doubles, Dieu est partout, même dans le trou à la turque si vous y regardez à deux fois. Infiniment rassurant de se dire que la présence paternelle ne nous fera jamais défaut. La foule enfantine caracole, le cœur chassieux. Il faut être fou ou aveugle pour prétendre l'éveiller, fût-ce à force de bombes incendiaires. Longue agonie hébétée. La vie, c'est pour plus tard, en projet, demain, dimanche, pour le jour de la retraite dans le jardinet de la maisonnette durement économisée. Ils vont sûrement se mettre à vivre tout de suite après que leur vie sera assurée. C'est merveille de voir comment, en plein malentendu, chacun peine avec application pour creuser son minuscule abri personnel où il est destiné à être enlisé vivant aussitôt la niche fignolée. Si ensuite, pris de peur ou de nostalgie, il venait à quelqu'un l'idée saugrenue d'entr'apercevoir la lumière d'en haut, c'est le moment où il se rend compte que la niche est si admirablement étanche autour de lui qu'il lui faudrait employer tout le temps d'une seconde existence pour remonter à l'air libre. Se doutent-ils qu'il y a une divinisation de la réalité, et que si l'on parvient à l'atteindre, alors se révèle le point fixe de l'immortalité heureuse ?

Me démerde comme un plouc, parole !

Des kilomètres dans les pattes depuis hier matin. Pas fermé l'œil, les yeux qui brûlent, les pieds enflés, la tête balourde de sommeil, l'argent a fondu malgré le régime sévère, un seul sandwich dans la journée et une chambre d'hôtel dans une rue à putains quand il se faisait tard et que je n'en pouvais plus.

Hier, plus une flèche, la nuit dehors, pas même songé à descendre sur le quai du métro au moins jusqu'à une heure, galopé tout le temps, les rues qui se vident, taxis qui rôdent, la ville sonne le creux minuit passé, funèbre, pointillée de lumières. Marche. Sur le trottoir claquant. M'arrête parfois devant les vitrines éteintes. Des vêtements d'homme, mannequins glacés, roses, souriants, la rangée des dents brillantes, image, simulacre d'une humanité saine, bien vêtue, accueillante, cautérisée. Jamais nulle part une vitrine où l'on verrait des lupus de la face, un ganglion du foie, le gonocoque doré dévorant à belles dents la chair visqueuse des voies urinaires, que sais-je encore ? Un vieillard de la meilleure société, pantalon tombé, suppliant la putain de le branler quelques minutes encore dans l'espoir que ça finira par bander comme autrefois. Toujours l'espoir de quelque chose. A cet effet, tout ce qu'on vous montre est trié sur le volet ; rien que des symboles de la réussite ou de la perfection.

La nuit est claire, klaxon d'ambulance, magasins d'accessoires automobiles, chromes luisants, lignes effilées, pas un grain de poussière, pas une trace de rouille, la poitrine plastique de la boutique de nouveautés, deux seins sous un pull-over, impeccable, provocante de jeunesse, la taille se casse d'elle-même au-dessous de cette proéminence. Suggère évidemment le corps qui devrait aller avec, svelte, gracile, longue souplesse de la peau. La femme que vous avez reçue en partage a peut-être les seins un peu gras, un peu lourds, le mamelon épaté, ses hanches s'épaississent, elle a les reins plats, les fesses trop longues, et pourtant c'est une jolie femme, mais l'idéal qu'on vous propose est là, là dans la petite vitrine, sous son pull mode, et il n'est pas impossible qu'il y ait effectivement des répliques vivantes de cette perfection calculée en vue de l'optimisme général. Des hommes comme vous et moi ont suffisamment de galette pour vivre dans un salon aussi somptueux que celui exposé chez l'antiquaire. C'est à cela que je pensais quand le jour s'est levé, en quête d'un bistrot où je pourrais m'envoyer un café avec la dernière monnaie qui me restait, debout au comptoir, tout mon fric, même pas de quoi laisser un pourboire, le garçon hausse les épaules, me regarde sortir, va te faire doffer, patate !

La rue propre, ciel bleu fade, une légère brume, fera chaud à crever sur le coup de deux, trois heures de l'après-midi. Maintenant, on est bien, ce serait même une promenade agréable si je n'étais pas moulu. Les magasins encore bouclés, pas trop de monde, je pense à cet ami que Wierne connaît, chef de quelque chose dans une boîte de textiles, pourrait peut-être me dénicher une place ou peut-être me donner un tuyau, le textile quel genre de boulot, tous les boulots se ressemblent, plus ou moins dégueulasses, par l'intermédiaire de quelqu'un ça faciliterait les choses, évite les questionnaires, les déplacements pour rien, laisser son adresse, attendre. Toucher Wierne au plus tôt. Pas un rond à mettre dans le téléphone. Il crèche à l'autre bout de la ville, c'est bien ma chance, trop pompé pour m'appuyer ça, j'aurais dû faire voile dans cette direction, n'en parlons plus. Pas sûr que l'olibrius en question puisse me caser du premier coup, si je voyais une pancarte d'embauche sur mon chemin, mais je ne me sens pas bon pour le porte-à-porte, je les ai à la retourne, indéniable, envie de dormir, plutôt rognard, j'en ai jusque-là, à vrai dire. A peine pubère, j'étais déjà dans leurs usines, j'ai vu des flopées de patrons, les socialisants et les autres. Tous la même carne. Vendraient votre peau pour arrondir le chiffre d'affaires. Si je veux, j'ai toute la vie devant moi pour aller m'écouiller, rien ne presse, c'est pas à un jour, ce qui est urgent, un lit pour cette nuit, je n'aurai vraiment pas la force de trottiner encore jusqu'au matin suivant. L'histoire Desmarchy me paraît lointaine bien que distante d'une semaine à peine. Le monde n'est quand même pas peuplé que de salauds, formule magique pour me redonner du courage, en m'y prenant plus tôt que l'autre fois, j'aurai le temps de voir ailleurs si quelqu'un refuse de me coucher. J'élimine d'abord ceux qui habitent trop loin de l'endroit où je me trouve, les jambes en marmelade; éliminés les quelques fumiers dont je connais par avance la réponse; trop heureux de me revoir en pleine capilotade, ne manqueraient pas d'en profiter pour me glisser quelques exhortations à une vie plus réglée. N'auront pas ce plaisir. Sommeil, sommeil, décrocher un lit, non seulement pour la nuit, mais encore pour la quinzaine à venir, car dans l'éventualité même où j'obtiendrais un emploi, on ne me paiera pas au bout de trois jours. Foule qui grossit, les magasins ouvrent, une femme bien sapée, des lèvres rouges larges, lèvres de vin noir, son parfum bouffant, je me retourne, les hanches sanglées dans le tissu mince, le slip en dessous, dire que ça pourrait être tout autrement, une femme comme celle-ci, propre, parfumée, appartement tranquille, bavardant gentiment elle et moi de choses et d'autres, le sentiment de sécurité, l'avenir paisible, quelques fafiots à gauche. Pourquoi justement pas moi ? A quoi ça tient, nomade par nature, velléitaire, enculeur de mouches, déclassé, asocial et la suite. Ma claque. Ça bourdonne. De la pisse leur café, de l'eau chaude, ne me fait aucun effet, les yeux tiraillés, une vapeur épaisse dans le crâne, toutes des putains, les femmes, oui, exactement, toutes des putains, vois leurs culs, magnifiques, femelles félines, bestioles carnivores, la femme, armée de mandibules, de pinces en dents de scie, cerf-volant, scorpion, jamais vu un scorpion de près, au cinéma seulement, ont-ils des pinces, une queue qui se retourne, j'en suis presque sûr, une espèce de dard fourchu, mais ce n'est peut-être pas ça du tout, nous passons dans un monde dont nous ne connaissons qu'une dix millionième partie, tamanoir par exemple, hippopotame, chacal, iguane, même pas une marmotte, comment est-ce fait, il faudrait un vrai miracle pour que j'en voie un de chaque espèce avant de crever. Le monde connu tient dans le creux de la main. Pour le reste, ce ne sont qu'associations d'images et de mots, clichés, vrais ou faux, il en va de même pour les sentiments, vous êtes pris dans l'œuf, au berceau, on vous inculque, aucun rapport avec sa vérité à soi, mais qui ose s'insurger, faire table rase, déclarer à haute et intelligible voix que ce qui a été mis en formules en votre absence ne vous convient pas, émerger de cette tourbe demanderait une force herculéenne, remonter en arrière, seul contre tous, aboutirait à quoi, au cabanon ou le canon du revolver dans la bouche. De nos jours, ce serait simplement le commissariat le plus proche avec un avertissement. Ne croit plus à la folie notre époque, trop empreinte de tragique journalier, dépasse de cent coudées la mesure individuelle, temps des masses, de la peur, ce que dit l'un, ce que dit l'autre, se perd dans la rumeur gonflante.

Mal derrière les genoux, les tendons, les reins aussi fatiguent, une nuit pourtant, qu'est-ce qu'une nuit ? Je me serais cru plus résistant, si j'avais mieux mangé pendant cette semaine je tiendrais le coup. Trouver un lit. Ce soir. Si possible avant. Le métro roule sous mes pieds, n'importe qui peut appeler New Jersey au téléphone, câbler des vœux de bonne année bonne santé aux amis de Mexico, se procurer des spécialités fines de la cuisine chinoise. Mais moi je suis à la poursuite d'un lit sommier matelas, de quoi allonger mes guibolles. Disproportionné. C'est pas tout ça. Pensons-y sérieusement. Qui pourrait me recueillir, les noms m'échappent, je ne vois pas, connais pourtant des tas de types, avec quelques francs, je pourrais téléphoner à Wierne, m'aiguillerait, manque toujours quelques francs, toujours aussi disproportionné que mon histoire de lit, je ne vais quand même pas aller voler de quoi téléphoner, je ne saurais d'ailleurs pas comment m'y prendre, sacrément compliqué de vouloir voler disons dix francs, vingt francs, presque impossible quand on y songe. M'asseoir, souffler un peu, m'éclaircir les idées, ne pas m'endormir sur un banc, les flics qui fouinent, foutu comme me voilà, pas rasé, ma gueule blanche, le col gras de crasse, la cravate en bouchon, vos papiers, résident étranger ordinaire, je parle et j'écris leur langue mieux que la majorité d'entre eux, mais n'empêche, résident, étranger, ordinaire, macar, carte verte, domicile, moyens d'existence, s'expliquer, expliquer quoi ? Je ne me sens pas la force d'expliquer de sang-froid que j'attends de trouver un ami qui m'ouvrira sa porte, je ne sais pas encore comment il s'appelle ni où il habite, j'étais justement en train de chercher.

Me souviendrai-je de cette matinée si un jour je veux la consigner dans un livre, sa couleur, la chaleur qui monte dans le ciel, ma fatigue, ce sentiment de désolation qui commence à m'étreindre en profondeur, un détail comme cette sorte de plomb liquide qui m'envaseline la tête, le poids de ma veste sur les épaules, l'envie de me laver entièrement, faire ruisseler l'eau sur mon corps, sa fraîcheur douce, m'asperger les aisselles, dormir. Je n'ai pas faim, écœuré, exténué, j'ai dû manger un sandwich la dernière fois hier matin, comme la gueule de bois ; naturellement, le jour où je prendrai la plume pour raconter cela, ce sera dans un bureau avec tout ce qu'il faut autour, j'aurai dormi huit ou dix heures dans ma nuit, je reverrai les choses adoucies, ça ne rendra jamais le son que ça rendrait maintenant. A quoi ont-ils pensé ou fait allusion, eux, tous les écrivains qui ont essayé de ressusciter les expériences éprouvantes de leur vie, peut-on retrouver le bout du fil dans l'écheveau ? La voiture me frôle au bord du trottoir, je n'ai eu que le temps de faire un bond en arrière ; le gros plein de soupe à côté de moi me regarde sévèrement comme si c'était sa vie à lui que je venais de risquer ; s'il m'adresse la parole je lui dis merde, pas un mot de plus. Il fait comme les autres, me zyeute, en bloc, me fouaille. Ce que je pense, ce que je suis, ce que je vaux, ce que je ferai peut-être dans l'avenir, ça ne le concerne pas, il a vu mon accoutrement, c'est pesé, rapportera l'incident à sa femme, à midi, en piochant dans le ravier d'anchois, parlera de moi la bouche pleine, le jeune godelureau débraillé qui a failli passer sous une voiture. Et si j'étais à présent écrabouillé, la cervelle jutant de la boîte, verrait-on à un signe particulier que ma pensée avait été interrompue par la mort sur le nom de Pythagore auquel je pensais, ces lambeaux de matière continueraient-ils paisiblement leur réflexion, répandus sur l'asphalte, ou bien serait-ce réellement le noir ; pas de réponse à ça. Bec dans l'eau. On ne sait plus. Tout est tellement mystérieux. Et pourquoi ne penserais-je pas aussi bien mort que vif, qu'y aurait-il de changé hors la forme, mais ma forme n'est-elle pas ma part visible d'éternité, déroutant, singulier, on bute contre quelque chose d'infranchissable. A résoudre par une quinte de rire sardonique.

Longue avenue qui s'ouvre devant moi, renforce ma fatigue. Je reviens sur mes pas, bifurque dans une rue transversale, librairie d'occasion, des livres à l'extérieur, comme si mon bon génie me conduisait par la main. Feuillette la marchandise, deux pages de l'un, deux pages de l'autre. Copie, mollasse, délayé, charabia des pontifes du moment, si frelaté que j'en glousse d'aise, tout seul, moi, là, sur mon trottoir. *Un homme d'aujourd'hui ne peut-il vivre sans se charger des besognes qui lui répugnent ?* C'est sur un bouquin qui décortiquerait la question que je voudrais tomber. Ou alors serais-je le premier et l'unique de ma catégorie ? Je n'ose y croire. Ce que je crois volontiers, par contre, c'est que si j'écris un jour, ce sera comme un feu d'artifice tiré en même temps des cinq continents, voilà ce que j'ai envie de hurler aux oreilles de ce vendeur chafouin qui me guette en dessous dans l'espoir de me pincer à faucher un de ces volumes dans lesquels de malheureux zèbres se sont battu les flancs trois cent soixante-cinq jours de suite pour accoucher d'un fluet embryon qui ne possède même pas de sexe reconnaissable. Une misère. Ouvrez vos esgourdes, vendeur grisonnant ! Et croyez-moi sur parole si je vous dis qu'à quelques exceptions près, tout ce qui s'entasse ici n'est qu'un froid pipi d'émasculés. Je vous laisse votre chère camelote. J'ai mieux que ça en réserve, emmagasiné depuis tantôt dix ans dans les méninges comme de la charpie juteuse. Ce que j'ai à dire est incrusté en moi et se débat d'impatience dans mon délire d'attente, me monte aux lèvres à tous moments, bave fluorescente, quand des petits culs qui ne me valent pas me toisent dans la rue parce que mon froc fait l'accordéon, quand le premier singe venu décide qu'il m'a assez vu et me fait lourder par son état-major, quand un taulier à putains me menace de lancer la police à mes trousses pour une peccadille de quelques milliers de francs en retard, quand j'avais choisi le pire des gagne-pain et qu'un gérant de restaurant me chassait d'un coup de pied au cul, attrapant mes journaux et les jetant pêle-mêle sur le trottoir, plus loin encore dans le temps, quand j'avais tout juste mes quatorze ans révolus et qu'un atelier entier se tenait les côtes de rire en me voyant vaciller sous le poids d'une caisse de matériel que le contremaître s'était amusé à me charger sur les épaules. Ce que j'ai à dire ressemble étrangement au sang des morts de l'injustice, et peut-être n'est-ce rien que nourriture, sexe et échange d'amour, à l'infini, à l'infini, écrit sur le plasma laiteux du monde fait chair, sur le maître-autel, l'hostie, la chasuble, le calice, sur le bois rugueux de la croix, nourriture, sexe, amour, de bouche à oreille, de bouche à bouche, peau contre peau dans la chaleur de la vie, quitte à commencer le récit par la fin ou au beau milieu d'un coït difficile, pourvu que cela ressemble à un orgasme, une diarrhée paludéenne, coup de cisailles dans le tablier de protection. Arrachons les grilles, les barreaux, les garde-fous, que mes congénères ombilics se retrouvent le cul dans l'infusoire à se trémousser au fond de leur société macabre qu'ils prétendent replâtrer chaque matin au saut du lit alors qu'une armée de colosses ne viendrait pas à bout d'une seule de ces fissures mortelles qui crèvent la muraille, qu'ils aillent se retremper tous dans la poche de pus, humer de près l'infection chronique. Ce que je dis gicle de mes entrailles cancéreuses, autopsie du cadavre exsangue, ce que je dis, ce que je dis, Dieu me le souffle à mesure, cri et chant de détresse qui tiendrait en entier dans un crachat de vitriol, crachat de chairs muqueuses arraché dans un dernier hoquet d'impuissance aux poumons caverneux du globe bacillaire, crachat de sulfure et de pisse croupie, crachat du monde coxalgique gémissant dans la gélatine blanche de son cauchemar volumineux. Dieu crache en permanence par ma bouche profane et il en sera ainsi jusqu'à la fin des temps. Nous nous embrassons tous deux, lèvres jointes, nos langues mélangées. Et je bois ta salive, ô doux Sauveur ! Nous nous tenons enlacés comme un couple obscène aux carrefours des impasses humaines, Toi et Moi. Nos corps en feu. Dans le ravissement. Nous aimant à mourir et déjà par-delà la mort. Ivres de notre extase. Je crie comme un somnambule de la peur, debout jusqu'au petit matin de la résurrection. Au bas du manuscrit, mon nom. Signé *Bubonocèle*. Ou quelque chose d'approchant qui veuille tout dire à la fois, poison, escarre, venin, syphilis, catarrhe, fosses d'aisances des grandes villes saoules, amour de l'amour et porte principale des enfers maussades ou grand crucifix maigre de la Très Sainte Basilique du Tourment Éternel.

Sur ce, vendeur émérite, couvrez-vous bien, les nuits sont fraîches, j'ai pris un billet de première classe pour le calvaire aérodynamique. La chaleur s'attaque aux murs, plaques de soleil brûlant. Boirais un grand verre glacé. Où se procurer de l'eau gratuitement dans une ville ? Monsieur, S.V.P., un grand verre d'eau fraîche. *Et avec ça ?* Avec ça, avec ça quoi ? Nous sommes tous frères, non ? Devinant mon épuisement, vous m'offrez de me délasser un moment chez vous, je n'ai que la peine de m'asseoir sur la chaise que vous me tendez ; un verre d'eau ne suffira peut-être pas à vous désaltérer, mon frère, voici la carafe, ne vous en faites pas, je vous en apporterai une autre quand celle-ci sera vide. Ainsi, puisque vous êtes entré dans ma maison, n'auriez-vous pas aussi envie de vous confier à quelqu'un si cela peut vous être d'un quelconque réconfort ; je vous écoute, parlez en confiance, nous verrons comment vous soulager. Salauds, bourriques, leurs physionomies d'étrangers, secs, durs, toute une portion de la terre qui se contenterait d'un gamelon de soupe par jour pendant que les pansus dégueulent à force d'alcool les écrevisses à la suprême, et les autres châtrés en soutane qui continuent de balancer leur eau bénite sur cette pourriture, bradant Christ au plus offrant. Foutez-moi la Sainte Eucharistie aux chiottes, passez votre or à la casse, faites-en de la belle et bonne pistraille sonnante que vous répandrez en aumônes ; si l'on vous croit déments, laissez dire, qu'on vous cloue en potence, ça réveillera la foi somnolente, c'est ça qui nous manque : l'amour absolu, un Golgotha tout frais sur la place publique, à côté du feu rouge. Vous aimez trop le presbytère.

Ma godasse droite me blesse le petit orteil, ça a dû enlever la peau ou alors une ampoule. Si je me déchausse, j'aurai dix fois plus mal en la remettant. Pépie terrible, la langue sèche. On a beau être dans le modernisme, bernique pour pinter à l'œil. Mettre un bout de coton entre la chaussette et la peau, ça amortirait. A chaque pas, la cuisson s'accentue, je suis sûr que ça saigne. Putain de chaleur qui tombe à pic. En nage. Le velours me colle aux cuisses. Je pèse des tonnes. Le sommeil grésille derrière les yeux, mais dès ce soir je serai casé et, comme dit la sagesse populaire, demain il fera jour. Un bon bain de pieds, il n'y paraîtra plus, toujours vaillant, fils de mon père l'itinérant, nous arrivons dans cet équipage, émigrants héréditaires, des rudes massifs au-delà de Semmering. Piétons, bagnoles, cohue boursouflée, ça défile, défile, croise, croise, coupe, pousse, enjambe, faufile, démarre, embouteille. J'entends avec une acuité spéciale, remous, cette vague de pas autour de moi, tintamarre des moteurs étourdissant, ça gronde, tout le bruit chaotique résorbé en entier dans ma tête. La ville trafiquante logée dans mes tempes trépide, carambole, jamais un répit, des roues, des pneus, ça bobine à la file, au ras de la rue, saoulant. Je commence à voir aigre. Vide profond dans le ventre. L'estomac, tube creux. Je n'ai pourtant pas faim. Pâteux. J'avance automatiquement. Mes jambes avancent. Je cherche l'ombre. Ils sont tous en vêtements d'été ; moi, dans mon velours épais, et si ça se trouve, cet hiver, j'aurai de l'alpaga. J'avale les rues à la suite. S'enchaînent comme dans le labyrinthe. Ce serait pourtant original d'avoir conçu une rue qui finirait sur le vide en plein espace à un endroit de la courbe terrestre, un dernier feu de signalisation, un flic ultime et puis plus rien. Le fluide, éther cotonneux. Dieu quelque part dans cette bouillasse. Une chance sur mille de mettre la main dessus.

Cinés. A la pelle. Complètement oublié qu'il y avait *aussi* les cinémas, la femme et l'homme bouche à bouche sur l'affiche, deux heures d'amour, d'extase, d'intrigue. Du cul. Véniel, bien emballé et séraphique, rien que des filles éblouissantes, des étalons, on chie jamais pas plus qu'on pisse, on digère bien, on est logé dans les palaces, dans les châteaux, les belles colombes se la coulent douce en chauds visons, leurs garde-robes pleines à craquer, toujours coiffées, les ongles fins, biches fragiles, on ne les voit pas avoir leurs ours, c'est trop vulgaire ; quant aux maris ou aux amants, toujours en forme, pas fatigués, même en principe ça ne bosse jamais, ça gâcherait le film, ce serait trop court pour leurs amours, pour leurs passions, dans la vraie vie, il n'y a rien, une maladie, un accouchement, un décès de vieux dans la famille, la marmaille qui a la colique, un affolement de quelques jours pour les règles qui ne se décident pas, routine, on vieillit, autour de la table les fêtes légales mettent un peu de joie, fugues du printemps, des primes beaux jours, les grandes vacances, ça ne change guère, toutes les mêmes gueules du même quartier pendant vingt ans, trente ans, cent berges, la vie bien ponctuée par les dimanches, le jour de lessive, les confitures, la note du gaz, la fin des mois, sur un écran ce serait morose, ce qui fait recette, c'est l'indicible, c'est l'ineffable, le parangon, romantico, l'amnésie molle, picrate, gonzesses, ciné, des jeux, des stades, de l'idéal, de fortes idoles, vedettes, champions, politiciens, un homme d'affaires, une femme de tête, des réussites, le couple princier ou un Schweitzer, qu'ils sachent à quoi s'identifier, sur les photos un lot de pouliches en tenues légères, divines, roulées, des blondes, des brunes, des bouches à pipe, les yeux salauds, le vice dans le corps, on peut regarder, mais pas toucher, c'est ça l'astuce, on s'imagine belles comme elles sont, pas ordinaires, en peloter une, l'esprit musarde, est amorcé, on retourne voir, on se lasserait pas, le monde gamberge. Vacheries de souliers. Cuisants. Je boitille. J'ai dépassé deux bancs déjà sans m'asseoir. Un autre à cent mètres. Ça me gêne un peu de m'arrêter. Vais-je, oui ou non, me débrouiller pour ce plumard ? Wierne, Brandès à la rigueur qui me refilerait peut-être le pognon pour une chambre d'hôtel, mais c'est aux antipodes et depuis le temps que je les tape les uns et les autres...

M'arrête ici, le banc à l'ombre sous un platane, le moineau s'envole à mon approche, cherchait lui aussi sa croûte dans le peu de terre dessous la grille, mes jambes s'alourdissent, deux poids, assis maintenant je ressens toute ma fatigue. Desmarchy c'est grillé, pas la peine d'y penser, voyons les autres, Dumas, Pillet, Jordan, Guénot, je les égrène à tout hasard, des gens que je n'ai pas revus depuis un an, davantage, vont tomber des nues ; Jacquin, Daviot, qui ont tout ce qui leur faut chez eux pour m'installer à vie si ça leur fait plaisir, mais assez d'estomac aussi pour me refouler fermement en m'engageant à ne plus revenir. Fraîcheur bienfaisante sous le feuillage. Flapi pour de bon, je délace mon soulier, la chaussette adhère à la peau, les gens me regardent. Foule moins dense brusquement. Ils vont bâfrer. Déjà midi. Savoir que les autres vont se ruer sur la mangeaille me donne faim. La faim se répand, rayonne dans l'estomac, dans tout le corps, j'ai faim de partout, je suis un récipient vide, il n'y aura jamais assez à manger pour moi, j'ai faim, j'ai faim, l'idée de la faim ancrée dans la cervelle, les noms des plats, des légumes, des viandes m'assaillent en rafales, gigot aux haricots, le jus, le sang cuit qui ruisselle sous la tranchée du couteau ; je vois, je sens, c'est là, ça fume, une main qui tient l'os, l'autre qui découpe, mie de pain pour saucer qui s'imprègne, spongieuse, c'est à point épicé, le goût de mouton, la purée des haricots dans la bouche, et des patates, des pleines assiettes de patates, patates dorées au beurre, frites, au four, à l'eau, en garniture, un plat de patates chaudes et craquantes avec le steak saignant, épais, juteux, pulpe sous la dent, la saveur rouge, un bon bifteck ou autre chose, mais qu'il y en ait beaucoup, beaucoup, que je puisse en reprendre. J'ai faim. La faim. La table est longue, je n'en vois pas le bout, je suis seul dans la cuisine de la ferme, des femmes habillées de noir apportent des plats fumants qu'elles déposent devant moi sans rien dire, je ne sais pas si je suis invité, trop de plats pour un seul homme, pourtant il n'y a qu'un couvert au centre de la table, je voudrais demander si je peux m'attabler, mais ces femmes noires m'intimident par leur silence et la façon qu'elles ont d'entrer, de glisser, dans cette cuisine ombragée, comme si je n'y étais pas; les femmes noires qui prennent toute la place, je ne vois plus la table, leurs robes larges s'agitent devant mes yeux, tendent un voile, nuit profonde, noire, vide, silencieuse, noire, la main qui serre mon épaule pour me hisser de cette profondeur me tire, tire, me remonte. D'un coup, le bruit m'éclabousse les oreilles, soleil, lumière. Je sursaute. Un bonhomme d'une cinquantaine d'années qui me parle, je ne comprends pas ce qu'il me dit, je le regarde penché sur moi, la rue autour, le bruit, la clarté, me demande si ça ne va pas, si ça ne va pas, qu'est-ce qui ne va pas? Nom de Dieu! Je saute sur mes pieds. La trouille qu'ils m'embarquent. Me croient malade. Manquerait plus que ça. Je me porte comme un charme, merci beaucoup, rien qu'un petit somme, c'est la chaleur, merci encore, ça va au poil. Je me carapate. Digne tant que je peux. Le type doit me regarder, trouver ça bizarre. Mon pied droit en bouillie. Je prends sur moi pour ne pas boiter.

Coup de veine qu'un flic ne m'ait pas repéré. Je ne me suis même pas senti partir, ce que je dormais bien. Ces chieries de grolles et tous les membres endoloris. J'ai mon compte. La citerne est pleine. Immense lassitude morale qui me vide de l'intérieur. A quoi bon ? Lessivé. A plat. On viendrait me dire que dans soixante secondes je ne serai plus de ce monde, j'accepterais avec reconnaissance. Désir de me perdre. Me fondre. M'enfouir. N'être plus moi. Plus rien. La mort doit être prodigieusement reposante. Oubli de soi. Défaite heureuse. L'absolution. L'engloutissement. Comme dans une eau pure. *Urbi et orbi,* au goupillon de gala.

Les petites rues boutiquières. Au moins un quart des gens qui se promènent sans se biler, comment le pognon vient-il à ces gens-là et aux gonzesses qui rangent leurs bagnoles contre le trottoir ? Vaut combien une voiture de cette marque ? Un fric fou. Que faut-il faire pour en avoir ? Je ne suis pas bête, pas malhabile. Dormir sur ce banc ne m'a même pas détendu, la fatigue se noue dans chaque muscle, accrochée sous la peau, éteint les nerfs, on pourrait me jeter par terre et me rouer de coups, je n'aurais plus la force de réagir, le peu de courage que j'avais encore s'effrite comme si je le semais derrière moi, je ne sais plus ni pourquoi je marche ni pourquoi je vais dans telle ou telle direction. Je marche. Parce qu'un homme sans argent n'a rien d'autre à faire. Échoue devant un petit square près d'une église. Les enfants jouent, se battent, les femmes assises en groupe, le gardien vert pisseux devant sa guérite. L'horloge sonne l'heure. Vol de pigeons. Le soleil sec blanc doré qui tape sur le goudron. Il est cinq heures dans un monde libre et civilisé. Chacun a sa place. Le gardien pisseux. Le vol de pigeons. L'horloge. Les mères. Les enfants. Le tas de sable. Le goudron chaud. La vespasienne. Et si vous le permettez, moi-même, vagabond attardé de la cinquième heure citadine du désespoir méthodique. Il est cinq heures d'un jour torride dans le siècle de la dévitalisation. Cinq heures d'un univers cimenté et mortel. Que serai-je devenu le jour où sonneront les cinq heures de ma quarantième ou cinquantième année, où en serai-je et dans quel état d'esprit, si toutefois vingt ans plus tôt j'ai réussi à me mettre quelque nourriture sous la dent et à me coucher huit heures de suite dans un lit? Ne comprends pas qu'à travers tant de péripéties de tous ordres les hommes ne se soient pas encore débrouillés pour que le boire et le manger ne posent plus de problème. Me dis cela en faisant une station devant l'épicerie fine, produits italiens, anglais, hollandais, mélanésiens aussi peut-être bien. Profusion. Bocaux d'olives farcies, oignons, champignons, fonds d'artichauts baignant dans la sauce tomate, l'eau me monte à la bouche, et les cornichons, manger un cornichon, un seul cornichon, avec un bout de pain, croquer dedans, sentir gicler le vinaigre, la saveur acide, bon Dieu! je m'en taperais un plein bocal, les pickles, tous ces petits bouts de légumes confits, il y en a une dizaine de pots dans la vitrine, de différentes couleurs selon leur assaisonnement, rouge clair, rouge-brun, vert, noir, d'un rose léger, je me promets que le jour où j'aurai de l'argent, je viendrai ici, ici même, dans cette épicerie, en acheter un pot de chaque marque. Les boîtes de conserve en pile, il y a de tout, de tout, c'est une perpétuelle invention de recettes culinaires comme si dans tous les coins du monde on passait son temps à ça, crevettes roses au naturel, truites saumonées des torrents, par boîtes de quatre, jambon de Prague, saveur d'origine, jambon à la gelée au porto, saumon au coulis d'écrevisses, pâté de lièvre, filets de soles à la sauce aux clovisses, roues entières de fromages fruités, gâteaux sous cellophane aux parfums exotiques, il y a de tout, de tout, les deux vitrines bourrées sur plusieurs étages, des tables pleines, des saucissons, jambons pendus, l'arrière-boutique pour les réserves et peut-être les caves et peut-être ont-ils encore un dépôt bourré lui aussi, des mètres cubes de comestibles — je la saute !

Migraine latente depuis un moment. Est-il possible que dans une ville un homme reste plusieurs jours de suite sans manger ? L'heure tourne. Ne pas attendre la nuit pour m'amener chez les gens la bouche en cœur. Je me répète cela depuis ce matin, depuis hier soir, depuis toujours. Aller où ? J'ai eu l'occasion de passer des soirées avec quantité de gars sympathiques qui ne demanderaient peut-être pas mieux que de me rendre service aujourd'hui ; le myope qui semblait captivé par mon projet de devenir écrivain et par toutes mes idées à la redresse, il m'avait invité à lui faire une petite visite en me donnant son adresse. Et les femmes. J'y ai pensé, mais à part une ou deux, Dieu sait où sont passées les autres, les ai plaquées sans un mot d'explication, je les vois d'ici, le sarcasme à la bouche. De quoi j'aurais l'air si l'un de mes remplaçants venait m'ouvrir la porte ? Chaleur du soir. Halo de tiédeur grasse. Suffocant. Les gens bouffent des glaces aux terrasses. La langue et le palais comme de la corne. Le nez sec. Rêche. Aller directement chez Wierne, ça fait une tirée, mais chez lui je pourrais m'allonger, me tremper les pieds dans l'eau, me laver, manger un morceau, boire, fumer, ça me retaperait. Pas le courage de m'embarquer. Sicelli crèche aussi loin, mais dans la direction opposée. Brandès carrément en banlieue. Peur, subitement. Qu'adviendrait-il si demain, au petit jour, je me retrouvais encore dehors ? Peur d'enfant, peur folle, rapide, vertigineuse comme dans un mauvais rêve. J'ai l'impression de sentir la dimension exacte de mon estomac. Une poche que je soupèserais en moi. Toute la nuque engourdie.

Et au moment où je ne pense plus qu'à une seule chose, aller m'asseoir sur la barrière qui entoure une statue un peu plus bas, à ce moment le nom de Livonnier me traverse l'esprit. Détaché. Comme sur un miroir. La mécanique se remet en route, je me sens d'attaque. Ne doit pas être plus de sept heures. Je serai chez lui vers huit heures, huit heures et demie. Je les trouverai à table. M'offriront de casser la croûte avec eux, pas de refus. Je redémarre.

Ça fait trois ou quatre ans que je le connais, quatre ans. Je l'ai rencontré chez Sicelli. Ça doit même faire plus que ça. Cinq ans. N'était pas encore marié ou venait de se marier, taquinait un peu le pinceau à ses heures, peintre du dimanche. La dernière fois, c'est encore chez Sicelli que nous nous sommes revus. Ça remonte à quoi, cinq ou six mois. Venait d'être bombardé à un poste de première bourre dans sa boîte où il avait déjà une planque en or. Nous avait gentiment suggéré de faire appel à ses finances, le cas échéant. Quitter mes chaussures, allonger mes jambes, tomber dans le sommeil pour toute une nuit. Il habite un grand immeuble, je suis passé devant une fois avec Sicelli. Un grand truc moderne. C'est au 24 ou au 27, du côté droit de la rue en remontant, chiffres impairs, donc au 27, je me rappelle une sculpture au-dessus de la porte d'entrée, nous marchions peut-être dans l'autre sens, ce serait les pairs, alors 24, lui dire tout de suite pourquoi je viens, c'est sur le même trottoir qu'une librairie, quelques maisons plus bas, je ne risque pas de me tromper, j'avais voulu regarder les livres et ce n'est qu'ensuite que Sicelli m'a montré la maison, 27. Deux flics de faction, les pouces dans le ceinturon, me regardent venir, je suis sur le point de traverser, et quoi, merde, je serais bien con, je n'ai rien à me reprocher, tant mieux pour eux s'ils ont la popote assurée tous les soirs, moi pas. Je leur pisse au cul à ces guignols ! Le domicile mis à part, je suis en règle, je réside provisoirement chez un ami, j'y vais de ce pas, c'est le chemin. Ne me lâchent pas des yeux. Qu'est-ce qu'ils peuvent me faire ? Mes papiers, c'est tout. Profession : écrivain, homme de lettres, ne vous en déplaise. Trop lourdingues pour vouloir connaître les titres de mes bouquins présumés. Si ce n'est que ça, j'en ai plein la tronche. Fumants, même ! *L'Œil-de-Bœuf sexocosmique*, ça vous va ? *L'Homme crucifié, Corail clitoridien*, et que dites-vous du dernier en date : *Mon Compagnon s'appelle Jésus ?* Est-ce suffisamment évocateur pour vos cervelles de hérons, ou dois-je encore en énumérer d'autres plus reposants, comme par exemple *la Réalité humaine*, ou *le Temps du devenir ?* Passe devant eux, le front soucieux, l'air absorbé, prêt à parier qu'ils vont m'interpeller. Dix mètres, vingt mètres. S'en foutent, oui ! Mon imagination qui travaille, rien de plus. Encore cette rue passablement longue, on débouche sur une petite place encaissée entre des immeubles, ensuite la première à droite et encore la première à droite. J'arriverai chez eux avant huit heures. J'aurai mon lit, ma nuit de repos. Demain, il sera temps de sortir les flèches du carquois, mais il n'en demeure pas moins que j'en suis à mendigoter une chambre et à trembler d'un éventuel refus. Pile ou face. Je suis un pou. De père et mère poux. Né viable, destiné à être écrasé, clic ! entre deux ongles, une goutte de sang puant, une tache minuscule. La vie et la mort du pou. Est-ce la peine de me traîner jusque chez Livonnier ? Un peu d'air frais. Traverse la place. Cafard à me suicider. J'ai la conviction d'une faillite qui vient de loin, enracinée en moi. Si Livonnier ne veut pas me recevoir, j'irai m'asseoir sur le trottoir. Tant pis. Vraiment trop fatigué. Premiers numéros. J'aperçois le panneau de la librairie sur la gauche à moins d'une centaine de mètres, je ne m'étais pas trompé, au 27. Il va falloir m'expliquer. Je marche depuis hier, je n'ai rien dans le ventre, je suis à bout, je viens chez vous parce que j'ai pensé que ça ne vous gênerait pas. 27. Je reconnais la maison. A quoi je ressemble. Je boutonne ma veste, passe mes doigts dans mes cheveux, m'essuie les mains à mon mouchoir.

Hall d'entrée spacieux, des plantes vertes de chaque côté des marches, une grande glace, je me reluque. Plus décavé encore que je ne l'imaginais. J'arrange ma chemise qui bâille, un lacet qui traîne, le pantalon fripé ; le concierge radine en trombe du fond de sa loge. Le gros sourcil. Rébarbatif. Qu'est-ce que c'est que cet apache qui se détaille dans notre glace ? Sa femme rapplique sur le pas de sa porte et le môme itou. Merdeux de douze ans. Déjà le virus de la conciergerie sur sa petite gueule butée. Comme ça ils sont trois à monter la garde. Le regard en pointe. La clientèle peut dormir tranquille. Le père s'arrête au bord des marches. Campé. Dans son ciboulot de concierge, ça doit délimiter la frontière. Au-delà, bien sûr, c'est chasse gardée. Il m'apostrophe, son béret mou sur le bout du crâne. Qu'est-ce qui m'amène ? D'un ton rugueux. O triste con ! Je viens de la part de Gabriel apporter Rédemption et Lumière à toute la race des factionnaires, des sentinelles, des corps de garde, vigiles hargneux et autre engeance férue de zèle, encensez-moi et pouvez-vous me dire si M. Livonnier est chez lui ? Livonnier. Ça l'épate. S'apprivoise. Si j'avais rien que vingt balles à lui refiler pour la volupté de lui voir donner la patte, quitter le béret. L'épouse bignole sort de sa niche. Le marmot suit. M. Livonnier. Troisième à droite. Ça devient poli, cette trinité de domestiques. Un petit pourliche, je les courbe en deux, môme y compris, l'échine cassée, c'est de famille. Je m'encage, fier, dans l'ascenseur, presse le bouton. Ils m'ont remis le sang en mouvement, ces trois furets. La porte à droite. Le voici donc ce havre tant désiré. Un pincement de cœur. Je songe à me débiner sans sonner. L'ascenseur redégringole dans mon dos, immeuble neuf, les bruits résonnent fort, les murs sont lisses, luisants, on dirait du marbre. Je sonne un coup et en même temps je me redresse, la peur atroce que Livonnier me dise non. A l'intérieur, ça ne remue pas, j'ai les mains moites, m'essuie dans mes poches, je tire ma veste. Ils n'ont pas l'air de bouger vite. Dois-je resonner ? Je regarde le bois ciré de la porte, une veine entortillée qui ressemble à un museau de chien vu de profil, un museau de chien ou un énorme bec-de-lièvre monstrueux, ça dépend de l'angle où on est placé. Ils n'ont peut-être pas entendu, je n'ai peut-être pas sonné assez fort, ils doivent manger. Je sonne, j'attends. Ce petit répit m'a redonné confiance, je m'étais fait un monde. Personne ne remue. L'oreille contre la porte, rien, pas un bruit. Même sans se bousculer, ils auraient déjà dû ouvrir. Sonner encore. Une fois par acquit de conscience. Mais j'ai compris. Je sais que non. Il n'y a personne. Livonnier sorti, parti, envolé, et moi, cloche, qui préparais des entrées en matière. *Monsieur Livonnier* est au restaurant, au ciné, en famille, au bain turc, à Samarcande, à Elseneur avec sa poule. Merde et remerde ! Qu'il pleuve du soufre, de l'ammoniac, que le typhon les ratatine tous, qu'on coupe les roupettes à Jéhovah, mais, pour l'amour du Ciel, qu'il se passe quelque chose ! Et qu'est-ce que je vais faire, moi, maintenant ? Moi, le zéro. Hein ! moi maintenant ? Qu'est-ce que je dois faire, pas me mettre à genoux sur le paillasson et implorer saint Hippolyte ! Rendu. Fourbu. Claqué. Vanné. Au moral comme au physique. Je l'ai pour ma gueule. Ça me fout par terre, me met en loques, je suis essoré, même plus capable de réfléchir. Assis ici sur une des marches. Sur leur tapis. Les mains pendantes entre les jambes.

Il est dit que cette journée n'en finira pas — me répète cela comme une malédiction pendant que Livonnier m'entraîne jusqu'au plus proche bistrot encore ouvert. M'a trouvé sur son palier en rentrant. Somnolent.

La tête encore emmêlassée de sommeil, j'ai surtout été frappé de la façon dont ils étaient vêtus, lui et sa femme. Luxe tranquille des vêtements. Très belle, sa femme. De ces femmes scintillantes. Un air de distinction. Nuance hautaine. Trop belles pour comprendre ce qui ne les atteint pas. Elle m'examinait. Éberluée. Un peu choquée. Entre le sourire et l'indignation. Dans son manteau du soir moiré. La poitrine décolletée. Nue. Un bijou, un seul bijou sur cette laque de peau, pierre ronde, limpide, intensément nue elle aussi. La même limpidité de pierre glaciale que son regard qui va, interrogatif, de son mari à moi. Doit-elle émettre un rire limpide, un rire de pierre biseautée, ou doit-elle m'ignorer ? Statufiée sur le fond synthétique du mur miroitant, elle attend que son mari lui dicte la réponse. Le parfum souple qu'elle dégage ouate l'endroit de l'escalier où nous nous trouvons debout tous les trois. C'est d'une simplicité hallucinante. Comme un cou guillotiné. L'univers de cette femme est circonscrit par la nappe de parfum duveteux qui l'environne, l'auréole. Pour pénétrer le cercle, il faut y être autorisé par un geste ou un sourire d'elle. Si elle ne vous fait pas signe, il est convenu qu'on reste à distance, respectueux. Belle et intouchable. Elle n'est probablement pas inhumaine, à ceci près que c'est de la lave en refroidissement qui circule sous la pellicule de peau du décolleté. Entendre son mari m'adresser la parole l'étonne comme une faute de goût. Elle ne dit rien, ne manifeste rien. Beau visage de chair pétrifié sous le maquillage irréprochable. Les lèvres sont soudées par le rouge. Des coquillages diamantés en jailliraient sans doute, coquillages barbares, si elle les entrouvrait. Robe et manteau, habillée d'une membrane vitrifiée qui a dû croître sur son corps à l'âge aquatique. Livonnier me parle. Me pose quelques questions. Je réponds par monosyllabes, me demandant ce que je fais ici, sur cette marche d'escalier, dans cet immeuble hygiénisé, devant cette femme d'acier fin. La main de Livonnier se pose sur mon épaule. Esquisse de sourire sur les lèvres rouges. Sans signification. Elles rétablissent aussitôt l'ordre orbital de leur courbe. On m'invite à entrer. La clef coulisse sans bruit dans la serrure. La porte sur elle-même. Sans bruit. La lumière douce dans un large vestibule dallé. Les éléments posés en vue d'une conception d'ensemble le long des murs. Une tablette angulaire sur huit pattes de fer forgé, araignée jaune, une longue banquette rouge caverneux surchargée de coussins bariolés, un bibelot isolé dans une niche du mur. Et puis rien. L'espace vide. Le vide clinique. Le fil coupant des talons hauts qui résonnent sur le carrelage. Elle marche entre la haie du vide. Elle s'enfonce derrière une porte au fond de ce carrelage et de cette nudité. Les portes s'ouvrent, se referment, onctueusement. Elle a disparu. Livonnier, qui m'a invité à entrer, m'invite à m'asseoir sur la banquette de sang caillé. Je ne veux pas m'asseoir. Je sais qu'il n'y en aura pas pour longtemps, que l'ordre de ce vestibule contient en puissance l'ordre de ce qui doit suivre entre Livonnier et moi. Ma présence n'est pas prévue dans la structure générale. Puisque je ne veux pas m'asseoir, il m'offre une cigarette. Je ne sais pas ce que j'attends debout dans ce vestibule. Je sais que je dois m'en aller, mais je ne sais pas comment m'en aller. Une grosse conque de céramique noire repose, ventrue, sur le dos étincelant de l'araignée jaune. Livonnier l'attrape et la pose sur un coussin de la banquette. Il y fait tomber la cendre de sa cigarette. Ici on ne vous demandera pas de vous servir d'un cendrier, on l'approche de vous et on vous donne l'exemple à suivre. Je secoue ma cigarette, je l'écrase. Peux pas supporter la fumée. Depuis que nous sommes entrés, Livonnier n'a pas cessé de me parler comme s'il était indispensable de soutenir notre pantomime par une armature de phrases. Rien de ce qu'il me dit ne me concerne directement. Il parle de Sicelli. De peinture. D'amis à lui qui peignent, qui exposent. Pas une question personnelle. Je ne suis pas en cause. Je ne suis ici qu'à titre exceptionnel. Par effraction en somme. Le temps que nous passons ensemble doit être comblé par la parole. Peut-être sait-il, lui, au bout de combien de paroles je pourrai m'en aller. Je ne pense à rien. A rien, avec concentration, avec véhémence presque. Je me trouve stupide d'être dans ce vestibule, mais c'est, me semble-t-il, la conséquence d'une faute dont je suis seul responsable.

A peu près comme si j'étais descendu dans la rue en oubliant d'enfiler mon pantalon. Je n'ai pas honte. Il y a un écart trop grand entre moi, cet homme, et ce qui nous entoure appartenant à cet homme. Un désespoir calme remue vaguement en moi très en profondeur. Cette politesse qui désarçonne, intimide.

Comme une brisure brutale, Livonnier me prie poliment de l'attendre quelques instants et encore une fois de m'asseoir en l'attendant. Il disparaît à son tour derrière la porte du fond. Le dallage est noir et blanc. Je suis sur le tranchant polaire d'une petite planète congelée. Ce vestibule doit naviguer avec son matériel en plein espace à une vitesse folle qui permet l'équilibre idéal. Ce que je n'arriverai jamais à comprendre, c'est comment j'ai réussi à embarquer moi aussi sur cet astéroïde moderne. Livonnier va revenir et m'expliquer. L'illogisme n'aurait pas de sens ici. Il revient. Souriant comme avec un enfant il me prend par le bras, ouvre la porte, me laisse passer, il appelle l'ascenseur, glissement respiratoire, le hall et ses plantes vertes, où est le concierge, où est sa femme, le gosse ? Jamais existé, n'appartiennent pas eux non plus à la planète cristalline.

La rue, la nuit chaude ; nous marchons et je sais seulement que nous allons dans un bistrot. Pieds douloureux. Livonnier marche vite comme s'il était pressé d'en finir. Il est pressé d'en finir, mais poliment. La consternation qui s'étale en moi. Je pense qu'il est inutile d'aller nous asseoir dans un bistrot. Inutile d'être venu ici. Inutile d'en repartir. L'heure suivante, demain, l'année en cours, les années à venir. Inutile. Comme tout ce que j'ai projeté jusqu'à aujourd'hui même. Espérances, ambitions, travail, pages écrites, raturées, toutes les discussions que j'ai pu soutenir sur les idées auxquelles je croyais, la foi intacte pour certains livres, certaines œuvres, certains hommes. Ma vie. Inutile. Il est dit que cette journée n'en finira pas.

Un couple dans le coin reculé de la salle. Le garçon qui balaie. Nous nous attablons près de la vitre. Livonnier me sourit d'un air engageant comme si c'était la première fois que j'entrais dans un café. C'est à lui que le garçon s'adresse. Un alcool. Non, pas d'alcool. J'ai eu très soif. De la bière. J'ai peur que la bière me fasse mal. Livonnier me sourit. Un fil d'impatience dans le sourire. Je ne vois pas ce que je pourrais commander. De l'eau. Oui. De l'eau. Boire de l'eau. J'en ai eu si envie. J'ai eu si soif. Le sourire en face de moi. Le sourire persévérant. Qui attend que je m'explique. Il ne me forcera pas à m'expliquer. Il peut attendre indéfiniment. Patient. Indéfectible. Inéluctable aussi. C'est le même homme que chez Sicelli. Livonnier est lui-même partout. Souriant. Ce sont les autres et les positions dans lesquelles se trouvent les autres vis-à-vis de lui qui font qu'une impalpable différence s'établit. Livonnier n'y est pour rien quand on s'aperçoit qu'on s'est trompé soi-même. Il ne prend pas les devants. Il sait que j'ai une raison d'être venu. A moi de parler. Le verre d'eau. Je ne me rappelle déjà plus l'intensité de la soif que j'ai éprouvée. Il me regarde dans les yeux. Il tient son verre entre les doigts. Le cercle de néon du plafond se balance, réduit, dans la transparence du liquide. Je n'ai rien à lui dire. Il tomberait des nues si je lui demandais un lit. *Sur la banquette rouge, voulez-vous?* Jamais je ne pourrai. Cette femme de quartz qui l'attend là-haut au fond du vestibule cellulosique. Et comment coucherais-je? Nu? Avec mon slip dégueulasse dans leurs draps propres, où poser mes vêtements, ma chemise sale, faire couler l'eau dans leur baignoire, cette femme entendant les bruits de ma toilette répercutés dans le silence, demandant à son mari qui je suis et ce que je viens faire. J'ai su en arrivant sur le palier, en sonnant à leur porte, que je m'étais trompé. La déception est passée. Dépassée. Il ne me reste que la marque de la déception. Comme l'endroit sensible d'une plaie guérie. Plus d'affolement. Les sentiments vont par ordre de grandeur. Au fond, c'est le calme plat. Le dos au mur. L'immobilité du consentement. Je suis en train de lui expliquer que, me trouvant à court d'argent, c'est à lui que j'ai pensé. Oui, il s'y attendait. J'ai bien fait. J'aurais dû lui téléphoner à son bureau dans l'après-midi. Sicelli a son numéro. Je n'ai pas vu Sicelli aujourd'hui. Je pouvais téléphoner à son hôtel et demander son numéro. Oui, je n'y ai pas pensé. Quand ai-je vu Sicelli pour la dernière fois ? J'hésite à répondre. Il était peut-être lui-même chez Sicelli hier ou avant-hier. Je ne peux pas lui dire qu'il y a plusieurs semaines. Le sourire a noté mon hésitation. D'ailleurs, c'est de peu d'intérêt. Il m'a posé cette question par hasard. Lui a vu Sicelli samedi dernier. Qu'est-ce que je pense de lui ? N'attend pas la réponse. Excellent garçon, n'est-ce pas, intelligence très spéciale, éminemment créatrice. Il débite des phrases comme si c'était un moyen de ne plus me questionner. Flot de paroles et son sourire continuel. Lointain à présent. S'éloignant de plus en plus à mesure qu'il parle. S'il me restait encore assez de volonté pour lui dire la vérité de bout en bout, sans omettre un seul détail, comme par exemple la sueur entre les cuisses et le velours qui me brûlait en marchant, est-ce que je n'arriverais pas à tarir ce sourire ? Il va me donner de l'argent. Le poser sur la table, là, entre nous. Il me tapera sur l'épaule. Nous nous séparerons. Il n'a qu'une centaine de mètres à faire pour aller retrouver dans son paradis plastifié l'albatros de moire qui doit attendre son retour, ailes déployées sur un banc de varech artificiel. Allez où le devoir vous appelle et emportez avec vous votre sourire d'éternité frigide. Merde pour lui comme pour les autres ! Vingt fois merde ! Vous serez peut-être tous à mes pieds un jour. Mes humiliations font partie du butin.

D'un trait ce qui reste au fond de son verre. Il a déjà appelé le garçon et réglé les consommations. Le temps imparti par un distributeur invisible doit être écoulé. Nous devons partir. Quand va-t-il me donner cet argent ? A-t-il compris que j'avais besoin d'argent ? Je fais le mouvement de me lever. Il est debout en même temps que moi. Quelques pas dans la rue. Il aime ce quartier pour sa tranquillité, ses dégagements. Intelligemment conçu. Par son unité. Façades propres. Dure précision. Si Dieu venait à se mêler de vouloir chambouler cet ordre de choses, il serait obligé de prévenir par formulaire, de demander l'autorisation.

Arrêt subit. Je ne sais pas comment ça se passe, mais je suis poussé à tendre la main et à la refermer sur l'argent. Pas un mot. Je mets rapidement le billet dans ma poche parce que je pense que je vais devoir lui donner une poignée de main. Jeu de manipulateur. Sa main, la mienne. Nos rapports d'homme à homme doivent se terminer dans la minute qui s'écoule. Limite de franchissement. C'est lui qui a été très heureux de me revoir. Peut-être aurons-nous l'occasion. Chez Sicelli. Un jour prochain. Chez Sicelli, ou au musée des antiquités. Ou à la droite du Père, plus probablement. Enchanté d'avoir passé ce moment avec moi. Bonne chance. Ne pas manquer de lui envoyer mon livre quand il paraîtra. Silhouette dégagée devant moi. Le tissu du costume sait ce qu'il a à faire pour faciliter chaque mouvement. Je reste sur place. Les bras ballants. Silhouette absorbée par la façade, là-bas. La rue lustrale. Pommadée de lumières. Il me faut un moment pour rompre avec l'envoûtement de cette amabilité méthodique. Pour m'apercevoir du vide que cet homme creuse en vous et autour de vous à l'abri de sa correction exemplaire.

Figé sur le trottoir. Sous l'éclairage. On se réveille graduellement. La nausée dans la bouche. Dans la tête. Le corps fracassé. Je me traîne de quelques pas. Du côté opposé, m'éloignant de cet immeuble. Se soustraire à la rectitude angoissante. Courir vers un monde vivant, sanguin, mal organisé, en désordre, subissant les coups du hasard. M'a vidé les tripes, le salaud. S'y entend pour écorcher le lapin. Spécialiste de la vivisection. S'est bien gardé de me tendre la perche pour le cas où j'aurais de nouveau besoin de lui. Tous pareils. En quoi sont-ils faits ces nom de Dieu de types ? Doivent sortir non pas d'un con dégoulinant comme nous autres, mais d'une matrice inoxydable. Et son sourire qui lui lime la gueule. Le genre d'homme à vous bousiller froidement sans jamais se départir d'une cordialité exquise. J'aurais pu m'adresser à un gorille avec autant de chances d'être compris. Ils doivent s'enfiler géométriquement maintenant là-haut tous les deux. En train de se féliciter en lui-même d'avoir rondement mené les négociations avec moi. Champion de l'escamotage. Sans blague, m'a retourné comme sur le gril. Quelle connerie aberrante a pu me prendre ce soir de penser à échouer chez ce mec ? Pourquoi pas chez l'Évêque ou chez le Gouverneur ? Me plancher là, dans sa rue lubrifiée, sans même me demander où j'allais en le quittant, comment je rentrais chez moi en pleine nuit, plus de métro. S'en balancent. Pourvu que vous ne les encombriez pas.

De mauvais poil plus je revois la scène de tout à l'heure. Me laisser lambiner dans le corridor. La galopette jusqu'au bistrot. Ça n'aurait pas pu se faire aussi bien chez lui dans un bon fauteuil, non? Outrecuidance de ma part. Madame l'oiseau des îles en eût vraisemblablement avalé son pendentif de stupéfaction. Mézigue tout salopé me servant de leur mobilier rutilant, a-t-on idée! En fait, elle ne m'a dit ni bonjour ni au revoir. Les mots doivent tomber de ses lèvres fastueuses telle une manne rarissime. Un petit bâtard de ma caste n'a même pas la faveur d'entendre le son de sa voix mélodieuse. Au bout de mon nœud, consentirait-elle à me régaler de quelques précieuses paroles? Leçon salutaire. Ça m'apprendra à flairer le vent avant de choisir ma piste. Pas un chat dans leur quartier. Ce n'est toujours pas ici que je vais trouver où nicher. Combien m'a-t-il donné, cette enflure? Me place sous un réverbère. Pute! N'en crois pas mes yeux! Médusé. Un billet de dix mille! Le type qui a les moyens de vous arroser de dix mille francs! Les larmes m'en montent aux yeux. Dix mille balles. Coup au cœur. Je n'ai pas eu le temps de le remercier, bien entendu. Jamais pensé qu'il se fendrait d'une somme pareille. Me tapait fortement sur les nerfs avec son sourire de caoutchouc. Serait-il temps de réviser mon jugement? Il est prouvé que j'ai une dent contre le monde entier. Pas le moment de philosopher au clair de lune, pas avec un billet de dix mille en poche!

Voilà que le printemps a reverdi la ramure. Je peux maintenant coucher dans n'importe quel hôtel et inscrire fièrement mon nom sur le registre des voyageurs. Venant de *Terra incognita*, allant à Esclamacamadore, un petit coin de moi-même que j'affectionne particulièrement, juste à la lisière de l'âme, lieu secret de mes enchantements passagers. Si je dois écrire un livre un jour, c'est là que je l'écrirai, installé à l'air libre sur le promontoire qui domine la lagune. Pas moyen de vous en expliquer plus. Dix mille. Tout ronds. Pour une surprise ! Je les palpe dans ma poche. Quoi qu'il arrive, Seigneur, vous ne me trouverez plus jamais défaillant !

Pas plus tard que demain je lui passe un mot de remerciement. Lui montrer que je ne suis pas le dernier des cochons d'ingrat. D'abord dénicher un taxi et me faire conduire dans mon ancien quartier où je connais les hôtels. Avant d'aller au pieu, sûr et certain que je m'enverrais avec plaisir mettons deux œufs sur le plat, un fromage et une demie de rouge, mais où trouver un café ouvert en dehors des coins spécialisés ? Si je commence à me faire carrosser à l'autre bout de la ville, les dix mille vont flamber comme feu de paille. La fourmi n'est pas prêteuse. Dans ma situation, ne dois-je pas m'en tenir au strict minimum ? Une chambre. Nous mangerons demain quand les douze coups de midi sonneront au beffroi.

Avoir le pot de tomber sur un taxi avant la prochaine éclipse...

6

L'hôtel n'est pas cher. Sous les combles comme toujours, mais convenable, aéré. Taulier sympathique pour une fois. N'a pas l'air de mettre son nez dans ce qui ne le regarde pas.

Mange au rabais, sandwich et café. Répugnance à reprendre contact avec les amis. Me trouve bien dans ma solitude. Si l'on parlait une autre langue autour de moi, ce serait parfait. Je m'accommoderais fort bien de cette vie rétrécie si j'avais les moyens de l'assurer. Le bon côté de mon caractère a repris le dessus. Du moment que j'ai des cigarettes et que je me cale l'estomac. Pas une solution, mais les solutions n'existent pas. Le virus recommence à agir en sourdine. J'ai acheté deux gros cahiers d'écolier. Rempli une dizaine de pages de mon écriture microscopique. Pouvoir écrire. Les dernières semaines que je viens d'essuyer m'ont mis du plomb dans la cervelle. Mal débuté dans la vie. La hargne au ventre. Je m'en ressens encore. Soupe au lait par surcroît. Je ne compte plus les places depuis la première, coursier et manutentionnaire dans une maison de cordages en gros. Il y a, comment dire ? une haine de peau entre les patrons et moi. Mésentente réciproque. La vérité, c'est que je n'ai pas plus que ça envie de travailler. Trois quarts de l'existence consacrés à la boustifaille. Exclusivement. Soustrayez le temps de dormir et voyez ce qui reste. *Clama clama domine, le petit Jésus s'en va-t-à l'école en portant sa croix dessus son épaule...*

C'est le chant du cygne lorsque Wierne m'expédie à Boulègue, son zigue des textiles. N'est d'ailleurs plus dans le textile, soit dit en passant. S'occupe à présent de colorants. Mais chimie ou textile, pas mèche pour moi. Morte-saison à ce qu'il paraît. Si je m'y connaissais un tant soit peu en cornues. Regrette vivement. Aurait tant voulu pouvoir me donner le coup de pouce que j'espérais. Ça a l'air de le chagriner. C'est un gros myope. Un gros hanneton. Aimable. Cœur d'or. Nous bavardons un petit quart d'heure ensemble. Tour d'horizon sur la vie en général. Écrivain ? Il a un cousin, ou un neveu, qui voudrait bien lui aussi. Écrit des poèmes. Nous pourrions nous rencontrer un de ces jours. Nous grillons la cigarette, moi sur le bras d'un fauteuil, lui à tournicoter dans le bureau. Il m'ébauche sa vie, brièvement, bâtons rompus. S'est fait à la force du poignet comme tant d'autres. Pas d'instruction. Le certificat et au boulot. Comme moi. Et écrivain sans instruction, c'est possible ? Il pèse mes chances. Nom de Dieu ! Ça lui ferait plaisir de me placer quelque part. Ce ne sont pas les jobs qui manquent. Suffit de frapper à la bonne porte. Qu'il soit bien entendu entre nous qu'il me paiera à dîner n'importe quel jour si je me trouve au bout du rouleau. Je n'ai qu'à rappliquer à midi et demi chez le bougnat d'en face, il mange là avec sa femme. Dans le cas où je ne trouverais rien, ce qui s'appelle rien, que je revienne le voir, il tâchera de se débrouiller. Sincèrement désireux de me venir en aide. La semaine dernière, il aurait pu me caser. Chez un ami. Voilà qui lui donne une idée. Vous allez bondir là-bas. Boîte d'importations. Remuent le fric comme s'il en pleuvait. Personnel géant. Travaille avec eux à l'occasion. Il fourgonne devant moi dans ses paperasses, écrit le nom et l'adresse sur une feuille volante. Je me présente de sa part. Dire que je le connais depuis toujours. S'ils téléphonent pour se renseigner, il leur mettra le paquet. Je demande M. Lehmann. Ils déjeunent ensemble une fois par mois. Lehmann. S'il n'est pas là, je demande M. Perrier, son bras droit. Ils ont pris de fameuses cuites ensemble. Carabinées. Pas un comme lui pour lever une poule au bluff. Puisque nous en sommes à ce chapitre, est-ce que je connais ce garçon dont Wierne lui parle tout le temps, Sicelli ? Il joue de l'accordéon dans un dancing, c'est bien cela ? Oui, enfin, c'est comme ça qu'il gagne son bifteck, le reste du temps il peint. Ce que Wierne lui a dit. Lève tout ce qu'il veut en matière de femmes, paraît-il ? Paraît-il. Il aimerait le connaître. Il y a repensé par association d'idées. Wierne, lui, c'est tout le contraire, n'est-ce pas ? Sage comme un moine. Sacré type. Est-ce que j'ai vu sa dernière toile, ce grand machin sur les ruines avec les gens qui se traînent par terre, le gosse surtout, le gosse qui est à droite, en bas, et qui regarde le spectacle comme s'il était au cirque, terrible, non ? Qu'un garçon calme et paisible comme Wierne puisse se sortir ça du cigare. Donc, de sa part. Allez-y tout de suite et bonne chance. Tenez-moi au courant et venez déjeuner un de ces midis. Lehmann ne vous laissera pas sur la paille, je le connais. A bientôt. Pas de remerciements, à charge de revanche.

Ce type vous fait du bien. Ouragan sous compression. On sent qu'il vous donnerait sa chemise. Je sors de là remonté. Moral d'acier. A peine neuf heures. Si j'ai du travail ce soir, je brûle un cierge. A Boulègue le bienheureux.

Fille-dynamite sur le quai du métro. Découpée au chalumeau dans sa robe d'été. Vous remue les rognons. Rien qu'une fois, rien qu'une nuit dans son lit. Ses fesses. Les fesses qu'elle a. Deux boules sous l'étoffe. Des reins de jument. Concaves. Si c'était autorisé, je le lui foutrais, sec, d'un coup, tout debout, au bord du quai, paf! Les nichons droits, sertis dans le corsage de la robe. *Pinces de poitrine!* Elle fait semblant de ne rien voir. Ne sait peut-être pas que tous les hommes qui sont là bandent pour elle. De sacrées petites salopes toutes, les unes et les autres, quand la nature les a nanties. Il me semble que si j'étais femme et roulée comme celle-là, je n'oserais pas me balader dans cette tenue, le corps moulé à ce point. Ça doit les chauffer quand les regards se braquent sur elles. Combien de regards dans une journée? Incalculable. Mille regards sur votre cul aphrodisiaque, mademoiselle, mille regards qui vous dépoilent de la tête aux orteils. Mille pensées en une seule, comme une pointe de feu, votre sexe, mademoiselle, et tirer un coup entre vos fesses miraparaboliques. Aujourd'hui mille et mille demain et toujours une seule idée fixe dans ces milliers d'yeux électrocutés de rage envieuse, vous enfiler jusqu'au ras des burnes et juter à mort dans ces profondeurs d'amadou. Elle se tient nonchalante, une jambe légèrement fléchie, fait rebondir davantage et marque davantage la cambrure. Jouer avec ce corps. Que ce corps vous fasse jouir. Et son air de s'en foutre complètement. Son air de parfaite sérénité comme si c'était tout naturel de promener cette paire de fesses sous le nez des passants. A devenir timbré. Je donnerais de bon cœur la paie de trois semaines que je vais toucher chez le sieur Lehmann pour avoir le droit de la prendre par la taille. Le reste venant plus tard. Agglutinés, les hommes. Une sorte de cour silencieuse qui s'en met plein les châsses. Rappliquent des deux portillons dès qu'ils l'aperçoivent. Derrière elle. La retrouver tous les soirs à la maison en rentrant. Faire son petit boulot journalier en pensant qu'on a ça qui vous attend dans la cuisine en train de vous préparer un miroton ou une julienne. Bouffer et sans transition de la table au plumard. A propos, depuis combien de temps ? Les trois semaines de naufrage m'avaient coupé la sifflette. Je n'y pensais qu'incidemment. Jeûne et abstinence. Est-il permis ? Ce ne serait pas une mauvaise formule de me dérouiller avec une oiselle comme celle-là. Je bandelote doucement en la regardant. Arriver à me placer derrière elle dans le wagon. Si c'est bourré, j'ai ma chance. Ses fesses sur mon flageolet. Ses fesses marmoréennes, dirait le poète. M'amener chez Lehmann le triquart en l'air. M'insérer derrière elle dans la foule. Juste appliquer mon chose raide. Apéritif sexuel.

Et, bien entendu, je la perds dans la cohue qui s'enfourne en se bousculant par la portière. Elle se faufile plus loin, trouve même une place assise, flambé. Te voilà la braguette grosse comme un oignon. Rentrez au nid, ma tourterelle, ce sera pour une autre fois.

Je tire de ma poche le papier que m'a donné Boulègue. L'écriture à grandes enjambées. Curieux type. Je me sentirais de force à lui consacrer une étude entière. Ne devrait-on pas pratiquer de la sorte ? Prendre quelqu'un au hasard dans la rue, le faire parler et écrire sa vie. Tout est vrai de A à Z. Servi chaud. La petite vieille debout devant moi. Proprette. Pauvrement vêtue. Ses boucles d'oreilles à l'ancienne, les rides, innombrables ; depuis quand a-t-elle ce tic qui fait trembler sa lèvre inférieure ? A-t-elle été aimée, par quel genre d'homme, a-t-elle été heureuse, de quoi a-t-elle eu envie, que pense-t-elle de sa vie, qui est-elle, où va-t-elle ce matin dans ce métro ? Elle a soixante, soixante-cinq ans, elle n'a jamais rien fait de sensationnel, travaillé, élevé des gosses, en tirant chaque mois, de quelle vie rêvait-elle à dix-sept, dix-huit ans ? Autant de questions passionnantes, autant de livres passionnants.

Combien me faudrait-il de mois pour écrire un bouquin sur cette vieille ? ou sur Boulègue ? Comment bouffer, payer l'hôtel, s'habiller et se chausser pendant ce temps ? Si j'allais soumettre mon projet à un éditeur. Pas une chance sur dix mille. Travaillent pas pour la postérité, eux. Pas si cons. Refilez-leur du croustillant, pas compliqué, un peu de tam-tam, chèque aux maffias, baratin dans le monde, cocktails à la clef, c'est lancé, la came part, on liquide. Je prends néanmoins quelques notes sur cette vieille. Les boucles d'oreilles, ses yeux humides. Ça me servira à quoi ? J'en remplirai dix ou vingt pages sous le coup de l'excitation et puis, subitement, j'aurai la certitude de travailler en pure perte. Je peux toujours essayer de faire une nouvelle. Une fois de plus. Et ma déesse inflammable de tout à l'heure ? Plus là. Remplacée sur la banquette par un monsieur entre deux âges. Dès que Lehmann ou l'autre, comment s'appelle-t-il ? Perrier, dès qu'ils m'auront embauché, il sera temps pour moi de me lâcher sur la volaille. Mettre la main sur une fille qui a une chambre. Évite les faux frais. Au ciné, ça rend assez bien. Ou dans les grands cafés en fin de journée. Me retrouver en face d'un cul bon enfant après ce temps de disette. Plus qu'une station. S'ils sont tels que Boulègue me les a dépeints, ça doit marcher.

Légèrement interdit devant l'immeuble massif. Building. A première vue, tout le bâtiment leur appartient. Tire machinalement sur ma cravate. Grande porte vitrée. Le portier en uniforme. Ça jette un jus. Où allez-vous ? M. Lehmann. Comme un sourire indulgent qui flotte sur sa figure. Cinquième, porte 116, l'ascenseur au fond, droit devant moi.

Je ne sais pas ce que je vais trouver derrière la porte 116, mais tout ce déballage ne me dit rien qui vaille Le gamin en livrée manœuvre à l'ascenseur. Il ferme la grille, pousse sa manette. Beaucoup de sérieux, déjà, dans son boulot. A son âge, j'étais dans une usine de piles électriques. Je n'aurais jamais pensé à liftier. Moins salopant. Son pantalon est trop large aux fesses. Pas encore fait à cet âge. Aurait besoin d'un bol d'air pur. S'égailler dans la campagne, échanger sa cage hydraulique contre les verts espaces. Liftier à quinze ans, ça mène à quoi ? En cage toute sa vie ? Fermer la grille, pousser la manette, ouvrir la grille, fermer la grille. Celui-ci qu'on a habillé comme un petit singe. Pantalon et spencer noirs. A boutons dorés. Le galure rond à jugulaire sur le coin de la tête. Stoppe à l'étage. La grille. Je lui demande le bureau 116 parce que j'ai envie de lui parler, lui souriant. Il me l'indique du doigt, voix polie, ne répond pas à mon sourire, bien dressé le petit macaque. Au quart de poil. Pour la vie. Je n'ai pas fait trois pas que sa mécanique est déjà relancée dans le vide. Parfait, parfait. La relève est prête. Récolte en germe.

On n'a pas l'air de plaisanter dans le fief Lehmann. Un large couloir en enfilade. La moquette sombre. Des rangées de portes. Numérotées. Sobrement. Où ai-je mis les pattes, grands dieux ! Ma porte à moi. 116. Semblable aux autres. L'uniformité rigoureuse, luxueuse et sévère à la fois. Doit-on ou ne doit-on pas frapper ? Ils prévoient tout minutieusement, sauf le mode d'emploi. Je frappe et j'ouvre. Un autre couloir. Sorte d'antichambre, des sièges disposés çà et là, un cendrier à pied à la droite de chacun d'eux. Silence absolu. Le building narcotique. On trouve sa réplique exacte dans les rêves d'indigestion. Pancarte au mur. Une flèche. Le couloir s'engage loin, tourne à gauche. Un autre tronçon et un vieil employé à une table au fond de ce cul-de-sac. Derrière lui, une seule porte sans numéro.

J'inscris mon nom sur un carnet à souches. Objet de la visite. Avoir le culot d'écrire : tours de prestidigitation, fluide glacial, philosophie Zen, bandages herniaires, clowneries en tout genre et machine infernale pour faire sauter la baraque, demande à être reçu de toute urgence à cause de la minute imprévisible de l'explosion, l'ambulance est à la porte. Le vieux me prie de m'asseoir sur la banquette qui longe le mur et s'éclipse par la porte. Pas de fenêtre, pas d'aération. Le vieux reste cloué dans cette impasse huit heures par jour. Il n'a pas souvent dû voir le soleil, celui-là. Je deviendrais chèvre, moi, là-dedans. L'ambiance me porte d'ailleurs graduellement sur les nerfs. Trop mécanique pour moi. Ça m'échauffe. Boulègue qui me les décrivait comme des rigolards ! On devine que c'est le sanctuaire de quelque chose ici, S.E. Lehmann siégeant quelque part dans un recoin de cette masse de béton, l'œil à tout, omniprésent, puissance occulte, insidieuse, implacable. Le petit groom de l'ascenseur lui-même, pièce chétive de l'horlogerie, se sent épié comme les autres, menacé par la force invisible qui règne dans l'abstrait, et ça doit les poursuivre encore dans leur vie privée pendant qu'ils se soulagent sur la lunette, la journée finie. J'aurais du mal à m'y faire, voyez-vous.

J'ignore ce qu'il va advenir de moi, mais je me sens en forme pour un esclandre au premier mot de traviole, au moindre prétexte je leur dis ma façon de penser. Que je me torche de leur palais tentaculaire. Revoici mon vieux. Il m'informe que je dois patienter. On va me recevoir. Il ne dit pas quand. Si c'est aujourd'hui ou aux calendes. Il astique ses lunettes avec son mouchoir. Déplumé. Une couronne de cheveux blancs. Faciès de rave. Il n'a peut-être jamais vu d'autres horizons que ce couloir. Un coup de sonde au deuxième mois, ça lui aurait évité bien des tourments, le pauvre vioque!

Nous attendons. Lui et moi. Dans le silence. Ne risquent-ils pas d'être tous morts soudain d'embolie, là-bas, de l'autre côté de la porte? A moins qu'ils ne soient déjà à l'état de momies depuis que Lehmann a monté cette affaire. Ça ferait un drôle d'effet de voir une équipe de squelettes pianoter en cadence sur le clavier des machines à écrire. Un autre répondant au téléphone et son frère de lait compulsant les dossiers. Le vieux est à la limite. Je serais donc le seul bien en chair.

Presque la demi-heure d'attente. La banquette est dure. Le vieux lit le journal étalé sur sa table. Je me lève, j'arpente le couloir. Je n'ai même pas pris le temps de boire mon jus ce matin. Qu'ils préviennent, j'irai au bistrot et je remonterai à l'heure dite. Le vieux me considère. Croyez que ça va être long? Il écarte lentement ses deux mains. Signe d'ignorance. Au moins en griller une. Si je veux fumer, il faut que je retourne dans le couloir de l'entrée. Je peux y aller, il me préviendra. Je ne serais pas étonné que le règlement intérieur prévoie également la date et l'heure auxquelles le personnel est autorisé à copuler sans s'attirer les foudres directoriales. Pauvre bourricot relégué au fond de son couloir, ça doit faire des années qu'il marche sous le licol entre les brancards. Tellement abruti de servilité qu'il serait incapable de songer à la ruade quand bien même Lehmann prendrait fantaisie de vouloir l'enculer. Sinistre, leur boîte. Je leur donne encore dix minutes, un quart d'heure, et après je me débine. A quoi sert d'insister, je suis presque sûr que ça ne marchera pas. En sortant, j'achèterai le canard pour les annonces. Il n'y a pas que Lehmann sur terre. Curieux de voir quelle gueule il a. Et l'adjoint Perrier. Une belle paire d'écumeurs. Nous ne mettrons pas longtemps à nous convaincre que nous ne sommes pas faits pour la vie en commun.

Comme mû par la sonnerie elle-même. Deux coups brefs, impératifs, qui éjectent le vieux de son siège. Un ressort sous le cul ne ferait pas mieux. Veuillez me suivre. Comment donc. Il ouvre la porte sur un nouveau couloir. Il trottine devant moi, voûté par l'âge et les courbettes. La porte au bout. C'est là qu'on m'attend. Le vieux frappe, ouvre sans attendre et me laisse passer.

Je le prévoyais confusément. Ce n'est pas Lehmann qui reçoit. Lehmann est invisible. La secrétaire fait fonction de tampon.

Gonzesse sèche, le cheveu court, incisée derrière un bureau monumental. Elle me montre le fauteuil, d'une main autoritaire. Oublie les salutations, cette puante gouine. Affairée. Son temps précieux. Doit mener les affaires rondement. Experte. Ça se voit. Avec moi tu vas trouver un os, gouinasse. Vous me faites tous chier dans votre baraque. Elle manipule des papiers, absorbée. Ne m'a pas encore adressé la parole. Je connais. Farfouille à ton aise et quand tu auras fini, nous entamerons gentiment la conversation.

Je me glisse bien profondément dans le fauteuil et, aussi détendu que si j'étais dans mes meubles, allume une cigarette. Œil foudroyant de la pieuvre en face. Où est-ce que je me crois ! D'une voix suave, je lui demande si des fois il y aurait un endroit où déposer mon allumette. Elle me fait signe, le cendrier. Je lui souris de toutes mes dents. Son regard dardé sur moi. Pourquoi ai-je demandé à voir M. Lehmann ? Voix de vilebrequin. Parce que j'ai besoin de boulot. Ce n'était pas le sens de sa question. Peut-être ai-je la comprenette difficile, excusez-moi. Pourquoi ai-je demandé à voir M. Lehmann *en personne ?* J'ai envie d'en découdre avec elle. Elle m'inspire. Pourquoi M. Lehmann ? *Et pourquoi pas M. Lehmann ?*

Oser, avec cette morgue. Elle n'a pas l'habitude. Les autres doivent se tenir dans leurs petits souliers. Qui est-ce qui m'envoie ? Je l'ai écrit en toutes lettres sur le bout de papier qu'on m'a fait remplir en arrivant. Boulègue, un ami de M. Lehmann et de moi. Nous avons des amis en commun, aussi surprenant que ça paraisse. Passons. Qu'est-ce que je désire ? Du boulot. Elle s'étrangle. Je n'ai tout de même pas eu la prétention de déranger le grand bonze uniquement pour lui demander du travail ? Et si, petite gousse. Comme je vous le dis. Étant le patron, M. Lehmann n'est-il pas tout désigné pour embaucher qui bon lui semble ? M. Lehmann est absent, M. Lehmann est quelque part entre Boston et Philadelphie en tournée d'inspection de ses filiales. Têtu comme un bélier, je rebranche sur Boulègue. A défaut de M. Lehmann, j'aimerais voir M. Perrier qui, paraît-il, est un homme charmant. Sa figure ingrate s'incendie. Elle hausse le ton malgré elle. Je me prends pour qui, on ne dérange pas plus Perrier que Lehmann, cela dit pour ma gouverne. Je croyais. Mon ami Boulègue m'avait dit.

Ils se connaissent si bien. Prennent des cuites mémorables ensemble. Folle. Elle doit se contenir pour ne pas trépigner. Elle n'a qu'une envie, me foutre à la porte.

Paisible et souriant, au moment où elle va appuyer sur sa sonnette, je suggère, doucereux, que la question qui m'amène ici ne me semble pas résolue. J'ai besoin de travailler dans les plus brefs délais et mon ami Boulègue m'a formellement promis que M. Lehmann, homme au grand cœur, ne me laisserait pas partir sans au moins une promesse d'avenir. Devrai-je rapporter textuellement notre conversation à cet ami afin qu'il en informe M. Lehmann ? Elle me pique au bout de ses yeux. Me perfore. Le coup a porté. Mon assurance et mon insistance doivent lui être suspectes. Se méfie. Elle est comme tout le monde, elle tient à sa place. Machine arrière. Elle attrape un bloc-notes devant elle. Nom et prénom. Je les lui épelle. Age, adresse. Mes diplômes. Sourire innocent sur les lèvres, je lui dis d'écrire : néant. Je suis nu dans la vie tel qu'au sortir du ventre maternel. Indice de mépris dans son regard que j'accueille par une petite moue d'impuissance sereine. Pas de diplômes, il faut s'y faire. Mes capacités ? Nombreuses, à coup sûr. Dès mon plus jeune âge, j'ai paru doué à mon entourage. Sans me vanter, j'estime qu'un apprentissage rapide ferait de moi un employé hors classe dans n'importe quelle branche de l'industrie ou du commerce, mais, en dépit de cette faculté d'adaptation assez inouïe en soi, je dois reconnaître que jusque-là on ne m'a jamais confié autre chose que des postes de manœuvre. C'est donc à cet humble échelon que je demande à être incorporé parmi le personnel de la maison. Jugez de la modestie de mes ambitions.

Déchire net le feuillet du bloc. La boule de papier

vole dans la corbeille. Deux coups sur la sonnette. Dans le couloir le vieux a dû recevoir la décharge. Il doit déjà être en route. C'est classé. Elle ouvre un dossier comme si je n'étais même plus là. Je la vois en plongée. L'arête de son nez maigre. Son front bombé, étroit. Ses pommettes dures. Crâne d'oiseau. Les coups timides du vieux à la porte. Il ouvre. Reconduisez. Sans lever le nez de ses paperasses. Le vieux, me trouvant encore assis dans le fauteuil, ne sait quelle contenance prendre. Reste indécis sur le seuil. Ne comprend pas. Ses yeux m'implorent de me lever. Je me lève. Et la bouffée d'injures me monte d'elle-même à la bouche. Tout y passe, en jet. Gouine, salope, gueule de buse, un geste obscène le bras dressé, je balaie une pile de dossiers qu'elle rattrape à grand-peine, un encrier est parti avec, coule noir sur la vitre du bureau. Elle n'a pas dit un mot, coincée de surprise. Le vieux tremble dans ses frocs quand je passe devant lui. Je lui dis : vieux con. Je claque la porte, fracas du diable dans leur silence conditionné. Furax. Hors de moi. J'envoie valser le plumier, l'encrier, tout le petit matériel du vieil esclave en passant près de son bureau. Un coup de pompes dans les cendriers nickel de l'antichambre. Si j'étais sûr d'avoir le temps avant qu'ils ameutent la maison, je pisserais sur leurs fauteuils. Bande d'empaffés! Je décanille par l'escalier. Les nerfs en feu. Si quelqu'un se met en travers, alerté par la gousse, je lui décharge mon poing dans la gueule. Se souviendront de ma visite. Fils d'enculés! Il n'y a personne. La léthargie chez Lehmann. J'aurais bien voulu le voir, cette face de crabe. J'arrive dans le hall. Le portier me regarde passer. Je pousse les portes de verre, à toute volée, à deux battants. Bourriques! Et cette gougnasse. Doit faire lécher l'encre au vieux à l'heure qu'il est.

Lehmann à Boston ! Au boxon, oui ! A la potence, un pal dans le cul, sur le billot ! M. Lehmann dans le grand palace de Philadelphie. La manucure maison en train de lui sucer la bite. Aux frais des naves qui bossent pour lui. Que j'aille marner pour ses beaux yeux, moi, écrivain ! Au grand jamais ! Foutre non ! J'aime mieux me les couper, en faire des rillettes. Pas un rond, pas un rond, je ne lui gagnerai pas un rond à ce pédé !

Dans l'état où elle m'a mis, la pie maigre. J'aurais dû lui faire voler une paire de beignes. Sa gueule d'épine. Je la revois. Bouche bée sous les insultes. Abasourdie. La tête qu'elle faisait, ses dossiers plein les bras. Le vieux sur la porte, ramollo. Content de moi.

Matinée superbe. Le soleil joue dans le feuillage des arbres le long de la rue.

Sans faire d'extra, j'ai du fric pour tenir le coup encore une quinzaine. Boulègue, le canard boiteux, me prêterait-il quelque chose ? Sûrement. Il y a aussi quatre ou cinq copains que je n'ai pas tapés depuis un bon bout de temps. Ça ne s'annonce pas si mal dans l'immédiat.

Me dirigeant vers le métro, je me décide à aller poser mes fesses à la terrasse d'un café dans un quartier animé. Ce serait stupide de ma part de gâcher en démarches précaires une matinée comme celle-ci. Boire mon jus en regardant passer la foule. J'en profiterai pour lire le journal à l'œil. Avec ce soleil, je me sens l'âme du flâneur. On ne vit qu'une fois !

Presque personne dans le compartiment. Heures creuses de la matinée. Mon regard se porte instinctivement sur une paire de jambes qui pend d'une banquette. La jupe courte s'arrête aux genoux. Fille entre les deux. Brune. Elle bouquine. Je m'installe sur le siège vide en face d'elle. La trique en l'air presque aussitôt. Ce qui démontre que j'en ai bougrement besoin. Vue de près, elle est ordinaire. Maigrelette approchant de la trentaine, mais je ne suis pas en position de chicaner sur la marchandise. N'importe quel cul fera l'affaire. Je n'arrive pas à voir ce qu'elle lit. Ça me servirait d'entrée en matière. Travaillons le sujet. J'avance une jambe, prudemment. Pas de réaction. Ni pour ni contre. Je me glisse légèrement en avant sur mon siège de façon à me retrouver encadrant ses jambes entre les deux miennes. Pression des genoux. Elle abaisse son livre, me regarde bien en face et hausse les épaules comme on a dû lui dire de faire avec les hommes entreprenants dans le métro. Elle a moins de trente ans ou alors elle ne les paraît pas. Je bande cette fois comme un vieil ours, sérieux. Quelques mots sur la lecture en guise d'amorce. Elle se garde de répondre. Prenant un nom d'écrivain qu'elle risque de connaître, du genre scribouilles qui posent leur fiente un peu partout, je brode allègrement, en termes choisis, qu'elle comprenne que je ne suis pas le premier venu. Ce mal que je me donne pour une pimbêche de second ordre, qu'en temps normal je n'aurais même pas gratifiée d'un regard. La faim fait sortir le loup. Une faim d'ogre, si je puis me permettre la comparaison.

Elle se lève pour descendre à la station. Pas un signe, pas un coup d'œil. Maigre, archi-maigre par-derrière. Seules les jambes valaient qu'on s'y attarde. En cale sèche depuis si longtemps, il vaudrait mieux pour moi ne pas reprendre la mer avec un paquet d'os.

Rien d'autre à baiser dans le compartiment. Je lorgne ma braguette. Ça se voit. Croise mes mains dessus en essayant de penser à autre chose, mais ça ne se dissipe pas. Comme chaque fois que je me trouve dans cette situation, les souvenirs érotiques rappliquent en rangs serrés. Mémento sexuel. Les femmes qui, sous divers prétextes, m'ont branlé ou sucé avec plus ou moins de bonheur et dans les endroits les plus inattendus. Cette petite vicelarde qui ne se sentait réellement au mieux de sa forme que dans les lieux fréquentés, jardins publics, cinémas, métro, cafés, ou encore dans la rue, glissant une main dans ma poche, comme ça, en marchant. Si nous pouvions avoir une vue intime, panoramique, corps et pensées de la société au grand complet. Bordel géant. Se payer un aperçu de ce qui se passe derrière les crânes des bonshommes qui déambulent dans la rue. Analyse spectrale de la sexualité collective. Jeton de première ! Nous dansons la bourrée fantasque sur la pine du mégathérium idiot. Prémices du grand hallali. M'en a tout l'air. La danse de vérité. Danse lubrique. Furibonde. Voluptueuse et meurtrière. Atroce. Expression physique d'une civilisation infestée, croulante, en passe d'accoucher prochainement d'elle-même dans une éblouissante apothéose de colorants chimiques, prête à éclore un de ces prochains matins dans une cornue de laboratoire, mais vivant encore pour l'instant d'une vie intra-utérine, recroquevillée dans le plasma luisant des saxos torturés qui râlent, qui hurlent leur rythme poignant, leur rythme d'aliéné, martèlent interminablement leur rythme écorcheur aux oreilles perforées d'une nuée de couples automates en transe sacrée qui dansent sur place, nuit et jour, vissés l'un dans l'autre, les parties génitales déchiquetées, en lambeaux, mordues par le flux acide de l'océan rouge du sexe. Cet océan sirupeux où il faudrait se jeter tête première, aller voir de quoi au juste sont peuplées ses profondeurs spacieuses et se faire mollusque au milieu des mollusques, coquillage ou crustacé. Mucus. Nager jusqu'au bienheureux engourdissement de soi, jusqu'à l'extinction de toute volonté et de toute raison. Vivre au degré universel sur un tempo d'invertébrés. En admettant qu'il soit possible d'aller se rouler, se saouler au fond d'un sexe de femme. D'aller y mordre le sable épais, s'y emplir la bouche d'âcres saveurs, de saveurs amères, goûter et recracher ce sel marin comme à la minute d'un nouveau baptême sacrilège, et entrer, mort et vivant, dans l'éternité de la vie et de la mort.

Elohim dit : Faisons l'homme à notre ressemblance. Bon pour le monde des poissons. Ce qui ne doit pas me faire oublier la station.

Fatalité ou je ne sais quoi, la plupart du temps, avec les femmes, l'occasion se présente quand il y a peu de chances de pouvoir en profiter. Montant l'escalier de sortie, qu'est-ce que je croise — une volée de fraîches jeunes filles dont plusieurs me sourient en passant. Putain de Dieu ! n'aurais pas eu la veine de faire le trajet en si bonne compagnie. L'une d'elles ne se retourne-t-elle pas avant de disparaître dans le couloir, m'expédiant un de ces regards morganatiques qui arrivent droit au but ? Eh ! oui. Une demi-heure de causette, c'était dans le sac. Garce de vie. Mais pour garce qu'elle soit et dût-il pleuvoir des briques, il faudra que je tire mon coup avant le crépuscule.

Me tiens ce propos à mi-voix en cherchant un café où m'asseoir.

Mouvement habituel de la rue, c'est-à-dire femme sur femme. Prendre, prendre dans le tas, dans le nombre, au hasard, n'importe laquelle de ces femelles bien nourries, bien vêtues, désinfectées, poncées, cautérisées au-dedans et au-dehors, mousseuses de lingeries fines, empoigner la première qui passe et avec ça refaire de la vie. A volonté. A profusion. Pêle-mêle, étrangers, inconnus, il y a pourtant entre nous la continuité de notre espèce. Mais le plus beau, c'est qu'il est inutile de penser, pas besoin de chercher midi à quatorze heures. Juste un sexe. Un sexe bien à point. Juste un pénis convenable à introduire en douceur et avec mille précautions après les simagrées d'usage. Et c'est tout. Burlesque et prodigieux. Ensorcelant. L'aspect le plus clair, le plus concis, le plus décisif de la liberté individuelle. Bon pour se suicider tout de suite sous le regard vide de la foule, au beau milieu du trottoir, avec, comme excuse, s'il en fallait une, la prise de conscience subite d'un excès de puissance explosive. Obsédé par ces corps qui m'environnent. La rue vous plonge de force dans une sorte de macrocosme utérin meublé d'ovaires congelés. Baiser. Copuler. Le mot d'or. Le mot de passe. Mot clef de la destinée animale. La femme en saillie. Calcinée en un endroit crucial d'elle-même qu'il faudrait apaiser, guérir. Dans l'attente d'un déclic qu'elle entrevoit, qu'elle souhaite confusément et retarde, exaspérée, comme une délivrance, alors qu'elle est plus que jamais dépendante et soumise. Arrimée. Embrochée. Forée au plus lointain d'elle. Victime obligatoire de cette intromission dont l'homme est le grand prêtre, le sacrificateur. *Encore.* Aveu de détresse, de peur et de joie de la femme prise, conduite aux frontières de l'agonie. *Fais bien attention, chéri.* Le sexe et son code verbal. Sa liturgie et ses incantations. Messe noire. Messe primitive. Le couple pathétique. Alliance d'ennemis sournois, l'un des deux désigné pour dévorer l'autre, face à face dans la communion des reins. Leur délire glandulaire et sacré comme une foi fanatique. Chacun officiant pour son propre compte. Avare. Doué de la précision lucide des instincts. Mâle et femelle isolés dans un firmament de chair morte. Divisés, solitaires pour ce périple du plaisir. Je suis dans cet instant d'amour ta nourriture précieuse. J'habite, j'engrosse ton ventre et je vis de ta vie. Je prends ton souffle à la racine de ta gorge. Mon sang va se mêler au tien, mais je t'échappe, protégé, hors d'atteinte de ton appétit de possession. Cloisonné. Hors de portée derrière ce front si simple que rien ne peut trahir. Interroge. Supplie. Menace. Je peux mentir. Je peux mentir à l'infini. Mes yeux, ma voix, les mots, mes larmes mêmes, tout cela ment à l'infini et je t'échappe, libre dans n'importe quelle autre aventure, loin de cette petite fraction de temps terrestre où nous nous débattons, certains de notre don réciproque. Et tu restes là, toi, accrochée à moi de toutes tes forces, rejetée sans le savoir sur une rive nue d'où tu appelles, confiante, rencontrant cet écho de ma voix qui te répond *machinalement*. Ou peut-être es-tu toi aussi si loin de cette rive que j'imagine, n'appelant qu'une image imprécise de l'homme. Il y a pour nous séparer l'incalculable distance entre nos sexes. Le couple s'empoigne pour s'aimer, se soutire des sanglots, des hoquets, se berce de jérémiades et d'injures excitantes. Le couple s'ignore, se vole, se ment et se déchire. C'est l'amour. Et la femme, vigilante, minutieuse comme une fourmi, compte mentalement les jours, toujours plus ou moins inquiète, toujours plus ou moins incertaine de ses calculs ovariens. Esclave de sa propre réalité. Éternellement responsable. Astreinte, malgré elle, aux pratiques sanitaires, sa pantomime d'après l'amour. Bête à l'entrave. Jonglant avec les éponges, les cuvettes, les bocks à injections, les serviettes et les onguents. Déesse obscure de tout un étrange réseau de faïence froide. De tout un matériel cliquetant. Propre et net. Définitif comme la mort. Penchée sur ce trou qui la laisse béante. Par où la vie entre et sort, expulsée un jour comme une tumeur mauvaise. Attentive et soigneuse pour cette bouche informe comme si, au centre, dissimulé et brillant dans l'embrouillamini de la toison légère, il y avait l'œil de Dieu. Un œil obscène qui cherche l'homme, l'attend, l'attire pour sa plus grande malédiction.

En bref, voilà la sorte d'idées que j'aime à fricasser dans ma tête et éventuellement à servir chaud sur le papier. Pour le coup, je me sens conforme à moi-même. En pleine harmonie. Dieu m'ait en garde et fasse que j'aie le temps de délivrer mes monstres.

Foutrement roulée, la petite brune. Pétale de soie en rosée du matin. Lui proposerais volontiers un tour d'autos tamponneuses. M'avez-vous compris, fille-feu du ténébreux Empire ? J'en jurerais, au coup d'œil que nous venons d'échanger. Avec quelle arrogance elles soutiennent votre regard. Coït visuel. Devant le sexe, nous sommes faits pour nous comprendre à demi-mots. Préparés, tous, pour une même et unique randonnée. L'autre s'offre en holocauste, chair prise, dévastée. La vérité est quelque part, tapie au fond d'un sexe humide. Il nous faut les explorer tous, par toutes les parties de notre corps, hantés, opprimés, conquérants et coupables. Propre meurtre de soi-même, car au-delà du plaisir il y a l'insaisissable présence de Dieu. Je vous possède, corps étrangers, je m'emplis, je me gave de vous, errant de l'un à l'autre, triste et harassé de foi jusqu'à l'écœurement, embourbé dans cette fange de la jouissance, tout à la fois voleur et dévalisé. Je me gorge de vous, corps tenus captifs sous la lame du sexe. Femme inconnue, de passage, femme éternelle, je me rassasie encore de toi comme au sein de la mère. Une fois encore je déchire et je brûle les parois tendres de ta peau. Tu me portes une nouvelle fois, haletante et meurtrie. Je veux tes pleurs, tes cris, ton visage blafard, creusé, crispé d'amour, et pénétrer au tréfonds de toi, toucher et revenir aux entrailles de la vie, et me planter, enseveli, dans le mystérieux espace de cette conque secrète qui fait que tu es femme, que tu es mon angoisse.

Je choisis une place ombragée à la terrasse d'où je puisse voir le boulevard en enfilade. Un chatouillement symptomatique du côté de l'estomac m'incite aussitôt à commander un panier de croissants en même temps que le café.

Jambes allongées, je m'apprête à vivre une de ces minutes de profonde félicité corporelle. Si je ressemble à quelque chose, c'est à mon frère l'elfe. Le climat d'érection y est naturellement pour une bonne part. Après tout, pourquoi pas ? Se sentir complet tel qu'on est. Finition divine, dirait Leibniz le surhomme. Esprit et biroute. Dieu n'en avait pas plus, si tant est qu'Il se soit adjugé la première paire. Charité bien ordonnée. Pas de doute, nous sommes tous fils des sept fusions. Consubstantiels. Ce qu'il fallait démontrer. J'ai faim, donc je mange. J'ai soif, je bois. J'ai sommeil, je dors. Le reste à l'avenant au jour le jour. Les ressources de première nécessité ne font défaut à personne au moment opportun. Simple et direct. Logique qui plus est. L'existence qu'a voulue pour nous notre père de l'Éden qui était un vieux renard plein de ruses. La rédemption est sur cette terre. En nous. En moi. L'enfer et le bonheur de même. S'agit de bien piger ça au départ. Artisans de l'ombre ou de la lumière. *Suivant le pointillé.* Un croissant frais, c'est le bonheur. Un café fort, c'est le bonheur. Un fauteuil qui ne vous tale pas le cul, c'est le bonheur. Voir, entendre, goûter, palper, tenir debout sur ses guibolles, c'est le bonheur. N'est-ce pas, garçon ? — Monsieur ? — Je dis, n'est-ce pas qu'il fait une matinée éblouissante ? A damner un saint. C'est aussi son avis. Et les femmes, donc ! Nous y revoilà. Dire que le globe effervescent n'est jamais qu'une petite boule précaire juchée en équilibre à la jonction des cuisses d'une femme. Le vrai et adorable visage de la femme est en forme d'utérus plein. Face pathétique. Idiote. Bestiale et nue. Brutalement authentique. Ni artifices ni simulacres possibles : on ne maquille pas un con. La femme. Un trou. Rien qu'un trou. Et toute la meute en componction, la bave aux lèvres, l'œil fou, dévotement penchée, méditative et anxieuse, au-dessus de ce cratère rembourré qui l'attire, l'épouvante, subjuguée depuis toujours par les dimensions informulables de cette représentation du vide où elle se suicidera fatalement un jour. Homme magistralement vivant, j'entre et je dépose la fécondation dans le bulbe du monde. Laisse maintenant reposer en toi ce fruit blême le temps qu'il faudra, je t'ai chargée du magistral éveil de la vie. Il est abominablement facile que l'homme ne soit que cela, *liquide,* au commencement et à la fin. Certes, mon prince, mais quel curieux esprit vous faites ! Ne pouvez-vous vous en tenir au mode d'emploi usuel ? Si fait, si fait, j'y pense. Je ne pense même qu'à cela, le regard vacant sur cette humanité trépidante en état permanent d'hypnose érotique, qui écarquille son gros œil de cyclope pour ne rien perdre de la parade féerique de son inépuisable troupeau de femmes qui déferlent, pubis en avant dans le fourreau des robes, comme une ahurissante procession païenne. Chorégraphie charnelle maintenue avec soin à la température vitrifiante de l'exaspération. Déroulant au ralenti dans la lumière visqueuse des phantasmes sensoriels le cérémonial de ses images évocatrices et de son ordre caché.

Autonome comme une toupie céleste, la rue se découpe, se détache d'un décor multiforme, se love, gravite autour des corps, serpent de velours brun. La rue se meut avec une infinie lenteur dans une perpétuelle odeur de sang. Odeur tiède. Riche. Odeur religieuse des menstrues. La rue escalade péniblement tous les étages de l'édifice en folie jusqu'au faîte de la réalité prisonnière dans un indéfinissable réseau hyperélectrique. Long courant de vibrations nerveuses tissées de sexe à sexe par d'imperceptibles filaments reliant à leur insu tous ces corps qui passent, ondulent, se touchent, se provoquent, se refusent, survoltés. Et les cerveaux aiguisés, les cerveaux malades culbutent, suivent, concassés, réduits en pulpe. Tous ces ventres exhibés à la lumière du jour comme de saintes hosties rougeoyantes s'affrontent en silence dans le remous public, rampent, rampent frénétiquement les uns vers les autres, précipités dans leur course extravagante, déployés, charnus, épanouis comme de grandes étoiles de mer. Kaléidoscope. Bataille de termites, bataille reptilienne dans la zone sulfureuse des enfers. Larves cannibales grossies dix mille fois au microscope de la conscience. Grappes ganglionnaires de parasites carnivores qui se chevauchent entre eux, ruent, se piétinent, forniquent obstinément, leurs petits sexes à vif, sanguinolents, brandis comme des armes terrifiantes. Le goût, l'envie du viol sont dans tous les regards. Le crime, le crime fourmille au bout des doigts. Se noue dans les viscères galvanisés. Marcher dans la rue équivaut à pénétrer, centimètre par centimètre, le souterrain détrempé de la schizophrénie aiguë. A feuilleter page à page le livre noir de l'initiation. L'emblème phallique est planté, debout, incisé comme un récif phosphorescent dans l'air magnétisé. Au couchant des nuits translucides s'inscrit sur l'horizon fixe le miroir polaire d'un petit con mouvant, décanté et hermétique, qui scintille gaiement de tous ses feux dans le halo du grand rêve collectif où l'imagination liquéfiée s'égoutte lentement de la moelle épinière. Bouillie spermorale qui baigne les rives de ce continent médullaire. Vingt dieux! Quel cirque! Là, à portée de la main! Pavane des femmes sculpturales qui marchent, splendides et inaccessibles, vont et viennent, impériales, comme sur des avenues aériennes pavées de cristal limpide et de scories en feu. Directement surgies du monde inexploré des méduses. Nymphes stellaires descendues par erreur sur notre terre aride et se déplaçant depuis à des hauteurs insoupçonnées, déjà statufiées vivantes sur les colonnades impeccables de leurs cuisses d'opaline au grain poudreux. Ne laissant derrière elles que la lueur du fluide corrosif de leurs ovaires en effervescence. Triomphales, fruitales, évoluant dans l'aura bleutée de la convoitise sans avoir l'air de remarquer l'orage sexuel qu'elles déchaînent, qu'elles allument par un seul balancement de toute l'opulente, de toute l'admirable masse de leurs hanches chevalines. Insouciantes, elles traversent des haies compactes de fous furieux, maniaques aux regards avides, tenus en laisse d'extrême justesse au bout de leurs instincts domestiqués. Impossible qu'elles ne sentent pas *cela!* Cette foudre blanche qui les entoure, l'encens brûlé à chacun de leurs pas. Enchevêtrement fou des désirs à peine dissimulés, obscurs, forcenés, qui zèbrent l'air en tous sens sur leur passage, partent, fusent, les précèdent dans leur marche hiératique comme les signes précurseurs d'une catastrophe latente, sillonnent, grésillent, crépitent, pèlent les nerfs, aiguilles rougies qui viennent se piquer d'elles-mêmes dans chaque millimètre de peau aimantée. Impossible qu'elles ne devinent pas cela ! Ou est-ce *cela* précisément qu'elles souhaitent, qu'elles recherchent, qu'elles viennent renifler en public, dans la rue, avec leurs beaux visages impassibles sous le fard ? Modelés dans la glaise froide. Absolument comme si ce masque qu'elles promènent en tous lieux ne devait jamais appartenir au même ensemble que leur cul. Ces culs somptueux qui exultent, se renfrognent, tournoient lentement, lentement, comme bercés d'une houle intérieure. Culs sémaphores qui vivent, s'animent, se font lascifs ou percutants selon l'heure ou le jour, bien distincts, bien détachés du reste. Aussi libres et indépendants que des comètes en perdition. Émettant eux-mêmes leurs appels en morse à partir du thalamus. Sortilège. La rue bouillonnante invite clandestinement au rapt. A la violence. Règne velouté des grands fauves. La société cruelle. Forêt vierge des accouplements barbares. La rue désorientée vogue au milieu des ténèbres inférieures. Fossile d'une ère glaciaire oubliée et perdue depuis la première heure du monde. Cicatrice de lumières artificielles, la rue entaillée au scalpel comme un abcès mûr s'ouvre en un lieu indéterminé du vide dans un ciel de passions froides. Paradis claustral des amours angoissées. La rue dilatée, la rue épileptique surnage dans un bain de chaux vive. Fissure purulente au ventre du monde. Coulée saturnienne de sexes somnambules emportés, titubants, par la cohue aveugle. La rue respire à petites gorgées, oppressée, par les branchies secrètes greffées sur l'aine de la femme en attente. Chaque souffle la traverse. De part en part. Creuse en elle. Dans la chair. Lui écrase, lui moud les reins. Chaque souffle la cingle et la laisse inconsciente et brisée. Mannequin évidé. Le sang se change en sciure d'acier fin. Va se répandre goutte à goutte sur le trottoir criblé de corps assassinés. Femme solitaire au pur visage d'archange. Merveilleusement belle et impersonnelle. Créée de toutes pièces par les imaginations martyrisées. Icône radieuse. Sauvage. Incarnation du mythe charnel, venue de l'aube déserte du commencement et toute ruisselante encore du sperme glacé des hommes du pays de Havila. Ectoplasme vivant des désirs refoulés. Femme écartelée, prise, bue et mangée sous l'écorchure des regards inondés de tentation brutale. Dévêtue. Lacérée. Mise en croix sur des lits ignorés d'elle. Façonnée sous les mains, dans les doigts, sous les lèvres, échevelée, pétrie, harcelée et mordue, veinée par l'estafilade des ongles, souillée, tremblante, collée de sueur à des milliers de corps inconnus. La rue l'expose en permanence à la mortification, au mensonge et à la déraison. Nue. Nue au-delà d'elle-même. Les poings liés au pilori devant la foule névropathe qui s'agenouille gravement, saisie d'une ivresse religieuse, prie, invoque, vénère. Et insulte. Femme des métamorphoses cachées. Délicieusement anonyme. Nouée aux convoitises du sexe par un cordon ombilical. La terre entière roule vers elle à travers la nuit close de l'origine. La rue se cristallise autour de cette idole fardée de la jouissance et du suicide collectifs. Pôle lunaire cloué comme une étoile secourable au plus épais de la confusion. Tous les soirs, dans le noyau des chambres noires, les corps sont depuis longtemps préparés, étendus sur des lits d'apparat. Coutumières de l'ombre, adroites et précises, presque à la même minute des mains innombrables entreprennent partout le même patient travail des caresses habituelles, serpentent, pénètrent, exactes, font se lever les premiers cris, se libèrent sur la peau attentive et frileuse de tout le contenu sexuel enregistré dans la rue. Sculptent à l'entrée du rêve les formes abstraites de la femme idéale qui régente maintenant à elle seule dans la pensée muette tout un espace indécis situé au point de démarcation de la nausée journalière, de l'impuissance et du désespoir. Passage immobile dans l'attente du surnaturel. L'oxygène s'embrase. Étouffe. Se griffe de soubresauts nerveux. L'air devient pesant, se raréfie et brûle le caillot des poumons dans leur cage. Les corps plongent, s'enfoncent, plongent dans une épaisseur de vase étale. Lente asphyxie. Respiration pénible sous le tampon de chloroforme. La réalité bascule, se fragmente par morceaux au rythme fluide d'un sablier monumental. Tombe en miettes infimes qui se fracassent encore, silencieusement, et s'amoncellent le long d'une paroi imaginaire sous cette couche dense, sous ce matelas de duvet poussiéreux. Limbes du premier palier. Empire morbide, empire archaïque de la pensée. Il est minuit peut-être au cadran inversé d'un millésime futur. C'est l'heure zéro des destinées. La rue récite pieusement une dernière fois les psaumes de la peur avant d'entrer en catalepsie, tirant à sa suite ses couples momifiés, bêtes siamoises de l'amour. Couples disparates qui exécutent fidèlement tous les gestes enseignés du culte érotique. Dernier vertige en commun aux approches des marécages utérins. Comme si cet univers des créatures du non-sens allait sombrer corps et biens dans l'œuf tiède des matrices accueillantes. Calice des ventres. C'est ici l'espace premier. Le sanctuaire de vie. Nous sommes le pain sacré de ce ciboire. Voici l'exacte proportion du tout : *une vulve !*

Partons d'un solide éclat de rire et arrosons cette découverte d'une seconde tasse de café chaud.

Il fait beau et le soleil lui aussi est une matrice à sa façon. Matrice solaire. Rose matricielle. La rose était connue dans la plus haute Antiquité. La matrice aussi, je suppose. Trouvailles à noter pour le livre futur. Me manque juste un crayon. Juste le courage d'en demander un au garçon. Manque l'étincelle sublime qui mettrait soudain toute la lourde machinerie en branle. Appelons cela l'électrification du génie. Humph !

Je sais qu'à dater du jour où j'aurai eu la force de m'emparer de ce malheureux bout de crayon, ce ne seront pas des notes éparses, mais des milliards de mots qui jailliront de moi, cœur révolté du volcan en déroute. Je ne cesserai plus de m'épancher. Larmes intarissables destinées, si peu que ce soit, à irriguer la corne sèche qui se ratatine derrière les fronts têtus des buffles, mes semblables, que je côtoie ordinairement. Le seul doute qui me retienne encore est d'ordre subjectif : *saurai-je parler le langage buffle ?* Oui, sans doute, si j'accomplis ce miracle de m'enfouir dans les labyrinthes du moi ancestral où tous les langages se confondent en un seul cri syncopé. Se frayer un chemin dans cette nuit orageuse, frémissante du ululement des morts, ne doit pas être entreprise commode, c'est tout ce que je peux dire.

Mauvais moment pour entamer l'expérience. Trop de mollesse dans l'air ce matin. Trop de sexe en vadrouille. Trop de jambes qui défilent sur le trottoir, durement cambrées par les talons hauts. Personne ne réussira jamais à mettre toutes ces jambes dans un livre, eût-il cent mille pages, pour la raison bien simple qu'écrire c'est passer à côté de la vie.

La peste soit donc du crayon et des trouvailles !

Perles dans la fange. Qu'elles y restent. Matinée trop claire. Vénérienne, à proprement parler. Faute sans doute à ce sacré bon vieux soleil. Il y a une chanson qui commence comme ça, non? Ou un poème? Whitman, je crois. En écrire un moi-même. Sur la matrice. Rose pourpre. Caillée. Dégage à sa floraison un parfum fétide de grenier mal aéré. Preuve qu'au fond il y a un cinéma. Une vraie salle climatisée, moquette, fauteuils, lampe électrique, caramels, esquimaux, lavabos et sorties de secours obligatoires. Un seul programme. D'Adam à l'Antéchrist. Le film de la vie. En exclusivité exclusive. Actualités des cent prochaines années. Avec les naissances célèbres des décennies à venir. Comme si vous y étiez. En supplément à toutes les séances, Jésus II victime de la faiseuse d'anges. Filmé pour vous à l'aide du speculum électronique par Wiroslaw Dubois, de la chaire en Sorbonne. Du jamais vu. Vous tire les larmes de l'œil pinéal, autrement nommé satori ou troisième œil. Envisagé sous cet angle, mon poème ne pourra jamais être qu'une œuvre d'anticipation, et ne suis-je pas en droit de me demander si les buffles ont un avenir? A mes risques et périls. Une fois écrit et imprimé, en expédier un exemplaire à la lesbienne de chez Lehmann. S'enorgueillira d'avoir saqué un prestigieux écrivain de langue française. Avait flairé que je n'étais pas un énergumène comme les autres. M'a fermement renvoyé à mes chères études, la putasse! Heureuse initiative de sa part. Témoin ce poème amplement dédicacé à son nom. J'aurais dû lui demander sa carte. Tant de choses que je devrais faire. Chercher sérieusement du travail. Écrire un livre. Passer un joyeux moment sur le bide d'une fille guillerette. Ou alors la sieste en attendant le soir. Rentrer à mon hôtel, pousser le verrou, me laisser insensiblement filtrer par un bon sommeil capitonné jusqu'à ce que les événements prennent meilleure tournure. Dormir cinq ou dix ans de sa vie, d'une traite, aussi longtemps que les conjonctions ne vous sont pas favorables, et savoir se réveiller sourire aux lèvres, pour cueillir les fruits mûrs de la saison. Doux coma temporaire comme on tire le rideau de tulle sur la grosse chaleur d'été carillonnante de mouches nerveuses.

Enfin, quoi qu'il arrive, *looping the loop.*

Voilà le premier commandement en ce monde et celui qui les résume tous.

Et puis quoi ? Hier, aujourd'hui ou la semaine d'avant. Pas un cheveu de différence. C'est tous les jours la Sainte-Gudule, si vous voyez ce que je veux dire. Tant que le dôme céleste ne nous dégringolera pas en vrac sur le coin de la gueule, n'y aura rien à espérer d'inédit ou de miraculeux. *Or il advint qu'au septième jour, après que tout eut été jugé bel et bon, les habitants de là-haut en eurent par-dessus les oreilles de ce chamboulement sans queue ni tête et qu'ils exigèrent de qui de droit que le miracle fût radié de la constitution en exercice.* Ne nous reste donc plus grand-chose. Le problème est réglé. A nous de nous démerder comme bon nous semble. Rien à attendre ici-bas que chardons et coups de pied au cul. Sous son aspect le plus riant, la vie n'est qu'une sauce à la punaise férocement corsée.

Finalement, je me pose la question : avais-je, oui ou merde, des illusions ? Et comment ! Des tonnes ! Trop long à expliquer ici. Réservons cela pour le courrier confidentiel et ne nous égaillons pas dans les massifs de verdure. Bouseux tu es, bouseux tu restes. Serre-moi la main, camarade. La bétonneuse a un appétit dévorant. Donne à plein rendement. En général, vers les six heures du soir, je fais partie intégrante de la mêlée, soit que je revienne d'une tentative d'embauche vite avortée, soit que j'aie décidé de faire un tour dans le quartier de mon choix.

Soirs lumineux de l'été écarlate. Le ciel s'engorge. Languettes vertes et rouges. Œil fou, le soleil aveuglé d'or s'écrase en larmes, brûlant, derrière le parapet de la ville. Déclin de poussière. Mort trépignante. Les rues sont jugulées de chaleur. La nuit met longtemps à se poser, en sourdine, parsème des granules d'ombre sur ce moule de clarté violente. Comme un voile de poudre. Si légère, si fine. La nuit. Et la sarabande recommence. Zénith du sexe. Nichons en proue. Des miches faramineuses. Ça passe. En pagaille. Plus que je ne saurais en baiser en mille ans de vie. Jeunettes aux seins de pierre. Si insolemment jeunes. De la couvée de l'année. Corps graciles, si fringants, un brasero dans le sang. *Quel est le fruit comparable au sexe de jeune fille ?*

Ces virées nocturnes sur le garde-fou érotique ont pour résultat de me mettre le moral au niveau de rien.

Demain, me dis-je, tu te lèveras à six heures tapantes, ce qui te donnera une longue journée pour chercher du travail et te fera coucher plus tôt demain soir. Tu te boucles dans ta chambre et l'air n'en sera que plus respirable. Rentre donc tout de suite pendant que tu y es. A quoi bon attendre encore, il en sera de même à minuit ou à deux heures du matin, l'argent ne va pas te tomber du ciel — ni les femmes, par conséquent.

Mais le lendemain soir s'amène et je glisse au gré du courant qui me tire irrésistiblement. Seul à traîner mes grolles de rue en rue, passé minuit, passé deux heures et même passé la hantise sexuelle qui m'étreignait, éteinte par la fatigue. La nuit et moi nous faisons bon ménage. Je me tiens plaqué derrière son écorce comme un malfaiteur. Mouvant, faux, menteur, dangereux, énigmatique et sourdement agité de passions, comme la nuit elle-même. Espace de temps où, pour la commodité, je prête à Dieu le faciès rayonnant de Lucifer. Tout est Mal. Tout est laideur splendide. Illuminé de feux sombres. Je sens la ville vivre à une cadence de mort par venin. Je sens la ville palpiter dans mes artères. Je suis femme et enceinte d'une ville difforme, vagissante sous les fers. Ce que je veux, ce que je cherche, ce que j'attends, ce que je désire ardemment, nul ne le sait. Moi, moins que tout autre.

Je me recrée une existence sépulcrale dans la cavité de la nuit, le falot du sexe pour point de mire. J'ai envie de meurtres et de douceurs. De puissance et d'humilité. De grandeur et de honte. J'attends qu'une épidémie purificatrice nettoie l'anatomie du monde, mais si cela se produisait, la nuit suivante je porterais le germe dans la masse en voie de guérison. Je suis hérissé de haine, mais mon cœur se consume d'amour pour vous tous, bons et mauvais. Je suis votre Christ et votre peur fatale. J'arpente la périphérie d'Opisthotonos, pays des sources taries. Je marche la main tendue au cas où quelqu'un s'aviserait de vouloir me conduire hors du cycle enchanté. Hors de la ville pourrie. Du malheur d'être. Des mille et un artifices sanguinaires. Ville pus. Rutilante et croûteuse. Limaces de laque, glauques de fards, dans les coins mi-obscurs des rues caverneuses, les putains décaties ont pris racine à chaque interstice du trottoir. Arbres de chair avariée. Troussez vos jupes, montrez ce qui reste de vos sexes. Un tubercule noir taché d'une goutte de sang comme une larme de pitié. C'est dans ce bubon informe que je m'enfoncerais avec délices si j'avais de quoi payer mon ticket d'octroi. Et qui n'en ferait autant à ma place? Déversoir de toutes les faiblesses, de tous les ratages. La femme est un écran entre la peur de vivre et celle de mourir. Nous nous heurtons à elle comme à un suicide manqué. Je marche et nous marchons dans la contrée femelle. A l'aurore du premier matin. Enveloppés de lumière boréale. Sur le lac utérin du ciel le soleil s'étale comme un large sexe-nénuphar. Torse nu, les bras ensanglantés, Dieu recoud point à point sur son flanc la plaie rouge par où vient de s'échapper la Femme. De quelles profondeurs arrivons-nous? Un cœur dilaté travaille à grands coups, quelque part, le souffle énorme, gobe et reflue tout le sang de la terre. Ballon du vide. Rétine de l'œil mort. Je vais ce soir par des voies viscérales dans une chaleur de goudron, un orvet à la place du sexe, à la conquête improbable de moi-même dans le cercle d'évidence de la matrice engrossée. Le goût d'urine colle à ma langue. Des placentas ébauchés se dessèchent de loin en loin contre des murs dressés, interminables, d'une éclatante blancheur. Toute progression n'a lieu ici que dans un sens. *Vers l'orifice.* Par ce boyau étranglé entre des murs vernis. Ma mère a emprunté le tendre et pur visage de Marie la Vierge pour se prostituer à l'angle des rues souffreteuses. Elle est là à l'encan, avec vos sœurs, vos femmes, vos amoureuses de légende. Mastodontes du désespoir parachevé. Rangées devant les façades sous l'éclairage grisâtre. Je passe lentement devant chacune d'elles. Petits signes obscènes de leur part. Un coup de langue sur les lèvres ou une main caressant leurs seins par en dessous. Je leur souris bêtement et vais me poster au bout de la rue. Pour les voir encore. Voir d'autres hommes passer devant elles, leur parler, en suivre une. Combien demanderait la vieille, décharnée, osseuse, les joues creuses, les yeux enfoncés, tête de mort barbouillée de poudre blanche, la bouche comme un moignon frais ? Elle est enroulée dans un large manteau, ratatinée, frileuse malgré la chaleur de la nuit. Combien — juste pour une sucette ? Ou me faire branler sous une porte cochère. Si je dilapide le peu de fric qui me reste, je ne bouffe pas demain. Pourtant l'idée de me faire branler dans la rue m'envenime le sang. Je me rapproche de quelques mètres. Elle a des gants. En plein été. Peut-être est-elle un peu folle, ce qui serait merveilleux. Des gants noirs. Poser ma queue dans une main gantée. Est-ce plus doux ? Vieux paquet d'os. Doit être monstrueuse toute nue. Comme au cinéma les documents sur les difformités des peuplades primitives. Elle se fait embarquer par un grand type maigre à lunettes. Va-t-il baiser ça ? Non pas. Même idée que moi. Ils se dirigent vers un coin sombre. La branlette de velours. J'aurais dû tenter ma chance. Elle doit faire ça à l'amiable, si cadavérique, si vieille et maladive. Encore trop cher pour moi de toute façon.

Pourquoi m'obstiner à attendre je ne sais quoi d'un coup du sort au lieu de baisser pavillon et d'accepter n'importe quel travail de jour ou de nuit dans une usine, puisque l'usine est le dernier refuge ? Pourquoi ? *Parce que je ne suis pas un manœuvre, mais un écrivain.* Et retenez bien ceci : que je n'écrive que par à-coups et que je ne me sois pas encore montré à la hauteur de la tâche n'enlève pas une once de foi à ce que je viens d'émettre. Car ce que personne ne peut faire à ma place, c'est vivre ma vie avec l'intensité du dégoût, de l'amertume, de la rage et de l'ineffable joie qui m'inonde par tous les pores quand je me dis à moi-même, quand je sens, que je suis *réellement* un écrivain.

A partir de là, la question n'est pas de savoir si je crèverai de faim un an ou ma vie entière, il est question de la minute unique où se produira en moi la déflagration souveraine qui fera que d'un coup un livre, vingt livres, cent livres seront effectivement écrits et jetés en pleine figure de tout homme qui tombera, même par hasard, sur une de ces pages.

A présent, laissez-moi ausculter ce qui vit et meurt, en moi et autour de moi.

Je partage en deux mes dernières cigarettes. La nuit est sans parfum. Nuit de béton. Mamelle sèche. Il s'est trouvé des esprits cubiques qui ont cru bon de suer sang et eau sur des épures pour édifier en termes géométriques la cité impersonnelle dans laquelle je circule ce soir, moi, homme encore à demi civilisé épris d'espaces et de nature folle. J'imagine que le problème urbain n° 1 a dû être d'empêcher l'herbe de pousser à tort et à travers. L'herbe et les fleurs, comme le crocus sauvage par exemple, le narcisse des champs, les tiges de plantain, la menthe et les églantines sur les buissons de ronces. Empêcher la terre de respirer. Ils ont trouvé le rouleau compresseur. Et puis, le macadam. *Ils ont macadamisé!* Ils auraient tout aussi bien riveté sur le sol des plaques de blindage de plusieurs mètres d'épaisseur si le bitume ordinaire n'avait pas fait l'affaire. C'est gagné. C'est lisse et mort. Rectiligne. La morgue. Les voitures de désinfection lâchent leurs nuages de poison aseptique deux ou trois fois la semaine. Arroseuses chaque matin. Et bientôt, vous trouverez au premier courrier l'emploi du temps et la manière de penser pour la journée. Serez directement éjectés de votre plumard par le fonctionnaire de garde de la préfecture qui pressera le bouton de la sonnerie matinale en relais avec vos appartements. Après quoi, un petit tour bras dessus bras dessous à la mangeoire et vous partez en groupes sur le tapis roulant affecté à votre lieu de travail ou, le dimanche matin, au forum colossal de l'Église Populaire. Service religieux en Christorama 100 %, la visibilité normale étant nulle au-delà du sept cent soixante-dix-septième rang. Il se peut que la messe elle-même soit enregistrée sur magnéto et que le curé de service n'ait plus qu'à officier en play-back. Ne sentez-vous pas combien sera bouleversant le meeting mystique du dimanche? Excellent pour l'émulsion de la fibre superstitieuse.

Contraste des lumières. Ça papillote, glue néon jusque sur les toits. Le doux opium. Les types en uniforme pour la retape à la porte des boîtes. Vous vantent le cheptel. Tableaux vivants. Cuisse à champagne. Gros bides qui stoppent dans leurs bagnoles chromo-clinquantes. Rue de la Joie. Que vont-ils voir, nom de Dieu, qu'ils ne puissent s'offrir à domicile? C'est un prodige. Qu'on me donne à moi un peu de pèze à mettre dans le commerce et je vous montrerai comment j'embarque une oie blanche dans mes pénates. Pas besoin d'aller m'énerver les glandes dans ces bordels pudiques. Juste bon pour vous faire triquer au mirage. Le con dodu de l'entraîneuse rabotant votre braguette dans la gelée musicale. Quand les projecteurs se rallument, elle vous tire par la main jusqu'au bar où l'attend son boni sur le liquide. Ça se redéclenche. Petit rythme langoureux. La salope fait mine de fondre entre vos bras comme si ça y était. Vous regarde complice en devinant la grosseur qui s'épanouit contre son ventre. Les couilles en branle et sérieusement lorsque, crac! l'orchestre s'interrompt, lumières, en tas avec les autres sur la piste et ça revient au même que s'il ne s'était rien passé. On a toujours l'air de rejouer la scène précédente, assis sur le tabouret du bar à côté d'une poule en aluminium, amnésique par surcroît, distante, distinguée et tout. Qui a encore et interminablement soif de ce qu'il y a de plus cher dans la boîte en fait de bibine. Jusqu'à la fermeture, quand madame vous annonce d'une voix naturelle qu'elle est attendue à la sortie. Autant s'attaquer aux bonniches le dimanche après-midi dans les dancings pas chers. On est sûr au moins de ne pas être refaits, quitte à les embrocher à deux pas de là, debout contre un mur. Tourneboulées comme elles le sont à l'issue d'un long après-midi de pelotage intensif, elles n'y voient pas de différence. Dans les chiottes du dancing aussi. Pas de temps perdu, vous êtes sur place. Des coups rapides, la fille grimpée sur la cuvette ou calée contre la porte. Une danse en sortant, pour dire d'être poli, et plaquez au moment où elles commencent à s'épancher sur votre épaule. Si vous vous sentez dispos, rien ne vous empêche de recharger les accus pour le soir avec le changement de clientèle. Femmes entre deux âges. Viennent ici dans un but précis. Choisir le mec qui leur en mettra double ration au cours de la nuit. Tomberez toujours sur un bon numéro. Pas de rossignols. Elles en veulent. En les raccompagnant chez elles ou à l'hôtel, vous pouvez d'ores et déjà vous préparer à une rude campagne de sapeur. Ça a fait son chemin pendant qu'elles se trémoussaient. Trempées comme des souches quand vous glissez le premier doigt en signe d'investigation. Lot de filles abracadabrantes et plus déchaînées et hystériques les unes que les autres.

C'est dans un quartier tout semblable à celui-ci que j'allais régulièrement passer mes soirées du dimanche à une certaine époque, entre les murs d'un dancing deux fois trop petit pour l'affluence, ce qui avait l'avantage d'engendrer une bonne, une grasse promiscuité sous le nuage de tabagie, la chaleur épouvantable, l'exhalaison de la sueur, la camelote qu'on vous filait à boire, le va-et-vient entre la salle et les chiottes qui ne désemplissaient pour ainsi dire pas, l'éclairage restreint au strict minimum, les deux videurs maison, molosses plantés comme des colonnes de viande de chaque côté de la sortie, l'orchestre de quatre musiciens dont l'ami Sicelli à l'accordéon, un relent de je ne sais quoi qui devait partir en décomposition sous les lattes du parquet, les verres ébréchés dégoulinant d'eau au sortir de la plonge, les deux flics venant jeter un coup d'œil sur le pas de la porte de demi-heure en demi-heure et, par-dessus tout, la densité sexuelle qui semblait se dégager comme un halo fumigène de l'amalgame des corps et ruisseler en gouttelettes le long des murs, beurrée, poisseuse. Extraordinaire sensation de folie gazeuse en pénétrant là-dedans. Le four crématoire en transe. Comme si le monde venait subitement de perdre la boule. On dominait l'assistance, l'espace d'un instant, du haut des quelques marches de l'entrée. Le temps de s'habituer à la pénombre, à l'odeur suffocante, la musique frite à vos oreilles, on découvrait alors cet énorme accouplement en liesse, poissons visqueux et tarentules en train d'exécuter au petit hasard les poses sinueuses d'une lente fantasia du sexe. Cauchemar en bouteille.

Le dancing me faisait chaque fois penser à un aquarium rempli d'ammoniac dans lequel nous aurions été lâchés vivants au bout des pinces de l'entomologiste. Les contorsions de chacun n'étant que les formes de douleur de sa propre agonie. Sur la banquette du fond de la salle, derrière l'estrade où se tenaient les musiciens, une dizaine de couples en mettaient un rude coup, s'assaisonnant dans le grand style, sans la moindre hésitation, avec autant de persévérance que s'ils avaient été seuls tête à tête dans une chambre. Les types y allaient de bon cœur, farfouillant d'une main au fond des corsages tout en écartant du genou les cuisses de la fille qui ne résistait que pour la forme. Les langues à la becquée, voraces.

Quelle que soit la pouliche que vous ayez amorcée par une danse ou deux, et particulièrement les rétives qui ne consentaient pas tout de suite à vous suivre pour la fin du paragraphe, pas une ne trouvait l'énergie de rechigner après un séjour prolongé sur la banquette.

Le coin était juste assez clair pour ne pas confondre avec la verge du voisin. Dosé au poil en vue du pinodrome. Il arrivait qu'on se bousculât quelque peu les jours de grande affluence. En toute sympathie, d'ailleurs. Rigolards. Dos à dos avec le couple d'à côté. On était bien là pour la même cause. A se trifouiller comme des mabouls. Adoraient ça, les femmes. L'ambiance, le genre, un peu crapuleux. Devenaient vite aussi floches qu'un écheveau de laine. Éperdues. La moule là-bas dessous comme un œuf clair. C'était miracle que ça ne giclât point. Se serraient contre vous de toutes leurs forces. Rien de terrible comme une femme qui mouille et qu'on ne peut soulager à l'improviste par un fier coup de harpon. Elles mordaient, les garces, grimaçaient, leurs gambettes de soie enlacées autour des vôtres, nœud vivant. Elles perdaient le nord, toutes. Il y avait là, chaque dimanche, un Arménien dont j'ai oublié le nom, athlète à tête de taureau qui s'était envoyé, peu ou prou, la collection entière des habituées. Assis, dédaigneux, chatouillant distraitement le morceau qui se trouvait être avec lui, il ne manquait jamais de vous adresser un clin d'œil amical par-dessus la tête basculée de la fille qui mettait toute son ardeur à lui sucer la poire. Divertissement en marge, comme vous diriez un doigt de cognac après le repas, tendant à vérifier notre maîtrise en cours d'exercice.

Chiennes enragées autour d'un os. Je me demande bien pourquoi elles sacrifiaient au simulacre de la danse au lieu de venir tout bonnement vous attraper la pine dans la braguette en entrant. Pimbêches sur le protocole. Quelques tours de piste et, si ça gazait, un long stationnement sur la banquette avant de retourner faire semblant de danser, forcés de nous conduire alors comme des sangliers débridés, nous bourrant des petits coups, toute la science consistant à piétiner sur place dans la cohue. Peut-être qu'elles aimaient aussi se sentir bousculées de tous les côtés à la fois, cernées, englouties par d'autres corps, comprimées dans un étau de chair. Pressant toujours davantage, toujours plus fort, se moulant à vous, les seins écrasés, étreinte d'égorgeur, comme si elles avaient espéré, contre toute raison, qu'à la longue elles parviendraient à s'infiltrer, à s'inclure en vous, entrer dans votre peau. Certaines étaient prises d'un tremblement convulsif des lèvres en dansant. D'autres, la tête sur votre épaule, vous murmuraient à l'oreille tout ce qu'elles connaissaient de vocabulaire érotique. Les plus excitantes étaient celles qui s'amusaient délibérément à contrôler leur température et vous informaient à mesure en termes crus du remue-ménage qui se passait en elles. S'arrangeaient avant tout pour prendre leur pied six ou sept fois de suite dans la nuit. Soudainement, vous les sentiez se braquer contre vous, s'agripper à vos manches, tendues, rigides, poussant du sexe, drossées, incapables de faire un pas de plus, comme investies brusquement d'une souffrance extra-humaine, possédées. Et la décharge venait. Violente. Tous leurs nerfs s'affaissant. Loques. Le corps cartilagineux. C'était fait. Elles s'excusaient avec un sourire matois plus échauffant à lui seul que tout ce qui avait précédé et se glissaient rapidement vers les lavabos. Vous en plan. La queue raide.

J'avais appris à me méfier de ces pucelles maniaques comme de celles qui avaient mis au point la manière de vous échapper quand il devenait clair qu'il leur faudrait régler la note. Sacré régiment de pouffiasses l'un dans l'autre!

Sicelli, qui les connaissait par cœur, me signalait dans le tas du haut de son estrade les chaudes-pisses présumées ou garanties en me les désignant du doigt, ostensiblement, sans plus de précautions qu'un toucheur de bœufs à la foire du village.

A l'entendre, il en avait marre des femmes, c'était toujours le même système, manquait d'imprévu, un con en vaut un autre et qu'est-ce qu'on a après ces salopes pour leur filer le train de la sorte? On sait pourtant bien ce qu'on va trouver, ni un chandelier à sept branches ni une écumoire émaillée, mais bel et bien un petit con, un simple petit con de rien du tout, c'est-à-dire quoi en définitive : un trou dans de la barbaque. Merde, il y a de quoi s'arracher les cheveux. « Tiens, vise la blonde là-bas, rondouillette, un cul comme ça, tu le verras quand elle se lèvera, je l'emmène chez moi demain matin, c'est d'accord, quand j'aurai fini de tirer sur mon boudin. Tu sais, je m'emmerde *vraiment* ici à jouer toutes ces conneries pour une bande de pinocheux. Tu as du pot, toi, dans ton genre. Et ce bouquin, ça avance? Tu as vu Wierne ces temps-ci, qu'est-ce qu'il branle, quoi, il s'est fait moine, on ne le voit plus, tu sais, j'ai peint un truc la semaine dernière, ça ne ressemble à rien, je crois que c'est pas mal, faudrait absolument que tu viennes chez moi un de ces jours, il y a longtemps que tu n'as pas vu ce que je fais. Saloperie, il me semble que je peindrais du matin au soir si je n'étais pas obligé de venir ici me crever dans cette boîte. Et toi, tu baises ce soir, quelqu'un en vue ? Faut quand même pas se laisser rouiller les couilles, quoi ! c'est ce que je répète tout le temps. Mais elles sont trop connes, je me suis fait un drôle de mouron avec Janine, Janine, la grande, tu vois qui je veux dire, à me coller comme un emplâtre. Elles me font chier toutes autant qu'elles sont. Allez, à tout à l'heure, le patron va m'engueuler, il faut que j'y aille. Donne un coup d'œil à la brune qui est assise dans le coin, si ça te botte, elle est de première à la pipe... »

Et effectivement, moins d'une heure plus tard, j'étais adossé au mur d'une des cellules des cabinets, la brune accroupie devant moi, l'organe en bouche.

Sortant parfois pour respirer et retrouvant sans transition la rue vide et calme, le silence, la nuit, une petite pluie reposante, les fenêtres éteintes, en songeant à tous ces gens endormis depuis longtemps, aux centaines de ménages sans histoire, le couvre-pieds piqué soigneusement étendu sur le lit, le réveil remonté, les savates sur la carpette, l'armoire et ses piles de linge, les vêtements pliés sur une chaise, je me demandais en souriant à quoi rimait ce que nous étions en train de faire, tous, là-bas en bas, dans le fournil surchauffé cacophonant de musique absurde.

N'eût-il pas mieux valu reprendre le chemin de l'hôtel, les mains dans les poches, humant l'air de la nuit, l'esprit clair, propre, et vivre demain et les jours suivants sur le modèle standard ? Une femme, une maison, un ou deux gosses. Jusqu'au cercueil. Apparemment que Dieu m'a joué un sale tour en me branchant le sexe et la cervelle sur le même accumulateur. Pour moi, il est hors de doute qu'à un moment donné il me faut revenir à mon point de départ, couché à plat ventre sur le corps d'une femme ramassée dans un dancing ou ailleurs, fourrageant entre ses cuisses soulevées, la queue en marche mais le reste absolument détaché, bien las, bien vide, essayant de comprendre comment il se fait que c'est toujours la même chambre de passage, le même lit fatigué, les mêmes gestes et les mêmes mots sans saveur, toujours la même femme, à une couleur de cheveux près, qui se trouve bêtement étalée en travers du lit comme une figurante de fin du monde, s'évertuant à l'amour avec un étranger sans savoir exactement pourquoi. Car, pour elle aussi, les issues sont impraticables. Et le fait de suivre quelqu'un pendant quelques heures dans une chambre, de se dévêtir et de procéder ensemble, pour finir, à un brin de toilette hygiénique devant la glace d'un lavabo d'hôtel n'est qu'une épreuve comme une autre dans le but d'échapper au moins momentanément au sentiment de désolation qui, quelquefois, vous envahit jusqu'à vous submerger. Moyen facile de renier sa réalité frelatée avec un gai désespoir de soi. Même si l'illusion a fait son temps, même si l'on est arrivé chacun de son côté à cette pauvre constatation que le sexe et ses labyrinthes morbides ne conduisent nulle part, ne peuvent élucider quoi que ce soit, parce que, chaque fois, au dernier moment, il y a *quelque chose* qui vient à manquer et gâche tout. On passe à un doigt — autant dire l'abîme — d'une vérité qui vous eût peut-être permis de voler en éclats, d'être métamorphosé en archange triomphant ou simplement en honnête père de famille assis le soir à la grande table de cuisine au milieu des enfants, distribuant à la ronde le pain terrible de la soumission. Même dans l'éventualité où

Christ au visage déchirant vous attendrait personnellement derrière la porte de la chambre dans le couloir de l'hôtel pour vous inviter à pleurer avec lui les larmes douces de la repentance, personne n'y peut rien, c'est sur le thème de l'hallucination sexuelle que fonctionnent l'attirail humain et ses destinées branlantes dans l'enceinte d'une excroissance fiévreuse où il n'est d'autre ressource que tourner en rond sur soi-même. *Ad nauseam.*

Tort ou raison, quand la voix de la chanteuse d'orchestre me parvenait, assourdie, par le soupirail de la rue, je redégringolais l'escalier quatre à quatre, comme halé à distance par la modulation vocale, chant fébrile de l'insecte en chasse d'amour. Sachant pertinemment ce que j'allais chercher, ce que je voulais voir et revoir chaque fois, ressentir à tout prix. M'emplir la mémoire et les sens de l'atmosphère adipeuse d'une petite salle bondée en proie à l'envoûtement érotique, flanchant peu à peu, vacillante, esquintée de désir brut devant une femme à demi nue qui se dandinait sur place, esquissait les bourrades de l'amour, elle frissonne, les soubresauts, elle tremble des épaules, ces épaules lisses, satinées de fond de teint ocre chair, les yeux se ferment, sa tête se renverse, cheveux pendants, les seins tendus vers des mains inexistantes qu'ils implorent. Puis elle revenait à elle. Émanant des buées du philtre. Belle. Entièrement belle. Provocante et imprenable. Un sourire d'arrogance effleurant les lèvres. Femme comblée qui affronte la foule en sortant des bras d'un homme. Et la voix roulait, râlait, égrenant à chaque note des guirlandes d'ovules diaprées. Voix de quinine. Élégiaque et sordide. Qui n'émettait rien de plus qu'un long cri roucoulé. Toujours le même. Voix puerpérale, voix scarlatine titubant contre les montants élastiques dans la cuve de la gorge.

Hébétés comme sous le narcotique puissant, les hommes assistaient à cette autopsie génitale et recevaient le message transmis, les yeux éclairés par les reflets piquants de lumière. Monde fauve à l'affût. Bizarre et cruel. Cérémonie d'initiation. Entre le rire et les larmes. Il aurait suffi d'un incident, qu'une fille pique une crise ou que quelqu'un fonde en sanglots, pour que la tension craque et que le sang se mette à couler. La folie en robe blanche cheminait d'une table à l'autre, doucement exacerbée. Sur les nerfs, moi-même, je ne me lassais pas de contempler. L'obscurité, les gens entassés, debout, autour des tables, devant le bar, contre les murs, au pied de l'estrade. La macération de la chaleur à couper au couteau. Les couples serrés sur leurs chaises, attachés ensemble par les bras et les jambes. Une tête d'homme, une tête de femme, jointes, bêtes étranges, partout, tout autour de cette arène tuméfiée. Un seul projecteur rouge braqué sur l'avant-scène comme une lune d'eau polluée et, au centre de la flaque, la chrysalide femelle dans son fourreau noir pailleté jetant des grappes d'étincelles qui rendaient mouvant chaque relief du corps. Hanches arrondies. Le dos nu. Les cuisses. Le ventre plat. Elle répétait sans cesse les mêmes gestes. Ses deux mains blanches et fines contournant la base des seins, lentement glissées, appliquées, insistantes, jusqu'à ses cuisses qu'elle caressait ensuite longuement comme un homme aurait pu le lui faire avant de l'écarteler sous lui. Les traits empâtés de plaisir. D'un plaisir gras, vulgaire. Presque féroce. Trop évident. Ça passait dans la salle comme un fluide, une décharge de haute tension. A la fin de l'exhibition, d'un seul coup, les types explosaient, tous ensemble, libérés, gueulant, sifflant, intenables, les quolibets obscènes rebondissant autour de l'autre graine de putain qui continuait de saluer sur sa malheureuse estrade, seule, insolente, altière dans ce décor crasseux, face au tumulte qui était son œuvre, qu'elle soutenait, heureuse, belle, dans une attitude de défi, sensuellement agressive, prenant tout son temps pour juger à l'ampleur du tapage de l'effet qu'elle avait produit. A ce moment-là, excités comme ils l'étaient, pas un type dans la salle n'eût refusé de bondir sur l'estrade et d'aller la cuisiner publiquement. Dommage que ce finale n'ait pas été inscrit au programme. Il s'en serait suivi un pugilat monstre où chaque femme aurait eu sa part et plutôt deux fois qu'une.

Quand les lumières se rallumaient, on éprouvait l'impression malsaine d'avoir assisté à un soliloque ventral et finalement d'avoir été blousé sur tous les tableaux. L'orchestre enchaînait sans délai. Sage précaution, car il suffisait de prendre le pouls de la salle pour se convaincre qu'un temps mort un peu trop prolongé eût inévitablement provoqué le branlebas.

Ne restait plus qu'à se frotter furieusement au son de la musique contre la première fille qu'on empoignait. Un bon moment avant que ça se tasse, pendant lequel le dancing tout entier tanguait bord à bord, boulé par la tempête silencieuse avec ses accessoires, sexes mouillés et gamme testiculaire. Instant favorable entre tous pour suggérer à la fille serrée contre vous d'aller prendre l'air en vitesse.

Dès que je le pouvais, je me faufilais jusqu'au bord de l'estrade où Sicelli était assis sur sa chaise, l'accordéon en bandoulière. Il faisait signe aux musiciens de continuer sans lui, s'épongeait le front, me demandait une cigarette qu'il allumait à la mienne et, après la première bouffée, il embrayait sur la chanteuse qu'il essayait de s'adjuger par tous les moyens depuis des mois, se donnant un mal de chien avec elle, en pure perte. Il l'avait même baladée toute une nuit, sans compter, quoi ! j'ai mis le paquet, ça me faisait mal de griller tout ce fric à cause d'une poule, mais à force de picoler un peu partout et de lui montrer ce que j'étais capable de faire pour elle, je me disais qu'elle finirait bien par se réchauffer. Je ne sais pas comment elle est fabriquée, il y a quelque chose qui ne va pas. Une poule qui sirote toute une nuit à tes frais et qui te laisse tomber quand elle en a marre, elle veut rentrer, elle est fatiguée, il faut lui trouver un taxi, elle a mal à la tête, elle doit dormir parce qu'elle chante le lendemain, bon, toutes les salades qu'elles vous sortent pour ne pas se déculotter. Elle chante, tu parles ! Avec son cul elle chante ! Tu l'as vue ce soir ? C'est son plaisir ou quoi ? Elle va finir par se branler en public ! Ça me rend malade. Vous, vous la voyez d'en bas, mais moi je suis là, derrière elle, son cul sous le nez. L'autre jour, en quittant la boîte, elle a eu beau rouspéter tant et plus, je suis monté à côté d'elle dans le taxi. Pas plus tôt en route, je fais ni une ni deux, je le sors et je le lui colle dans la main, comme ça, sans un mot. Je lui attrape la main et je le mets dedans. J'avais pensé à ça toute la journée. Tu sais ce qu'elle a fait ? Elle l'a tenu dans la main jusque chez elle, mais sans bouger seulement le petit doigt, comme si c'était un simple trousseau de clefs que je lui avais refilé. Tu vois le genre ? Une poule qui a le culot de te le tenir sans broncher pendant vingt minutes et, après ça, de te serrer la main devant sa porte comme si tu sortais d'un enterrement. Elle est folle, tu ne crois pas ? Je le lui ai dit l'autre jour. Elle s'est mise à rigoler. On se demande toujours si elle pige bien ce qu'on lui dit. Ça fait un bout de temps que je lui débite toutes sortes de saloperies quand je suis un moment seul avec elle, tu me connais. C'est comme si tu parlais à un nougat. Tu as vu ce creux qu'elle a dans les reins, c'est ça qui me remue quand je la regarde, un creux et puis les fesses qui rebondissent. Est-ce qu'elle ne s'est jamais fait tromboner ou quoi ? Si elle était pucelle, à son âge, dis, et avec ce tempérament ! Nom de Dieu, faut pas que j'y pense ! Je me demande comment il doit être. Je me fais des tas d'idées là-dessus. Je l'ai tellement imaginé que si, à la place, elle avait un oignon de tulipe, ça ne me ferait ni chaud ni froid. Tu as déjà vu un oignon de tulipe ? Et je vais te dire, de sa part, ça ne m'étonnerait pas. Tu as une minute ? On va faire la pause, on ira en boire un au bistrot d'à côté, j'en ai marre d'être là-dedans, on étouffe. Va chercher la blonde en m'attendant, tu lui dis que c'est moi qui t'ai demandé de danser avec elle.

Ce soir, comme n'importe quel soir de la mémoire. La vie reste en épreuves négatives dans la lanterne magique. Et quand arrive le jour où l'on sort de chez le médecin avec, dans la poche, le diagnostic d'une artério-sclérose ou d'un sang empoisonné d'urine, voulez-vous me dire, braves gens, ce que ça signifie en plus ou en moins ? Peut-être juste l'espoir de vous en tirer enfin avec les honneurs de la guerre. Ni fleurs ni couronnes, de grâce !

Et que dois-je faire, moi, faible innocent qui suis l'ami des oiseaux ? *Des heures supplémentaires*. Mettre la main à la pâte. Comme les abeilles, qui sont si sages, bouchées au point de ne pas rester peinardes à se griller au soleil de Dieu en se gavant de leur miel.

Mais vous voyez la vie tout de bisangouin, mon jeune blanc-bec ! Un coup de pied au cul ne vous remettrait-il pas les vertèbres en place ? Si vous croyez... J'en ai déjà tant reçu de toute espèce ! Je n'aspire plus qu'à vous les rendre au centuple selon une méthode personnelle actuellement en cours de perfectionnement.

D'abord, que je me présente : *Petit Germe dans l'Œuf.* Je suis le passant d'un jour. Sceptique et méprisant. Moi. Et hors moi, rien. Me soucie autant de votre monde de vieilles filles pudibondes et de ce qui peut lui advenir que de la crotte du clébard dans la rigole. Qu'on en revienne au temps des grottes ou que l'on continue de s'escrimer afin de parachever la forteresse fonctionnelle, ce sera toujours troglodytes et compagnie. Après ce monde, un autre, ou sinon le règne des araignées marines. Après le déluge, le déluge, et sous les eaux fétides du déluge, la terre fertilisée, ainsi soit-il ! Laissez-moi roupiller en paix. Je me mettrai à ma fenêtre le jour des funérailles cosmopolites. Pour bien jouir de la vision. Voir passer la dépouille de l'horreur sur son grand chariot, fleuri de vos chers cadavres, enfants, parents et amis. Parions que derrière le convoi mortuaire il se trouvera encore un débris de mutilé pour brandir le drapeau avec le plus grand sérieux. Baraques, bitume, vitrines, bagnoles, tout cela tient debout, il faut en convenir. Même le ciel. Et la lune dans le ciel. Imaginer que je puisse contempler cela de là-haut. Ça donne quoi ? Dans la ville ovipare. Martel. Scrabouille. Bouillie. Papier d'argent. Monnaie fictive. Chambre humide de l'estomac géant en déglutition perpétuelle. Ville burin. Tonnes de fonte. Verreries. Fours à plâtre. L'étincelle allume l'œil aveugle. Glandes cuites. Terre noire. Cobalt. Feu fou furieux des machines-outils. Cuves d'acide. L'étincelle allume un fragment du cerveau malingre. Magnétos. Manganèse. Chair des alliages. Tout bouge. Prend vie. S'anime. S'étire. S'incarne. L'étincelle allume l'âme de la forme statique. Mouvement secret du souffle. Air radioactif. Le sol vibre. Trépigne. Fusées. Cratères. Corps brûlés purulents. Crémation des squelettes. Hommes masqués. Scaphandres de la peur. Carbure. Inquart. Et coliques de plomb. L'étincelle allume un lac de gelée rachidienne. Flaque coagulée. Scorbut. Lupus. Polio. Mâchoires déchaussées. Tout bouge. Crie. Saigne. Se lève. Roule. Sort. Avance. Engrenages mâles et femelles. Acier dur. Limaille. Décapant. Polissoir. Mèches tournantes. Les cheminées rouges pleurent, dégoulinent la suie grasse. Carie noire de la calotte terrestre. Électrolyse. Croix de ferraille. Le monde vêle. Par le sexe de Dieu déboutonné. Un ange de laiton nouveau-né tend sa bouche affamée vers les mamelles taries. Tout bouge. Assassine. Mange. Mastique. Défèque. Bulles jaunes du compost ferment. La ville éventrée tourbillonne au courant de l'éternité. Cadence chétive des chronomètres. Secondes. Minutes. Le temps rétrécit. Solitude. Heures mortes. La dernière étincelle s'est consumée en nous depuis si longtemps déjà. Je remarque en passant la grosse horloge lumineuse de la gare qui calcule des heures astronomiques dans un système périmé. Bien qu'il ne soit jamais que l'heure nauséabonde du retour à soi-même. *Il faudrait être fou et ce n'est pas facile*. Deux filles assises sur les tabourets d'un bar près de la vitre. Mannequins abandonnés dans le déménagement. Rigides. Les bas. Les genoux comme deux taches blondes sous le rebord de la jupe. Elles se donnent la peine de me balayer du regard. Simple coup de sonde. De retour dans ma chambre je repenserai peut-être à vos nichons cavaliers si hardiment bandés sous le tissu. Peut-on faire le compte de toutes les femmes plus ou moins inconnues pour lesquelles on s'est branlé dans sa vie ? Si on les retrouvait et qu'on le leur dise de sang-froid ! Vous, à cause de votre démarche, vos fesses balancées dans la robe de jersey que vous portiez ce jour-là, vous parce que vous restiez assise les jambes croisées si haut qu'on apercevait la fin du bas tranchant sur la peau blanche de la cuisse, à cause de ce mouvement des lèvres que vous renouveliez chaque fois que je posais les yeux sur vous, à cause de nos corps qui se touchaient sur la plate-forme d'un autobus, à cause de moi et de cette détresse ardente que je porte, enracinée en moi, de ne pouvoir vous obtenir toutes. Vos corps, mais aussi bien plus que vos corps. Votre trouble. *Ou ce qui me trouble en vous.* Le viol de ma propre imagination. Pensent-ils à la même chose les quelques rares types que je croise sur mon chemin ? Ne peuvent pas rentrer eux non plus. La piaule vide. Mégots dans le cendrier. L'odeur macérée de la cendre froide. La chemise raccommodée qui pend à l'espagnolette. La cravate sur le dossier de la chaise. Quelques cheveux dans la cuvette du lavabo. Le lit pas fait. Sous le lit la paire de chaussettes sales. Un bouquin ouvert, à plat sur le marbre de la table de nuit. Bouquin de quoi, de qui ? Si j'écrivais tous les soirs au lieu d'aller traîner ma bosse ? Mais c'est plus fort que moi. Je sais, je sens que la vie circule au-dehors, et rien ne pourrait me retenir de sortir. Et demain ? Après-demain ? Dormir le plus tard possible, bien entendu.

Demain, c'est dimanche. Jour de merde par excellence.

Dimanche.

Le patron de l'hôtel me fait demander. Puis-je descendre ? Il voudrait me parler. Je m'en doute. Il y a plus de dix jours que la note traîne sur ma table. J'aurais dû lui en toucher un mot le premier, par délicatesse, pour le rassurer. La femme de chambre qui est venue me faire la commission me regarde apitoyée. Ne vous retournez pas les sangs, ma brave dame ! Ça devait finir par là. Nous y sommes. J'aime presque mieux ça. Allez lui dire que j'arrive immédiatement. S'il me fout à la porte séance tenante, ce qui est parfaitement son droit, où vais-je encore m'aventurer ? Ce sera comme les fois précédentes. Je m'en irai léger, flairant le vent.

Le taulier est au pied de l'escalier.

A son air affligé, je traduis qu'il n'a pas l'intention de se montrer coriace. Nous entrons dans la cuisine. Il semble plus gêné que moi. Bedonnant. Rondouillard. L'œil bleu vague sous le sourcil roulotté. D'un ton conciliant, tout de suite. A une certaine sympathie pour moi et comprend fort bien ce qui se passe. Il ne m'en veut pas. C'est un homme calme, attentif. Qui voit un peu plus loin que le tiroir-caisse. Malheureusement, l'hôtellerie n'est pas lucrative et chacun doit défendre son croûton. Il me propose une semaine de sursis et, s'il ne se présente rien de neuf pendant ce délai, nous nous séparerons quand même bons amis. Son gosse joue avec ses soldats de plomb alignés en rangs sur les rayures de la toile cirée.

Au lieu de me démolir comme je m'y attendais, cette conversation d'homme à homme aurait plutôt l'effet contraire. L'émotion me monte à la gorge. Je voudrais lui dire que ce qui est important, c'est qu'il se soit adressé à moi avec confiance. *En laissant la porte ouverte*. Je me promets de passer en personne lui remettre mon livre si le miracle de la parution se produit avant que nous soyons tous deux à dix pieds sous terre. Ce jour-là, nous trinquerons ensemble et nous pourrons même aller casser la graine au restaurant de la rue où, par parenthèse, le cuistot italien fricote le lapin comme personne. Hypothèse qui suffit à me ramollir la veine sentimentale, telle est ma nature.

Je broche sur le thème en réintégrant ma piaule là-haut au sixième. Comme si tout était rentré dans l'ordre et le lapin déjà servi sur la table dans sa cocotte de fonte, odorant de bonne sauce au thym. Les gestes d'affection qu'on aimerait faire, sur le moment, pas le lendemain, pas dans dix ans, tout de suite, quand le cœur y est. Dire à cet homme simple : « Vous m'avez fait du bien en me parlant de la sorte, je ne l'oublierai plus. Alors, venez, je vous invite, nous allons partager le pain et le sel, je suis sûr que nous pouvons nous comprendre et que l'heure que nous passerons ensemble autour d'une table sera aussi profitable à l'un qu'à l'autre. Que diriez-vous du civet de l'Italien ? »

Ceinture en guise de civet. Un sandwich ce soir et au mieux un autre demain. Je cherche du doigt dans le cendrier. Les mégots ont presque tous été rallumés plusieurs fois. Chaleur à crever sous les toits. La flotte ne va pas tarder. Je me mets à la fenêtre. Le ciel comme une éponge noire. Pas le moindre filet d'air. Atmosphère en suspens. Ça rabat une lumière terne sur la rue, sur les façades grises des immeubles d'en face. Quelques pauvres fleurs aux fenêtres qui se dessèchent dans des caisses. Le crépi s'effrite. Pisseux, un trou rogné comme un chancre en travail sur le mur devant moi. Une conduite d'eau qui fuit, la mousse de crasse et de savon s'est accumulée à la jointure, bourrelet moisi. Dans la maison à côté, il y a un corniflot qui a trouvé le moyen de cadenasser deux canaris dans une cage accrochée à son volet. La nature à domicile. Ils sont là, torves, paumés sur leur perchoir, les plumes ébouriffées. A quoi pensent-ils, à quoi rêvent-ils dans leurs crânes minuscules? Au rouge déclin solaire de leurs îles natales, à la grande paix de la mer languissante, aux forêts chaudes de leurs ancêtres. Ils pensent peut-être qu'ils ont la croûte assurée et que ce n'est déjà pas si mal. Si je trouvais quelqu'un qui me donne un perchoir et ma ration de millet! Pour ne pas être en reste, je lui réciterais tous les matins, de ma voix la plus harmonieuse, un petit couplet du Dante : *Mi trasse Beatrice, e disse : mira - Quanto è il convento delle bianche stole!* Ça remplacerait avantageusement n'importe quel oiseau des îles. En plus des graines, aurais-je droit aux cigarettes?

Vapeurs de chaleur par bouffées. La rue s'assombrit. Temps cafardeux. *Clamez, chantez votre joie, ô vous toutes, créatures, c'est le jour du Seigneur!* Où est-Il, celui-là? Déjà un moment qu'on ne L'a pas aperçu dans les parages. Doit faire comme tout le monde. Doit bouffer. Il est midi. Le bide, c'est sacré.

J'en vois quelques-uns en plongée par les fenêtres ouvertes. Les hommes en chemise blanche. Les femmes vêtues légères. Serviettes sur les cuisses. Leur connerie de radio qui piaille de tous les côtés à la fois. Ils n'ont pas le plus infime soupçon de ce qui se passe en eux, mais ils veulent savoir ce qui se trame dans les cinq continents. Si on a bien fini de zigouiller les derniers hommes de couleur et si la star a eu ses règles ce mois-ci, comme prévu. Une mention spéciale pour la reine du Tipikanga en balade avec son promis dans les Shetland du Sud. S'en foutent plein la lampe, les salauds du troisième. Sont six à table. J'en vois six qui se passent les plats, ingurgitent et se torchent la bouche. La reine aussi doit s'engober. Turbot suprême, salade de truffes. La vie en patins à roulettes. Ils me donnent faim de les voir manger. Ce qui me ferait plaisir, moi, c'est un aloyau. Piqué à l'ail avec une montagne de frites autour. Je pourrais tenter de me faire inviter ce soir chez quelqu'un que je n'ai pas torpillé depuis longtemps. Téléphoner maintenant en prévenant que je passerai les voir. Ils prétexteront que c'est dimanche, qu'ils sortent ou qu'ils ont de la famille. Pourtant, qu'est-ce que c'est qu'une assiette de plus, bon sang ! Les gouttes s'écrabouillent sur les toits comme des boules de gros raisin. Le ciel opaque. Ce que je donnerais pour que ce soit une inondation générale ! Et cette fois, faites gaffe, pas une seule ridelle, pas le moindre clou, ni arche ni radeau ni rien qui tienne l'eau. Tous au jus ! Par asphyxie, en groupe, en masse, le riche, le pauvre, la tasse finale, tous les trésors du muséum, la grande musique et le chewing-gum, au bouillon, noyé, bouffi, avec la placide bénédiction de ci-gît l'Éternel nourri de rognures d'âmes. Surpris en pleine déglutition, mes bons voisins. Six en détresse au milieu des écuelles flottantes et des peaux de crevettes du dimanche. La radio à la remorque, miaulant toujours obstinément ses trilles d'amour. Et la reine du Tipikanga, qu'en fait-on ? A la mer ! Les grands de ce monde ne doivent-ils pas rester stoïques et donner l'exemple dans l'adversité ?

Pluie roulante. On ferme les fenêtres en face. Une femme encore jeune. Dans les trente-cinq. Robe décolletée. Nichons potables, d'après le peu que j'en vois. Je lui adresse un clin d'œil, par pure distraction. Elle hoche la tête et pousse les deux battants. A quoi va-t-elle penser maintenant en retournant à la table de famille saucer son pain dans le jus du rôti ? Il y a une chance qu'elle s'arrange pour repasser exprès devant la fenêtre. A force d'être tous les six, du début à la fin de l'année, le cul sur la chaise à s'empiffrer de victuailles chaque dimanche, ne lui viendrait-il pas à l'idée de déraper dans un virage ? Je ne déloge pas. Rien en vue. Poule conjugale. Digne et fidèle. Si c'est son goût...

La pluie gicle. Tiédasse. Un après-midi entier à tirer dans cette piaule exiguë. Je me regarde dans la glace de l'armoire. Un peu pâlot, mais en revanche tous les indices d'une bonne santé. Faudra que je me rase. Ça m'occupera un moment. Lire ou écrire. Lire quoi ? écrire quoi ? Dans moins de huit jours à la porte, sans domicile.

Je m'étends bravement sur mon lit défait. Le drap est frais en comparaison de la température ambiante. Cette saloperie de robinet qui fuit goutte à goutte. Les yeux en l'air, je vois ma valise glissée sur l'armoire. La poignée qui tient à l'aide de ficelles. On a déjà fait pas mal de chemin ensemble. Pas mal d'hôtels. C'est un copain qui me l'a donnée. Feu Ströngen, un Suédois, paix à ses mânes. Je le rencontrais presque chaque soir dans le seul bistrot de son quartier qui consentît encore à lui faire crédit huit jours de suite. M'asseoir avec lui dans un endroit tranquille et l'écouter extravaguer à partir du livre qu'il était censé écrire depuis toujours, cela avait le don de me réanimer et j'en avais fichtrement besoin en quittant l'usine. Ströngen était homme à vous glisser subrepticement dans la conversation courante le nom du petit François d'Assise comme si c'était un copain intime, ou à vous entreprendre sur la décomposition du corps après la mort au moment où vous vous apprêtiez à entamer votre grillade saignante. Le regarder prendre son élan sur la ligne de départ, le suivre au pas de course sur la piste cendrée dans son périple en zigzag ou dans ses brusques plongées par la trappe ésotérique était une vraie régalade de l'esprit. Le grain de poivre sur la langue. Il n'en avait jamais tout à fait terminé avec une impression, une idée, une sensation, un rêve prémonitoire ou simplement avec des détails de sa vie errante. La soirée s'écoulant, il fallait bien convenir avec lui que tout était à remettre en question. L'âpre travail de l'écriture avec son code et ses tripotages, Ströngen les balayait d'un geste large devant lui. Il établissait des plans épars, incohérents, forait dans la masse. Recommençait la même phrase trente fois, quarante fois, foutait tout au panier, se lançait sur une autre idée qu'il avait attrapée au vol en descendant son escalier ou en spéculant sur une fille. Il pondait à toute allure plus de vingt pages dans la matinée et lorsque, le souffle venant à lui manquer, il s'arrêtait pour casser la croûte sur un talus en bordure de l'autostrade, il n'y avait alors que le vide. Jusqu'à l'horizon. L'autostrade elle-même n'était qu'un mirage de plus. Ströngen s'effondrait. Et la toiture du monde avec lui. Dans un grand halo de poussière flamboyante. Au lendemain d'une de ces colossales défaites, j'étais sûr de le retrouver plus pétaradant que jamais, buvant coup sur coup une douzaine d'apéros bien tassés, braillant, gesticulant, prenant pour interlocuteur le garçon de l'établissement, se tuant à lui expliquer que l'écriture n'est jamais qu'une connerie de plus sous le soleil et que lui, Kurt Nils Ströngen, fils des neiges, en avait fini avec ce luxe d'inverti. Pour autant que je sache, il se réfugia en Angleterre avant de disparaître de notre planète. La lettre d'un ami commun m'apprenant la nouvelle de sa mort avait mis des mois et des mois à me parvenir d'adresse en adresse. Lorsqu'elle me joignit enfin, l'enveloppe bariolée de tampons de postes et de rectifications à l'encre rouge, la première idée qui me traversa l'esprit, Dieu sait pourquoi, fut celle de l'état physique actuel de Ströngen au moment où, moi, je lisais calmement cette lettre. Devait rester les os, guère plus. Avec un peu de mousse verdâtre dans les cavités naturelles, narines, orbites, tympans et trou du cul, veux-je dire. *La quintessence du poète.* Éminemment métaphysique comme situation. On ne peut plus shakespearien. Ce que Ströngen lui-même, admirateur passionné du grand Will, n'eût certes pas manqué d'apprécier en d'autres circonstances, par une de ses longues péroraisons sur la mutation des corps, son thème favori, surtout à l'issue d'un bon repas bien arrosé. Pour macabre qu'elle fût, cette idée m'enchanta. La grosse carcasse démantibulée de Ströngen reposant quelque part en terre britannique et probablement enterrée selon le rite protestant et aux frais des contribuables de la région, c'était pour moi une rasade de comique pur. Le premier mouvement de bonne humeur dissipé, je fus tenaillé par la faim et ne vis rien de mieux à faire que célébrer à retardement ses funérailles dans un restaurant devant un ragoût sauce piquante qui était, je m'en souvins à temps, son plat de prédilection dans les jours de liesse. Raison qui m'incita tout naturellement à en commander deux pleines assiettes — pour perpétuer à jamais le souvenir.

Pauvre bougre. Triste fin. Comment finirai-je moi-même et quand ? Ce soir ? Demain ? Dans soixante ans ? Que ce soit la semaine prochaine ou en l'an 2000, par rapport à moi dans le temps qu'est-ce que ça change ? La durée ne modifie pas le devenir d'un iota. Mort en naissant. Naître à la mort. Une enjambée. Inexplicable trajectoire de la mort à la mort. A moins que ce ne soit du fœtus au fœtus. A chacun son heure.

Y a-t-il beaucoup de gens qui s'imaginent morts, le corps allongé dans la caisse, pour tout de bon, roide et froid comme un bout de fer avant qu'on vienne leur clouer le couvercle sur la tête, aux pommes pour le déménagement funèbre. C'est l'ultime fraction de seconde entre vie et trépas qui doit être saumâtre à encaisser. Personne n'a jamais eu le loisir de dire un mot sensé là-dessus. Tout le mal qu'on s'est donné pendant des années. Dans le lac. Foiré. La peau et les os pour tout bagage. Et peut-être une peur atroce de ce qui vous attend au-delà. *Que sera la vie après la mort ?* Et entre-temps, ça a servi à quoi, d'après vous ? *A mourir, pardi !* Pas tellement de différence. Deux manières d'être, tout au plus. Un trou dans la terre et une pierre par-dessus. *Ecce homo !* Regretté des siens qui sont néanmoins enchantés de continuer surtout après avoir vu un mort de si près.

Ne seront pas nombreux, moi, pour me regretter. Ça se bousculera pas aux condoléances. Encore bien heureux si ce n'est pas la fosse municipale. Comment pourra-t-on s'y repérer le jour du partage, les bons à droite, les autres à gauche, l'arme à la bretelle, un numéro minéralogique pour la distribution des auréoles ? On aura bonne mine au bord des trous rouverts, dans le plus simple appareil. Au cas où l'on verrait la pire des vaches recevoir quand même sa récompense, un type qui vous en a fait baver personnellement quelque six cent mille ans plus tôt, sera-t-on autorisé à élever une objection ?

Pour ce qui est de l'heure présente, j'échangerais sans hésiter mon tour de résurrection contre une cigarette. Une cigarette et quelque chose de frais à boire. Avec la fenêtre fermée ça tourne au bain maure. Orage d'amiante. On serait bien au bord de la mer. A faire trempette toute la journée. Nanti d'une mignonne toujours en train, le corps bien net, pas contaminée par la nécessité de vivre. Petit ange romantique des jeunes années. Fille-fleur. Marbre blanc. Avec les veines frêles et bleues sur la saillie du cou. Dans la chambre drapée. Sur la couche d'hermine. Cheveux défaits. L'amour. Mort douce aux effluves de lavande. La brise filigrane empourprée du sel de mer soulève le grand rideau de mousseline qui chavire en ombres prolongées au rythme somnolent des vagues du rivage indécis. Petit coquillage compliqué incrusté sur mon ventre pour le sommeil de la bienheureuse lassitude. Un univers d'amour bourdonne à nos oreilles. Nous reposons dans le long silence des cathédrales, nos deux mains chevillées et nos âmes à nu, protégés et nourris par le personnel stylé du plus gigantesque palace de l'architecture imaginaire. Comme tu es belle, endormie ! Les cloches stalactites de la vieille chapelle espagnole ne te réveilleront demain que bien après l'aurore et tu jailliras, nue, dans l'orbe mouvant du soleil comme apportée sur terre par un grand fond de lames lumineuses. Il ne nous restera plus qu'à avaler le petit déjeuner copieux sous le parasol de la corniche avant de penser à nos déguisements pour le bal costumé du soir. Mais qui, qui se sera cassé les roupettes pour avoir tout ce pèze à flamber ? Mettez une réponse à ça si vous en avez une dans vos tiroirs.

Sans chercher plus loin, un modeste bain serait le bienvenu. La sueur qui perle sous les bras. Je passe mes doigts. Ça sent l'acide. Je ne déteste pas cette odeur. Même chez les femmes. Je devrais me laver, ça me ferait du bien. Flemme de bouger. La serviette qui pend à côté du lavabo est humide et sale. Une par semaine. Le lundi. Demain. Elle sent le moisi. Mon gant de toilette usé jusqu'à la trame. Ils tirent aussi sur le savon. Un petit bout de temps en temps. Gros comme deux doigts. Qu'on n'arrive pas à faire mousser. Ce sont des incidentes, vous me direz. Mon froc qui aurait besoin d'un dégraissage et d'un sérieux coup de fer, mes chaussettes percées à la pointe, le trou dans la molaire et les crises d'hémorroïdes qui vous empêchent de chier, autant de détails, n'en parlons plus. Et on appelle ça vivre !

Le dernier coup de tonnerre fait trembler les vitres. Le déluge, vous dis-je, que j'accueillerai par un rire infernal en les regardant tous se débattre comme des morpions, profitant du fracas pour leur crier deux ou trois vérités que je garde sur le cœur. Après quoi, je ne serais pas autrement surpris que l'ange Picriolle me repasse sa trompette afin de leur jouer un air suivant mon inspiration. Grégorien. En ut majeur. Qui évoquerait l'encéphalite ou l'hyène en rut. Tout indiqué pour le concerto de clôture. Les éclairs liment d'un trait le ciel noir que je vois de mon lit par le haut de la fenêtre. S'il pleut encore quand il faudra que je sorte ce soir pour becqueter, que diable vais-je me mettre sur le dos ? Pas d'imper. Mes pauvres godasses. Je me vois baguenaudant sous cette pisse. Miracle que le taulier soit bon cheval. Comment vais-je m'en sortir cette fois ? Me serre les tripes d'avance. Je pourrais déjà porter mon barda chez Sicelli ou chez Wierne si, par malheur, le taulier venait à changer d'idée. J'ai quelques papiers auxquels je tiens. Puisque c'est cuit et recuit, qu'il faut y passer. Trouver rapidos un boulot. Régime de six heures du matin qui va recommencer. Faire semblant de m'intéresser à leur mécanique et supporter le déconnage autoritaire d'un contremaître. Leur merdoierie de ferraille qui me sort par les yeux rien qu'à me la figurer. S'envoyer les discussions syndicales, je revendique, grande gueule, et puis doux comme une agnelle quand le patron se pointe à la visite. Pour peu qu'il soit homme à donner de la pogne alentour, ça devient un tournoi de lèche-culs apoplectiques au long des travées. Si je connais le topo, vous pensez ! A quatorze piges à peine j'étais à la corrida. On va remettre ça, d'accord. Peut-être que je me suis gouré du tout au tout sur ma personne. Rien ne prouve que j'aie le plus petit talent. Admettons. On me retrouvera pensionné du travail, avec une nombreuse petite famille, les lardons aux joues roses qui éclaireront de la fraîcheur de leurs rires le crépuscule de mes ans. Mon cul ! Je préfère crever sur un banc dans la rue, les encombrer de mon cadavre, que ça les choque une dernière fois.

Ça pue ici, la fenêtre bouclée. La pluie redouble. Rafales contre la vitre. Je me demande s'ils ont rentré leurs canaris. Et pourquoi n'irais-je pas pisser ? Le trajet dans le couloir fera diversion. Je me passe un coup d'eau sur la figure. Temps idéal pour le ciné. Deux heures d'oubli, comme on dit. Il y en a un pas cher dans le quartier. J'enfile mes chaussures. Les lacets pleins de nœuds rafistolés. J'ai brûlé ma liquette l'autre jour avec de la cendre de cigarette. Un petit trou marron juste sur le plastron et deux boutons qui se sont fait la malle. Démuni en chemise. Plus que deux. L'autre est bouffée au col. C'était de la belle came. Du temps de mon lustre avec Nora la fauve. Qu'a-t-elle pu devenir, celle-là ? Ça me fait rigoler.

Appelez ça coïncidence si vous voulez — exactement en sortant de ma chambre, l'oreille encore bercée d'hymnes de la Hollande tulipière, j'ai devant les yeux une fille en peignoir, la porte en face de la mienne. Qu'est-ce qu'elle fout là, elle rentre ou elle sort, nous nous sourions ; brune, un peu olivâtre, les cheveux flous, sans maquillage, la bouche épaisse ; je fais allusion à l'orage, elle tient sa porte entrebâillée, des mules aux pieds qui sortent de dessous la robe, bougrement taillée, me dépasse au moins de dix bons centimètres, elle doit revenir de pisser elle aussi, le couloir est sombre, je pense un instant à la repousser dans sa chambre en la suivant sans autres salamalecs, ça pourrait très bien se faire, mais si jamais elle s'affole et qu'elle ameute l'étage, dans ma situation avec le taulier ce serait le coup de grâce. Je la laisse rentrer.

N'en fallait pas plus à mon petit bonhomme si solitaire depuis des mois. Je le regarde se raidir en lâchant son eau au-dessus de la cuvette. Il se met à y croire comme si c'était fait. Je ne peux quand même pas aller frapper à sa porte. Sous quel prétexte. Lui demander si elle n'a pas un bouquin à me prêter, en voisins. Si elle marchait ? Elle s'emmerde peut-être, elle aussi, par ce temps lugubre. L'occasion fait le larron. Allons, allons, oncle Jonathan, l'idée du bouquin n'est pas si mauvaise en soi. Il se peut que ça colle à merveille. Elle doit être nouvelle dans l'hôtel. Jamais rencontrée. Un gabarit de cette espèce n'aurait certes pu échapper à mon œil perçant.

Et voyez s'il ne s'agit pas proprement d'un chapitre de conte de fées, lorsque le jeune prince Englebert trouve sur la mousse, encore constellée de rosée matinale, la belle inconnue aux pâles couleurs de lis sommeillant dans la clairière, veillée par ses amies les bêtes de la forêt qui font cercle autour d'elle — les lieux, les circonstances et mes origines mis à part, le rapprochement est saisissant. Elle a laissé sa porte entrouverte. Par mégarde, je suppose. Ou à cause de la chaleur. Oh ! dis, grand-papa, raconte-moi encore l'histoire de la belle sultane. Petite poule de mon cœur. Je me sens frétiller comme une jeune ablette ainsi qu'aux plus beaux jours. Une liqueur de feu qui me descend dans les veines. Je pousse doucement la porte. Elle est assise sur son lit. Une cigarette à la main. Elle lève la tête. Nous nous regardons. Elle sourit comme en admettant un fait inéluctable qu'elle aurait elle-même agencé. Elle écrase sa cigarette pendant que je referme derrière moi.

Rien. Pas un mot. Nous nous allongeons mollement. Un de mes ongles s'accroche au tissu du peignoir. Elle gobe, me boit les lèvres, bouche grande ouverte. Sa peau un peu moite. Les cuisses pleines, tendues, muscle animal torsadé par la caresse. Elle me presse contre elle, elle m'enveloppe, me ferme dans des gestes circulaires, des gestes souples, atteints d'une étrange lenteur, d'une étrange indolence, comme si elle avait peine à se mouvoir. Capture des tentacules veloutés. Je m'appesantis sur elle, corps de moleskine, opulent, généreux, qui s'évase pour me faire place, me recevoir et m'absorber. Nous descendons ensemble dans les basses profondeurs des cryptes matelassées du silence. Elle ne se déplace que lentement, écarte lentement ses jambes, sirène échouée, se déplie comme une fleur de serre, enroule sa langue et fléchit son ventre sous ma main avec la langueur d'une anesthésiée. Ses paupières larges sont durement fermées, rabattues comme celles d'une morte. Elle exhale un parfum lourd, un parfum noir, arôme de santal, son corps entier est parfumé, bistre. Je me détache d'elle pour la regarder, femme nue posée sur l'étoffe du peignoir. Elle se laisse contempler, sans un mouvement, ses lèvres ne se sont pas refermées. Elle est d'une ampleur charnelle bouleversante, statue païenne de l'offrande, ses seins alourdis s'inclinent de chaque côté de la poitrine, le ventre étale, orbe d'ivoire. Subitement un désir aigu me prend de cette femme. Entrer et me liquéfier au-dedans d'elle. M'y égarer. M'y éteindre. Elle me couvre de ses bras, me calfeutre, large étreinte maternelle. Nous sommes boutés l'un à l'autre. Encochés. Arme dans l'entaille. Je m'enfonce et elle s'enfonce dans mon corps, transfuge de vie, nous nous dissolvons, elle m'accouche et je tenaille ses chairs, parturients, c'est mon sexe qu'elle pousse en moi, c'est par son sexe que je la reçois, nous sommes portés sur la haute vague, les mers battantes nous brisent et nous caressent, grève coralline de l'entonnoir nuptial, elle m'aspire, rampante, elle me tracte de ses mille bouches venimeuses. Comme s'il ne pouvait en être autrement, notre jouissance se déclenche à la même seconde. Pulpe chaude qui coule d'elle sur nos cuisses, s'arrache de moi, me parcourt, m'égratigne et va jaillir, éclabousser loin en elle. Elle a un cri de déchirement, bref, rauque. Nous retombons, essoufflés, ma tête sur son épaule, joints, ligotés. Inertes.

Ce n'est qu'après un long moment que je trouve la force de remuer, un bras ankylosé sous sa taille.

Elle a les yeux ouverts. J'aimerais avoir une cigarette. Le paquet est sur la table. Il ne pleut plus. Nous fumons à la même cigarette. Je prends sa nuque dans la main. Nous sommes dans cette chambre, le temps n'a plus de consistance, il fait exagérément chaud, je sens son parfum, je croche mes doigts dans ses cheveux, nos corps se touchent, le bruit liquide de la pluie s'égoutte en un endroit quelconque de la pesanteur irréelle, nous sommes tranquilles, nous ne nous connaissons pas. Nous pourrions être morts. Il n'y a pas de raison pour que cet engourdissement ait une fin. Nous regardons au-dessus de nous, le plafond terne, taché, des mouches qui avancent par saccades. Nous appartenons à ce petit monde cylindrique ossifié d'un après-midi de dimanche pluvieux. Tout se passe comme si nous avions déjà vécu ailleurs ce long apaisement et que, pendant tout le temps de notre éloignement, nous n'ayons fait que nous préparer à le renouveler dans nos mémoires. Rien de plus naturel à ce que nous soyons allongés côte à côte. Je l'entends respirer. Je mords une mèche de cheveux entre mes lèvres. Quelqu'un referme la porte de l'ascenseur dans l'hôtel. Des voitures passent, le caoutchouc des pneus chuintant sur le goudron humide. L'agitation du dehors ne nous concerne pas.

Désormais, notre vie a les murs de cette chambre pour limites. Il s'établit entre nous une entente calme, reposante, étonnante. Les choses vont être simples maintenant. Vêtue chaque jour de ce peignoir de soie, elle marchera autour de moi en évitant de faire du bruit pendant que je travaillerai à mon livre. Je la regarderai aller et venir sans qu'elle s'en aperçoive. Nous aurons faim, ou envie de voir des gens, de faire l'amour tout un après-midi, d'aller au spectacle, de bavarder d'un livre ou de nous taire. Elle lavera ce grand corps brun et j'irai l'embrasser, poser mes lèvres sur ses épaules mouillées, frotter mes mains à sa peau savonneuse. Je l'aiderai à passer sa robe, elle se peignera, elle se maquillera devant moi, nous nous verrons dans la glace, elle me demandera si j'ai envie d'elle. Je noterai ce qu'elle me racontera de son enfance, de son passé, ce qu'elle me dira de moi, des phrases éparses ou parfois une de nos conversations en entier afin d'écrire sur elle, plus tard, quand nous aurons passé des années ensemble, la faire revivre, telle qu'elle est aujourd'hui, un dimanche entre les autres, nue contre moi. Je sais qu'en m'écoutant lire ces pages qui lui seront consacrées, elle sourira, curieuse et douce, et qu'à la fin elle viendra passer ses bras autour de mon cou, debout derrière moi, et me dire d'une voix troublée que cela ne lui ressemble pas.

Je prends sa main qu'elle serre sur la mienne comme si elle prévoyait que nous allions sombrer et qu'elle veuille me retenir ou m'entraîner avec elle. Ce geste, je ne sais pourquoi, me crispe le cœur. Il faut, moi aussi, que je me cramponne à cette main de toutes mes forces.

C'est elle qui dit d'abord quelques mots. Sa voix que j'écoute. Basse. Caverneuse. Nos paroles ont du mal à s'enchaîner entre elles. On dirait que nous recherchons le vocable d'un très ancien dialogue su par cœur autrefois. Je la questionne brièvement. Non, elle n'habite pas ici. Elle repart demain dans la journée. Nos mains s'étreignent. Une mosaïque compliquée se disloque brutalement en moi. Alors, le flot me monte aux lèvres, que je suis incapable de contenir. Je serre cette main et je parle, sans reprendre souffle, comme si j'étais en train de me vider de mon sang. Ce que je n'ai dit à personne pendant un nombre incalculable d'années, désarroi, peur de moi-même, ces élans de rage qui me poussent vers le papier, mon orgueil, le principe de ténèbres qui est le mien et contre lequel il est inutile d'essayer de se défendre. Elle m'écoute sans bouger, sans m'interrompre. Le soleil qui fait sa réapparition placarde la découpe de la fenêtre sur le panneau du mur près du lit. Le silence succédant à la sorte d'hémorragie que je viens de m'offrir, je me sens extraordinairement bien et détendu. Plane. Comme après douze heures de sommeil. Je devais avoir un rude besoin de cette saignée. Maintenant, je pourrais me lever, dire au revoir à cette femme, traverser la pièce d'un pas égal et aller me balancer par la fenêtre du haut des six étages.

Le soleil la couvre. Vernis d'or oblique sur la couche de peau prunelée. Si elle vivait avec moi, je sais que je n'aurais jamais fini de désirer cette femme. Nos sangs s'appellent, liés, ensorcelés par un charme obscur. Nous devions nous rencontrer un jour. Appétit physique de sa présence. J'aurais sans cesse besoin de la toucher, de me référer à son corps. Elle est belle comme un arbre. Chargée. Pesante. Racines de ses membres lourds. Conçue pour la fécondation. Je la caresse du plat de la main, la main appuyée à elle, son cou, les épaules, la rosace des seins, ma main roule, circule sur son ventre, je referme les doigts, poignée du sexe fort bourru de poils, je remonte ses hanches, l'arc creux de la taille, j'enfonce mes ongles, elle tressaille, elle se laisse palper, admirer, tenir entre les doigts, force majestueuse au repos. Elle est la forme ovulaire de la vie. Il me paraît absurde de l'imaginer autrement que seule, venue à ma rencontre par des détours embrouillés, avec des haltes de plusieurs années pendant lesquelles il était naturel qu'elle m'oubliât, se remettant toujours en marche dans ma direction, exténuée de me chercher trop longuement — et elle est là, je l'ai prise, et elle sait qu'elle est arrivée. Elle tourne la tête vers moi. Ses yeux sont calmes. Très noirs et très graves. Nous nous regardons de l'intérieur de nous-mêmes. Le soleil tourne dans la chambre. Clarté de poussière jaune pâle, irisée, qui annonce le soir. Nous rapprochons nos lèvres, elle jette sa bouche, l'écrase, comme le doigt sur la détente fracasse d'un coup la cervelle. Nous nous unissons des lèvres sans nous embrasser, nos regards tendus sur la même corde invisible. Je n'ai qu'une envie, lui demander de rester, la retenir. C'est ce que je lui crie en moi avec une force intense, ce que hurlent mes lèvres collées aux siennes, mes yeux posés devant les siens. Reste. Je ne sais pas ce qu'il adviendra de nous, mais reste. Pourtant, et nous le savons, nous sommes déjà résignés. Nous essayons d'arrêter une minute parmi d'autres. Un aspect de cette minute. Ses yeux immobilisés sur moi, son front et quelques cheveux qui retombent seront accompagnés dans le souvenir par le petit cercle de soleil qui brille sur la tapisserie derrière sa tête. La violence qui nous tenait ainsi suspendus se relâche soudainement. Elle comprend comme moi que c'est maintenant qu'a lieu notre séparation et non pas dans une gare quelconque si je l'accompagne demain quand elle partira.

Je la recouvre de son peignoir. Elle me demande d'aller lui chercher une cigarette.

Je m'attarde contre le coin de la fenêtre. Le ciel a des reflets mordorés mélangés d'ombre. La pluie a séché sur le toit d'en face. Il doit faire bon dans la rue. Il me semble paradoxal de rentrer à nouveau, sans secousse, dans cet assemblage d'immeubles, de fenêtres et de toits. Solide, tout ça. Durable. Vous attend de pied ferme pour vous démontrer surabondamment qu'il n'est rien arrivé. Je n'ai qu'à ouvrir la porte, franchir le couloir, deux pas, et je me retrouverai dans ma chambre. La vie vous tire en arrière, d'une immuable précision. Je serai gêné tout à l'heure en sortant sous l'œil du patron. Il y a d'interminables histoires d'argent, de vêtements, de souliers, de logement, de dettes, de nourriture. Comment inventer le moyen de passer outre, même pour une femme, quand le monde est pourri de ces histoires-là ? Il faut bien se résoudre cent fois par jour à se reconnaître soi-même au niveau pratique de la vérité encombrée d'un tas de gens pleins de mérite qui luttent courageusement contre eux-mêmes et vous écoutent sans comprendre un mot de ce que vous voulez exprimer. Avoir pu penser à garder cette femme me frappe tout à coup comme la marque d'une folie pitoyable. Debout dans l'encoignure de cette fenêtre, avec le soir qui vient, j'ai l'impression de m'émietter, d'atteindre tout doucement l'extrême acuité de la tristesse, de la désolation, le bout de la solitude. Un vent glacé me balaie. Il y a un oiseau, là-bas, sur le rebord du toit. Les doubles rideaux sentent la vieille poussière. A quoi aurions-nous ressemblé très vite dans ce décor fané ? Qu'aurais-je fait d'elle ? Comment aurions-nous vécu ? Je suis seul. Elle va foutre le camp et nous remettrons le mobilier en place comme après la fête. Je voudrais dormir. Dormir éveillé. Dormir sans sommeil. Sans fin. Dormir. M'abrutir de drogues. Ce n'est là qu'un moment, un bref moment de mon existence, que je finirai naturellement par oublier, comme le reste, dans des mois, ou plus tard.

Passer à côté des êtres, les manquer, nous ne faisons que ça pendant toute une vie.

Elle m'appelle. Je retire la cigarette de ma bouche pour la lui tendre. Elle est adossée au montant du lit. Elle a arrangé ses cheveux. Je la regarde. Et son visage m'émeut, m'attendrit. Il me semble que je pourrais rester longtemps loin d'elle, arriver au bord de cet effacement du temps qui voile le souvenir ; en la retrouvant, le même sentiment recommencerait, avec la même emprise, la même véhémence. Ce que j'éprouve devant elle n'a ni nom ni âge. Fait partie de moi et ne s'en ira qu'avec moi. J'aurais envie de me jeter contre elle et de sangloter. Qu'est-ce qui fait que cette femme s'est implantée en moi ? Ma pensée bute obstinément sur un mélange des images de la journée. Devant sa porte. Assise où elle l'est en ce moment.

M'ouvrant ses bras. Me couchant sur elle. La faim exaspérée de ce corps qui m'est venue comme une explosion de larmes heureuses. Ce besoin irréfléchi de la retenir.

Le soir s'infiltre par la fenêtre. Nous vivons nos dernières minutes dans l'enclave des sensations fragiles. Pour qu'elles soient brusquement pulvérisées autour de nous, il suffira à présent d'une parole ou d'un geste.

Elle me demande à quoi je pense. Sa tête inclinée dans une demi-pénombre. Je fais le premier mouvement qui entraînera tous les autres. Le bouton de l'électricité est à droite du lit, comme chez moi. J'approche les mules de ses pieds. Nous ressentons une confusion passagère à nous voir tous les deux debout dans cette chambre. Elle évite volontairement mon regard. Elle cherche du linge dans une valise de toile posée sur une chaise. Deux robes sont pendues dans l'armoire vide. Elle en décroche une. La métamorphose s'est accomplie.

Nous voici tout de suite réinstallés dans l'espace quotidien des routines familières, le linge, se laver, s'habiller. Les mots eux-mêmes se sont apprivoisés. En poussant la porte du cabinet de toilette, elle me dit qu'elle aura vite fait, ce qu'aurait dit n'importe quelle femme, ce qu'elles m'ont toutes dit en me laissant seul dans la chambre.

Tout est usé. Archi-usé. Passé entre toutes les mains, entre toutes les lèvres. Salopé. Je vais l'attendre comme j'ai attendu toutes les autres, en fumant, allongé sur le lit. L'eau coule. Combien de fois ai-je entendu ce glougloutement des robinets et la tuyauterie qui grince au départ ? Le robinet qu'elles ferment. Les clapotis à intervalles répétés. De courts silences. Un objet qui tombe sur le carrelage. Le lavabo qu'elles vident et qu'elles remplissent de nouveau. Toujours ce petit leitmotiv sonore en point d'orgue. A la folie tant que vous voudrez, pourvu que ça n'empêche pas de prendre les précautions de rigueur. Elle n'a pas bondi du lit comme la plupart. Peut-être que l'accident lui est égal. Je vois son ombre bouger sur la vitre dépolie de la porte. Viendra-t-elle enfiler ses bas devant moi ou sortira-t-elle tout habillée ? Il se peut qu'elle m'appelle pour l'aider à agrafer son soutien-gorge. Je suis profondément las. Les nerfs cassés. Son parfum traîne, assoupi, sur le traversin. Le drap raccommodé dans un coin. Méticuleux. A petits points. Tant de menue patience devant tant d'usure ! Ça se débine par tous les bouts et chacun rattrape ce qu'il peut. Elle a posé une pendulette de cuir rouge sur la table de nuit. Chambre indifférente, inhabitée. Quelques mouches se tiennent immobiles dans le disque blanc reflété au plafond. Est-ce qu'elles me voient, est-ce qu'elles me regardent ? Ça veut dire quoi tout ça : hommes, femmes, mouches ? La première eau s'écoule dans le tuyau. Comme une cascade éparpillée, le bruit se prolonge en décroissant. Son ombre a disparu de la vitre. *Loup, que fais-tu ?* Le nombre de couples qui ont dû se rouler sur ce plumard, passer un dimanche ensemble, se parler, se mentir, jurer, promettre, pleurer, s'aimer, rire, être heureux, se séparer entre ces murs. L'hôtel est plus vieux que nous tous. La majorité d'entre eux doivent avoir cassé leur pipe depuis. On devrait signer sur une ardoise. Ou laisser sa photo. Écrire ses impressions, avec date et références météorologiques. Les nouveaux venus pourraient se faire une opinion d'ensemble. Ce serait magique et imbécile. Le robinet ouvert à fond. Crisse en s'arrêtant.

Dimanche, fin d'après-midi. Des foules désœuvrées

déambulent encore d'un pas lent en rentrant au bercail. C'est un soir d'été après la pluie. J'attends la femme qui a fait l'amour avec moi. Sont-elles nombreuses dans l'hôtel en train de se laver au même moment ? Et elle, à quoi peut-elle bien songer maintenant, seule devant une glace ? Leur arrive-t-il quelquefois de se demander ce que pense d'elles l'homme qui les attend derrière la porte ? Aucune importance puisque tout a bien marché et que si c'était à recommencer on n'hésiterait pas. Finalement, qu'est-ce que ça peut faire que quelqu'un couche ou ne couche pas avec quelqu'un d'autre ? Tirer son plaisir pendant deux grandes heures, et après ? Incidents épisodiques. On reprendra les choses où on les avait laissées. Tellement simple. En sortant de là, la carapace est intacte. Manque pas une écaille. Et s'il en manque une, c'est tant pis pour vous, fallait vous méfier.

Le lavabo se vide. Qu'allons-nous faire une fois dehors ? Manger. Je n'y peux rien, j'ai faim. Elle sait que je n'ai pas un sou. Comment s'y prendra-t-elle, en me donnant l'argent ici, ou dans la rue avant d'entrer au restaurant, ou au moment de l'addition, le billet plié dans la main ? Merde, après tout, qu'elle paie, ce n'est pas si dramatique. Sale fric, toujours. Ça me fout mal à l'aise d'avance de faire ça avec elle. Ce que ça suppose. Elle y pensera, forcément. Eh bien, qu'elle y pense ! Il y a plusieurs semaines que je n'ai pas bouffé correctement, c'est ça la réalité. Je le lui ai dit. Les scrupules ne m'ont jamais étouffé de ce côté-là. Elle ou une autre, pourquoi me gêner, qu'est-ce qu'elle a de plus ? C'est peut-être notre bonne mère la Providence qui me l'envoie, justement, aux fins de me remplir l'estomac ce soir. Je prends la dernière cigarette du paquet. La merveille que ce serait si, d'une seule bouffée, on pouvait couper le courant et se propulser dans les étoiles, s'annihiler vraiment en toute connaissance de cause. Et par pitié ne nous faites pas la vacherie de l'âme immortelle — je sors d'en prendre !

Elle entrechoque des flacons. Signe classique de la fin des préparatifs. Une goutte de parfum derrière l'oreille, si je ne me trompe. La touche ultime de leurs ablutions. Dorénavant tout est dans l'ordre. Je connais la procédure sur le bout des doigts. Elle aurait aussi bien pu se faire remplacer par une autre.

Elle ouvre la porte. Éteint la lumière derrière elle. Elle reste sans bouger, dans l'encadrement, présentée, offerte. Elle apparaît, elle se plante dans la chambre et je la subis. Elle se révèle, elle est là pour que je la soupèse, immobile, tout investie d'elle-même. Les cheveux noirs coulants, déployés autour de sa tête, sur les épaules découvertes dans la robe à grands ramages qui glisse le long de son corps, pelure de tissu soyeux presque de la couleur de sa peau bronze. Elle est belle. Une expression de gravité impressionnante sur les traits, elle comparaît devant moi, elle se montre, plus dépouillée, plus entière que lorsqu'elle était nue. Elle vient se soumettre, se faire juger, comme si elle n'avait d'autre défense, d'autre langage que cette beauté brute. Elle attend. C'est un tel abandon, une telle offrande de sa présence que cela me trouble, me semble étrange, insensé, fascinant et pur comme la première approche du couple au seuil des noces. Je la porte, je l'encercle dans mon regard. Elle est debout en moi. Grande. Accomplie. Éclose. Je voudrais retarder le moment de brouiller ce silence, cette inertie dont la chambre est empesée. A la vue de cette femme, quelque chose de moi se déchire. Désir effréné de la posséder encore, mais aussi de l'entourer de respect, précieuse, de la célébrer, de n'avoir envers elle que des gestes de ménagement empreints d'une vaste douceur. Elle me regarde venir à elle. Nous avons tous deux une claire conscience de l'attirance qui nous lie. Elle s'appuie au mur. Son visage dans mes mains, je l'approche de mes lèvres, lenteur incisive de la tentation, je me laisse peser sur son corps, nos bouches se frôlent quelques secondes durant, attendries, fléchissent. Nous nous pénétrons de ce baiser comme d'une mort voulue. Mes mains descendent ses cheveux, trouvent l'épaule nue, le cou, la nuque. Elle est chaude. Chaude de sang. Je lâche ses lèvres pour aller appuyer ma bouche entrouverte à cette chaleur vivante de l'épaule. Elle me repousse doucement. Se détache de moi en souriant. Devant la glace de l'armoire, elle range ses cheveux d'un mouvement de la main. Je ramasse la clef sur la table, je vais ouvrir la porte, elle prend son sac, vérifie rapidement s'il n'y manque rien avant de sortir, je l'attends, suite de gestes qui semblent acquis entre nous depuis longtemps.

Brusque collision avec un monde coupé de nous par une longue période de trêve. Le décalage de la rue. Nous marchons comme allongés debout, proches l'un de l'autre. Je sens sa cuisse s'articuler à chaque pas contre la mienne. Nous avons entrecroisé nos doigts. Nous ne parlons pas. Les hommes la regardent, elle, en passant. Elle est coulée dans sa robe collante. Structure du corps que le tissu plaqué rend flexible, assouplie. Je suis très exactement sensible à ce qu'ils ressentent tous comme si ce n'était pas moi qui me trouvais au bras de cette femme. La sensualité qui se dégage d'elle, malgré elle. Modelée pour l'instinct, le plaisir cru. Elle ne peut jamais apparaître autrement que nue. Elle est nue à côté de moi. Nue dans la foule.

Elle sature de sa nudité le lieu où elle se trouve. C'est cela que tous les hommes captent d'un seul regard. Et nous nous tenons de si près que nous devons avoir l'air de continuer à faire l'amour en marchant, publiquement. Comme une insolence.

Le premier restaurant qui se présente. Nous allons nous asseoir un peu à l'écart, à une table du fond. Elle est en face de moi. Une fois encore, dans ce petit restaurant, la nappe blanche, les serviettes pliées sur les assiettes, la carte posée droite contre les verres retournés, j'ai la sensation de revivre avec elle un épisode connu.

En dépit de nos efforts, le silence s'intercale. La lumière teintée saupoudre cette large surface dénudée du décolleté qui cerne ses seins d'un renflement. Sa poitrine est belle. Ses épaules sont belles. Sa peau est belle. La vague de détresse de l'après-midi remue au fond de moi. Pourquoi sommes-nous ici, mangeant comme des automates ? Qu'attendons-nous pour filer ? Nos yeux qui s'attachent par-dessus la table tiennent un langage dix fois plus explicite que tout ce que nous pourrions dire. Après quelques bouchées seulement, je n'ai plus faim. C'est peut-être autre chose que cette nourriture qui me manquait. J'avais peut-être faim d'une faim plus profonde sans le savoir. Depuis le moment où elle a pris mon bras dans la rue, une sorte d'intuition me souffle que c'est une femme comme elle qu'il me faudrait et je saurais trouver les mots pour lui dire cela et rien en dehors de cela n'a lieu d'être dit entre nous. A quoi sert de nous forcer à entretenir le dialogue par convention pure, pas plus que ne sert de goûter aux plats ou de remplir nos verres avec la même apparente insouciance que si nous avions des centaines de soirées semblables devant nous ? Sans doute en va-t-il des mots comme de la faim et que c'est un autre appétit qui nous accapare ? A mesure que le temps s'écoule, la hâte de nous retrouver seuls devient impérieuse. Nous ne pensons qu'à l'envie que nous avons l'un de l'autre. Nous ne sommes plus faits que de cette envie. Elle se solidifie entre nous. Nous nous cherchons comme des insectes désemparés. J'ai envie et besoin d'elle, désespérément. J'ouvre ma main sur la table pour qu'elle y pose la sienne. Je considère longuement nos mains fermées. L'absurdité de cette rencontre, de tout. L'absurde absurdité. M'est-il déjà arrivé de prendre la main d'une femme comme je le fais en ce moment dans un restaurant ? Je ne sais pas, peut-être. Nos deux mains, seules, avec la stricte intensité de ce qu'elles personnifient, là, sur la nappe, à cette minute particulière de ma vie, les graver un jour dans l'espace abstrait d'une page de livre. Je n'ose pas allonger mon bras vers elle, mais elle me devine.

Ensemble, nous abandonnons nos assiettes à moitié remplies. Nous sommes amarrés à la même pensée. Ne nous lâchant pas des yeux, nous prenons un plaisir singulier, irritant, à graduer, à mesurer l'un chez l'autre la densité de l'impatience qui se diffuse en nous. Nous tendons, nous vivons cette résistance, nous l'éprouvons de tous nos nerfs, ligament tordu à se rompre. Nous sommes admirablement unis par le même goût effronté du tourment sexuel. Paroxysme immobile de l'excitation qui cesse à son point culminant par un sourire ambigu qu'elle m'adresse comme un signe de soumission impudique.

Ce que je redoutais se passe simplement. Elle prend l'argent dans son sac, le pose sur la table et me demande d'appeler le garçon. Pas le moindre instant de gêne entre nous. Elle semble n'y accorder aucune importance, et c'est vrai, cela ne compte pas.

Elle traverse la salle devant moi.

L'heure sonne dans le vide cellulaire de la nuit. Des coups épars qui se dispersent, noyés. Il est tard. La pendulette grignote à côté de nous sur sa table. Il y a longtemps que le souffle glissant de l'ascenseur ne vrombit plus dans l'hôtel. Sommes-nous les seuls à ne pas dormir ? Allongés. Cadavres frais rassemblés sous un drap de fortune. La chaleur est claustrée dans la chambre. Je suis en sueur. La sueur mouille la racine de ses cheveux sur le pourtour du front. J'y applique mes lèvres. Son odeur de femme que je prends avec la bouche. Sur ma langue. Encore un moment et je m'en irai. M'en aller où ? De l'autre côté du couloir. Sur l'autre lit. M'enfoncer d'un coup dans le sommeil si je le pouvais. Elle est encastrée dans mon bras, nos corps jumelés. Elle ne bouge pas. Elle respire sous ma main qui couvre un de ses seins. Nous sommes en paix, harassés. L'envie enfin extirpée de nous. Nous nous sommes longtemps débattus comme des bêtes furieuses. Sans nous parler. Précis. Acharnés. Haletante jusqu'à la montée des cris qu'elle étouffait contre ma poitrine. Épuisée sous moi. Renaissante sous moi. Attachée des deux mains à mes épaules. Me bouclant en elle. Le visage torturé. Nous persécutant. Le râle crochant le fond de sa poitrine, tremblante. Ses yeux par instants effarés, plantés dans les miens comme si elle m'interrogeait. Sa tête secouée sur l'oreiller, les cheveux humides collés par mèches au travers de la figure. Me rappelant à elle de toute la profondeur de son ventre. Le plaisir affluant en nous, rapide, d'un trait, dans le sang. Nous abolir. Nous tuer. Dévorant nos sexes. La cassure soudaine comme un ressort surtendu qui saute, le corps entier lâchant prise. Nous sommes creux, en repos dans la quiétude d'une ébauche de mort. Belle morte affaissée sur mon épaule.

C'est ainsi, nus et sages, que nous devrions glisser en terre, enveloppés de ce drap, te tenant dans mon bras. Accouplés. Il est si tard et nous sommes si las qu'il ferait bon mourir. Il n'y a rien à attendre de demain que le sempiternel recommencement de soi. Pourquoi faire ?

Tu es belle. Ils sauraient si bien se passer de nous.

Ouvre l'œil le jour suivant vers deux heures de l'après-midi, la gorge serrée comme si j'avais pleuré pendant mon sommeil. Elle avait déjà mis les voiles. Dur à encaisser. N'arrive pas à opérer le rétablissement comme je l'aurais cru. Cette femme s'impose à mon esprit, constamment présente, et tout effort pour l'éloigner s'avère vain au bout de quelques minutes. Je donnerais je ne sais quoi pour la revoir une fois encore, une seule fois, enchâssée dans sa robe, lascive.

Affalé sur mon lit le restant de la journée. Les images se succédant, s'enchevêtrant. Cet adieu silencieux, le dernier, qu'elle m'avait adressé en me laissant quitter la chambre. Tourniquet à devenir dingo. En pleine gueule de bois sentimentale. Le décor de ma piaule comme un cauchemar réaliste autour de moi. Interminable journée de désarroi. Le cœur empoisonné. Et pour comble, la joyeuse perspective d'être renvoyé de l'hôtel dans les jours prochains. Moi et mon paquetage à la rue. Mais ceci m'apparaissant accessoire. C'est à elle que je pense.

M'acheminant sans préméditation du côté de chez Wierne. Besoin d'une présence, de quelqu'un à qui parler.

Je le trouve bossant comme un nègre devant son

chevalet, la pipe entre les dents. M'accueille en enfant prodigue. Qu'est-ce que je deviens et comment se fait-il qu'on me voie si rarement, il a donné plusieurs coups de fil à mon hôtel sans parvenir à me joindre; Brandès lui a dit m'avoir récemment aperçu de loin au moment où je débaroulais dans le métro, j'ai une sale gueule, qu'est-ce qui ne va pas? Assieds-toi et buvons un coup, mais d'abord ai-je bouffé? Il a un reste de patates en salade, du rôti froid et du fromage, le litre est sur un tabouret non loin du chevalet. Je n'ai qu'à me servir pendant qu'il va dans la cuisine chercher assiette et couverts. Si débordant d'amitié soit-il, de quoi aurais-je l'air si je me mettais à lui déballer ce qui me tracasse? Inexplicable à froid. Je ressens une espèce de répugnance pudique à parler d'elle, même à un ami de sa trempe.

Il débarrasse un coin de table encombré de papiers où poser mon assiette. Je m'en tiens donc aux emmerdements coutumiers. Il aurait été surprenant que Wierne n'ait pas sous la main un ami de bonne volonté disposé à me placer quelque part en attendant. Dans les automobiles, cette fois. Et on va se dépatouiller pour clouer le bec à mon taulier en épongeant la note, une partie sinon en totalité. Nous irons d'ailleurs téléphoner ensemble à des amis dans un instant. Il faut attendre que les gens soient chez eux. On en profitera pour appeler le type des bagnoles, savoir tout de suite à quoi s'en tenir. Pourquoi ne suis-je pas venu le trouver avant? Il espère au moins que j'ai employé cette période d'éclipse à écrire. Non, pas une ligne. Alors qu'est-ce que je fous de mes journées? J'attends que ça passe? Tout en me découpant une tranche de viande de l'épaisseur de deux doigts, je l'entends me seriner ce qu'il m'a déjà dit et répété sur tous les tons, à savoir que je devrais me visser à ma table et n'en plus déloger jusqu'à ce que j'aie accumulé devant moi une pile de copie haute comme ça. Ce n'est pas en bayant aux corneilles que mon bouquin va s'écrire. En premier lieu, assurer la matérielle. Me laisser ballotter comme je le fais trop volontiers n'a jamais été une solution pour personne. N'importe qui de sensé a besoin d'un minimum de tranquillité avant de rien entreprendre. Il connaît mon opinion sur ce point, mais, quoi que j'en pense, il soutient, lui, qu'on peut très bien s'organiser pour mener deux choses de front. Ça ne me tuera pas. Le reste des exhortations se perd, m'échappe. Où est-elle en ce moment ? Pense-t-elle à moi ? Depuis dimanche j'ai tellement pensé à elle, avec une telle force, une telle concentration, qu'il ne se peut pas qu'elle ne l'ait pas senti à distance. La voix de Wierne comme un roulement. Écrire. Rien, rien ne fera que cette femme n'ait pas existé, n'ait pas traversé ma vie. Et ce que j'ai entrevu avec elle est incomparablement plus riche que la plus riche matière du plus éblouissant des chefs-d'œuvre. Un bouquin n'est jamais qu'une suite de déceptions magnifiées. La réussite du ratage. Wierne me parle maintenant de Brandès. La vie de bâtons de chaise en compagnie de cette poule ahurissante qui ne le lâche ni de jour ni de nuit. Elle le dorlote, paraît-il, comme un enfant. Exactement le contraire de ce qu'il fallait à sa nature indolente. Aussi travaille-t-il de moins en moins et son bouquin, déjà en souffrance depuis des années, n'est pas près de paraître.

Je n'ai pas envie de parler. D'entendre parler. Wierne me porte sur les nerfs malgré sa gentillesse. A cause de sa gentillesse qu'il voudrait réconfortante. Être seul. Je vais rentrer directement. Je n'aurais pas dû venir. *Pas la plus petite chance de la revoir jamais, dussé-*

je hurler à la mort des jours durant. Je veux partir. Angoissé. Je ne sais comment m'y prendre pour m'en aller. Je tournicote. Fais les cent pas. Jusqu'à ce que Wierne, qui ne comprend rien à mon comportement, me laisse sortir sans me poser de questions. Il me tend un peu d'argent qu'il a tiré de la poche de sa veste pendue au portemanteau de l'entrée. Il m'appellera demain au téléphone. L'argent. Le travail. La note. Que doit-il répondre si son ami veut me voir ? Entendu. C'est entendu. J'irai.

Ponctuel au téléphone à la première heure pour m'apprendre d'une voix attristée qu'après m'avoir quitté la veille, il avait fait le nécessaire, mais que, malheureusement, rien ne va comme il l'escomptait. Il pensait obtenir de l'argent d'un de ses amis qui n'a pas remis les pieds chez lui depuis une semaine. Un autre est en voyage et, comme si le sort s'acharnait, un troisième s'apprêtait à lui lancer un S.O.S. dans le même sens au moment où il l'a appelé. Il faut immédiatement voir ce que peut faire Sicelli. Avec le contingent de poules qu'il traîne à ses basques et tous les gens qu'il fréquente de près ou de loin, on a peut-être une chance. Si ça m'ennuie, il peut s'en occuper et lui téléphoner dans la journée, encore qu'avec Sicelli il soit préférable de le garder à vue et de tenir les rênes jusqu'à ce qu'il ait pêché le pognon. Wierne se propose pour m'accompagner. Hier, il n'a rien voulu me demander, mais il a eu le sentiment que ça n'allait pas fort. Est-ce que ça devrait exister qu'un type comme moi en arrive à ces extrémités ? Tout à fait le climat qui convient à un écrivain pour rassembler ses idées, pas vrai ? J'envisage certainement de rédiger mes œuvres, l'hiver prochain, sur les dossiers des bancs publics ou, mieux encore, sur un bat-flanc de l'Armée du Salut. Pittoresque à souhait. On va tâcher de limiter les dégâts. A ce propos, ça ne marche pas non plus pour les bagnoles. La poisse. Toutefois, il a encore un vague cousin qui dirige quelque chose comme des bureaux d'exportation. Ils sont en froid, mais peu importe, il ira le relancer pour moi. A la réflexion, on pourrait même y faire un saut ensemble cet après-midi et voir Sicelli en revenant, qu'est-ce que j'en pense ? J'en pense que je n'ai vraiment pas le courage d'aller montrer ma gueule à des inconnus ni de faire le singe. Au-dessus de mes forces. Il observe un silence à l'autre bout du fil. Interloqué. N'insiste pas. Je me doute bien de ce qu'il doit penser, mais il m'est impossible de lui faire sentir ce que j'éprouve, quelle sorte de découragement s'est insinué en moi depuis cette histoire. Ça ira probablement mieux dans quelques jours. Alors, que fait-on pour l'hôtel ? Je dois aller voir Sicelli. Et vite. Sous-entendu : aujourd'hui même. Sicelli est le seul capable de dénicher une somme quelconque dans les plus brefs délais. Brandès, n'en parlons pas. Avant qu'il ait débattu du pour et du contre et de l'opportunité de demander de l'argent à sa folle, j'aurai eu dix fois le temps de tomber d'inanition. N'y a-t-il pas moyen de faire patienter mon taulier encore une semaine ? Non. S'il s'était montré recta, je serais à la rue depuis huit jours. Sicelli est donc le dernier atout. Dans le cas où lui aussi serait pris de court, ce que je saurai avant ce soir si je daigne me déranger, autant déménager aujourd'hui que dans deux ou trois jours. « Je te prépare un matelas par terre dans mon atelier, tu seras mieux que sous les ponts et ça nous permettra de nous retourner. Je ne bouge pas de chez moi, viens quand tu voudras. »

Termine en me rappelant, quelque peu ironique, que je dois passer chez Sicelli dans le courant de la journée.

Voilà qui est excellent ! Allons voir Sicelli ! Allons voir Bismarck ou l'Archimandrite de Noskokentovo pendant que j'y suis ! Car, comme l'écrivait le jeune Fédor à son frère Michel : « Dans l'ensemble, la situation n'est pas favorable. » Pourquoi donc hésiter, mon goloubtchik ? Allons voir Dieu s'il le faut avec sa gueule d'escargot ! Très certainement Il résoudra ce menu problème comme tant d'autres, et nous n'en parlerons plus.

Ne dirait-on pas que j'ai l'âme guillerette ce matin ? Rien de moins vrai cependant. D'abord, il est trop tôt à mon goût. Je n'aime pas les journées qui démarrent de si bonne heure. Quelle fichue idée a eue Wierne de me tirer du lit pour m'annoncer cette série de calamités ! Ça pouvait attendre. D'ailleurs, en vérité, ces histoires d'argent et de domiciles hypothétiques, d'étrangers à contacter et d'amis à taper, tout ce tintouin d'enfer qui se renouvelle périodiquement commence à m'échauffer les couilles, passez-moi le mot. A la grâce du Ciel ! Devise chère à mes ancêtres qui n'en vécurent pas moins heureux et en citoyens de bonne compagnie pour le peu que j'en sais. Je ne suis pas non plus de nature à forcer les événements. Et en ce moment surtout où, à peine sur mes jambes, je me remets à penser à elle. Me torture le ciboulot celle-là. Solidement accrochée. Me connaissant sur le chapitre des femmes, je ne m'explique pas en quel honneur. Trop de solitude, ça doit être ça. Elle est arrivée quand il fallait. A la minute idoine. Et j'en suis pour mes frais. Baisé. Noire arabesque voluptueuse des amours violentes. Est repartie à tire-d'aile. Droit au nid. Diluée comme par enchantement dans la profonde opacité. Doit être bien au chaud, pelotonnée peut-être dans un lit conjugal à l'heure qu'il est. Ronflote gentiment, tamisée dans la longue chevelure ébroussaillée sur l'oreiller. Galbe de déesse — *j'oubliais !* Des putes, voilà ce qu'il en est. Il faut s'y faire et tâcher de ne jamais perdre de vue le vieil adage empreint d'une séculaire sagesse, selon lequel une poule en vaut une autre et si ce n'est pas celle-là, passe ton chemin, la prochaine fera l'affaire.

Remuant ces considérations générales, je regrimpe marche par marche à mon perchoir d'où le coup de fil de Wierne m'avait délogé en plein sommeil pour venir prendre la communication à la cabine. N'en suis pas plus avancé pour autant bien que parfaitement éveillé. Je ne sais pour quelle raison, tous les hôtels de cette catégorie dégagent comme un relent d'urine chaude, le matin. D'entrée, la journée s'ouvre sur une évocation de tinettes. La vie est là, concise. L'aspirateur zizille déjà bon train dans les couloirs. Je viens de voir la femme de ménage à l'étage au-dessous, à quatre pattes, la pauvresse, le cul en l'air, un bas déchiré, en savates, frottant vivace le long des plinthes, industrieuse, comme si c'était elle qui mangeait la poussière. Quelles réflexions traverseraient les méninges de son mari s'il avait l'occasion de la voir dans cette posture, à genoux au milieu d'un couloir, les fesses tendues sous le tablier, se rangeant de côté pour laisser passer les clients qui sortent, sans manquer de les saluer tous poliment d'un signe de tête ? Zyeutez par ici, cher monsieur, voulez-vous, à ras de terre, ici, voyez, n'est-ce point là votre épouse avec laquelle jadis vous envisageâtes ingénument d'embellir votre existence ? Examinez le cul qui oscille, dodeline dans l'effort. Flux et reflux. Est-ce bien celui-là même qui vous flanquait le vertige il y a de cela à peine quinze ou vingt ans ? Comme le temps passe ! On en rabat à mesure, n'est-il pas vrai ? Il en va du sentiment comme du reste. On se contente d'un peu moins chaque jour. Moins encore le lendemain. Et puis moins que moins. Et puis plus rien. On ferme boutique. On a vécu. Vive la fanfare ! Vous êtes bien bon, vous, elle gagne sa vie, cette brave femme ! C'est ce que je disais.

De même pour les autres. Ça n'arrête pas de débarouler. Qui par l'escalier, qui par l'ascenseur. Lancés tous vers l'ouvrage nourricière. Leurs boulots respectifs d'honnêtes roturiers. Tous mes voisins d'hôtel que je connais de vue, à force. Déjà tous sur le pied de guerre. Lavochés. En cravate. L'air vaseux. Un goût épais sur la langue et des masses de soucis dans la tronche. Comment payer, rembourser, emprunter, tirer le mois, par quel prodige, il en faut tant, bosser n'enrichit guère, c'est prouvé, je suis démuni, je suis à la bourre, ma femme m'engueule, et comment faire ? Tout ça pour avoir le droit de mijoter chambre 28 ou 42 ou 64, ou dix de plus, c'est le même foutoir. Peigne-culs, mes frères, je sollicite à l'avance votre généreuse absolution, mais croyez-moi, rien qu'à vous voir là, en exemple, ce matin, je n'ai plus la force, je me sens lâcheur, en contrebande, ce serait vainement que je recommencerais. Possible que vous vous attabliez encore paisiblement devant votre écuelle pleine le jour où moi je n'aurai que des briques à me mettre sous la dent, je ne discute pas ; possible que vous vous rouliez d'aise dans les gras pâturages quand j'en serai à mendier un os, mais, ainsi ou autrement, je tiens à conserver une claire notion des choses et à ne pas confondre jusqu'au reniement de soi la verroterie avec les diamants bleus du Népal. Si vous voulez, afin de préciser ma pensée, permettez-moi de m'en référer une fois encore à l'Oncle Mikhaïlovitch qui ne sortait pas de l'œuf lorsqu'il s'exprima en ces termes par la bouche du plus misérable et solide avorton jamais conçu de cerveau d'homme : *Pouvez-vous supposer que moi, Stepan Verkhovensky, je ne trouverai pas en moi assez de force morale pour prendre ma besace, ma besace de mendiant, et, la jetant sur mes faibles épaules, pour sortir par la porte et disparaître à jamais quand l'honneur et le grand principe de l'indépendance l'exigeront ?* Un dimanche où vous n'aurez rien à faire d'urgent, méditez donc là-dessus quelques minutes. Vous m'en direz des nouvelles.

Mis à part les citations de mémoire, je ne vous cacherai pas que ce qui pourrait présentement avoir sur moi le meilleur des effets stimulants serait la certitude prochaine de me remplir tant soit peu le ventre. Entendez par là que l'apparition sur ma table d'un petit déjeuner convenable serait la bienvenue. Croissants chauds, beurre, confitures et peut-être aussi un soupçon de miel. *Pourquoi se priver ?*

En toute époque de ma vie, le petit déjeuner a été pour moi l'une des joies ragaillardissantes de la journée, l'atmosphère fût-elle par ailleurs au désastre ou ignorant moi-même de quoi serait fait le lendemain. Se lever en humant autour de soi l'odeur poudrée du café noir, voir le lait frais dans le petit pot, les tartines coupées, le carré de beurre jaune mat sur son assiette, contempler cet état de choses attendrissant et avoir conscience que, même dans l'éventualité peu probable où il ne vous resterait que cette ultime satisfaction à savourer avant de quitter vos pénates pour rejoindre l'autre monde, vaille que vaille vous allez en profiter et ce ne sera pas un si mauvais souvenir de rupture. Se mettre à table avec une grande demi-heure devant soi, après laquelle seulement nous irons voir ce qui se passe dans le monde si toutefois les rudes contraintes de l'existence nous y poussent, car sinon il faudrait être timbré pour entreprendre autre chose que la lecture d'un auteur favori, mettons un peu de Montaigne, la tête calée dans l'oreiller.

Entamée par ce bout, la journée ne peut que vous apparaître faste et la création tout entière une réussite d'envergure sous ses moindres aspects. Surtout si vous consacrez une partie de votre après-midi à un film ou que ce jour-là l'Ange du Sexe, vous ayant à la bonne, dépêche au-devant de vous une paire de fesses en maraude qui ne demandera qu'à être cajolée. Auquel cas je n'ai pas besoin de vous dire ce que j'en pense. Quoi de plus enchanteur, de plus grisant, que d'écouter distraitement le mezzo humide d'une voix féminine inconnue reliée en direct au pubis par connexion spéciale ? Lorsque cette incomparable musique vocale se prolonge à votre intention pendant des heures sur le même diapason plaintif. Sur ce registre unique. Ne jouant jamais que d'une seule et même corde. Instrument si rudimentaire, si primitif qu'il en devient à la longue obsédant de candeur involontaire, de simplicité brutale, tandis que vous êtes encore somnolent sur un lit étranger en train de subir et de mesurer la paralysie progressive du cerveau qui s'élargit peu à peu aux proportions inusitées d'un vide spatial, retourne à ses régions antérieures, étendues sauvages de plateaux désertiques, redevenu soudain délicieusement vierge après avoir fait deux ou trois fois le voyage du sexe aller-retour. Le sang apaisé n'irrigue plus qu'une matière neutre, planifiée. N'ayant encore de conscience vraie que pour cette chose lointaine, durable et divine, cette chose éternelle : une voix de femme qui module pour vous, quelque part dans un rêve de poix, des phrases incohérentes, des mots perdus, sans suite, les mots précis d'une révélation intérieure de la femme, si angélique, si éclatante qu'elle en demeure incompréhensible. Litanie d'amour arrachée chaque fois à la matrice de l'univers. Reprise et répétée de gorge en gorge dans un demi-murmure torrentiel, jusqu'à saturation, par ces femmes étrangères les unes aux autres qui se succèdent tout naturellement dans le plaisir. Qui pleurent, geignent, parodient, grimacent. Portant à bout de bras dans leurs deux mains jointes les organes méconnaissables de leur sexe désarticulé qu'elles présentent au passant en aumône rituelle. Et prenez ! Prenez ! Qui que vous soyez. Ceci est ma vérité. Ceci est moi-même. La voix supplie. Appelle. Finit par s'éteindre, doucement engloutie dans un grand sommeil végétal. Et chacun retourne passivement à son indifférence ou à sa solitude lénifiante.

Avez-vous un plan plus séduisant à me soumettre en contrepartie ? Et de grâce, ne vous méprenez pas sur la portée de ce message en allant qualifier ce qui précède de digression paranoïaque, je ne m'en consolerais jamais !

S'il se trouve qu'aujourd'hui en particulier je sois amené à me passer de petit déjeuner et à plus forte raison de femmes, il n'en reste pas moins que jusqu'à nouvel ordre c'est sous cette clarté arsenicale que j'envisage la courte traversée du Styx. Le coup de téléphone de Wierne ne saurait en rien modifier la tactique usuelle. D'ailleurs, qu'y puis-je ? A l'en croire, il ne me reste qu'un pion à manœuvrer pour sauver la mise. Or, cruellement, mon destin, variable et fantasque par excellence, se borne à m'abandonner en face de l'adversité avec, comme unique soutien, un garçon tel que Sicelli, pas de la race à s'affoler pour un incident aussi banal qu'un taulier qui s'est décidé à vous flanquer dehors. Quoi ! s'il lui avait fallu s'arracher les cheveux chaque fois qu'un de ses tauliers tournait à l'aigre, il aurait le caillou nu comme un cul de singe. Je ne vais pas me laisser avoir à la première alerte, du nerf ! Qu'est-ce qui m'emmerde, *exactement ?* Question becquetance, on me trouvera toujours un bout de brignole et un truc à avaler avec. Il se charge de ne pas me laisser crever de faim. Je ne veux pas entendre parler boulot, ça me regarde. Si je m'organise pour écrire mon bouquin fantôme, ça peut même très bien se défendre. Wierne n'est pas de cet avis ? Qu'est-ce que ça prouve ? Quant à une piaule, *s'il m'en faut absolument une,* on peut y penser aussi. (Sur le strict plan des projets, rien d'emblée ne semble impossible ni démesuré avec Sicelli.) Il peut demander à Anna. Elle a un grand studio pour elle toute seule. Ça ne lui coûtera rien de me faire un peu de place. Il va se renseigner. Mais avec elle, hein ! attention, pas touche ! On croit que c'est juste pour une partie de minet et puis on l'a dans l'os, poissé jusqu'au cou. C'est de l'amour qu'elle veut. *Romantique, quoi !* Il y a aussi Rolande. Celle-là, ce serait presque l'idéal vu qu'elle travaille toute la journée. Et si je veux goûter à son baisoir elle en sera enchantée. L'essentiel, bien sûr, étant d'obtenir le logement. Eh bien, voilà, nous avons mis un peu d'ordre, ça ne valait pas le coup de se triturer.

Je ne puis guère m'attendre ce soir à tirer davantage de Sicelli que ce flot de paroles encourageantes auxquelles il adjoindra un billet de mille emprunté pour moi à ses collègues de l'orchestre, si, par exception, ces derniers sont en fonds.

Adoncques, que reste-t-il, Seigneur Jésus, à l'alouette éperdue, lorsque est venu le rude hiver des

Karpates dépouillant l'arbre secourable? Il lui reste un matelas chez Wierne. Par terre. Dans l'atelier. Je vois déjà où. Au fond contre le mur, près du casier de disques et des cartons à dessins qui s'entassent avec les toiles ratées, depuis des années. Il n'y a pas d'autre endroit libre. On poussera un peu la grande table et le bric-à-brac qui encombrent la partie la moins éclairée de l'atelier, l'autre étant religieusement consacrée au travail de l'artiste qui a besoin d'une lumière jaillissante sur son chevalet. Pour être franc, ce compromis du matelas par terre ne se présente pas à mon esprit indocile sous des couleurs séduisantes. Dieu sait que m'avoir sur le dos n'a jamais été une sinécure pour personne. Et Wierne a déjà assez à faire de se débrouiller pour son compte personnel. Ne tient-il pas lui aussi à son indépendance? J'accepterais débonnairement la même situation avec la plupart des petits culs qui se disent mes amis, mais, pour si peu que j'aie de moralité, vivre aux crochets de Wierne, même provisoirement, ne cadre pas avec mes vues philosophiques. J'ai tout le temps d'aller voir Sicelli. Le soir, dans son bastringue, on ne risque pas de le déranger. Chez lui, il y a gros à parier que je le trouverai flanqué d'une femme en train de procéder à sa toilette intime ou à quelque autre besogne du même ordre. Bon Christophe, patron des voyageurs, tenez-moi en votre sainte garde!

Si j'avais seulement une liquette propre à me mettre sur le dos pour sortir! Du linge fraîchement lavé. Quelle douce sensation ce serait après un bain prolongé! Le pantalon sans faux plis. La veste impeccable. Cravate assortie. Et rutilantes, les chaussures. Comme un sou neuf. Ça n'en prend pas le chemin. Elles sont là, mes grolles. Là, sur le plancher. Déformées. Le cuir fendillé à la pliure. Le bout qui rebique. Deux gros rats morts. Quand on fait le tour de tout, on se rend compte que c'est finalement le linge qui occasionne le plus d'emmerdements et de loin. Le linge de corps spécialement.

L'heure venue, je mets la barre sur le dancing, au pas de promenade. Ça ne commence pas avant huit heures et demie, neuf heures. J'ai de quoi bouffer un sandwich et boire une bière, calé à l'une de leurs terrasses. Préparez-vous au jeûne, frère convers ! Dans un mois, si je ne suis pas à l'asile de nuit, c'est qu'il faudra me réclamer aux autorités compétentes ou feuilleter attentivement le livre d'entrée des obsèques hebdomadaires.

Penser à ce que je ferai dans un mois me paraît saugrenu au même titre qu'un vieillard cacochyme qui prendrait des résolutions pour les dix années prochaines. En règle générale, ma santé morale s'accommode mal des projets à long terme. Le souci du jour qui se lève, celui du lendemain, au-delà ma vue se brouille. Dans un mois, je coifferai mon plus beau panama et empoignerai ma canne de jonc avant de sortir de l'Astoria Palace, escorté par mes courtisanes ! Tel que je me vois dans la glace du lavabo, j'aurais besoin de passer chez le merlan et sans tarder. Tignasse tropicale. Sur les oreilles. Dans le cou. Les pattes à moitié de la figure.

Pas en beauté, ces temps-ci.

La clarté cuivre du dernier hâle de soleil flotte comme une membrane translucide sur le ciel pur... Douceur émolliente de l'air brûlé. Les rues sentent le goudron, le métal, la pierre chaude. Foule lente sur les trottoirs. Comme atteinte d'une nonchalance bienfaisante. On sent les femmes nues, craquantes de chaleur sous la légèreté des robes qu'un souffle d'air replie entre leurs cuisses. Les feuilles des arbres sont d'un vert glacé. Sans cette cohue de bagnoles qui confine au délire, on pourrait presque se croire en paix. Régal que de se sentir bien d'aplomb sur ses jambes, pressé par rien, flânant devant l'exposition astucieuse des vitrines. Se laisser pénétrer par la tiédeur du soir qui se prépare. Le ciel est splendide. A peine velouté de rose. La ville s'éteint par degrés. Encore remplie de soleil. Pourquoi faut-il que le fric vienne se mettre en travers d'une soirée comme celle-ci ! Une preuve de plus que c'est une invention qui n'a rien à voir avec la nature des choses où nous évoluons par la volonté du Très-Haut, j'en jurerais. Au fait, quel est l'enculé auteur de cette trouvaille, vous savez ça, vous ? Le nom du premier maniaque pris d'une ivresse sadique à compliquer les choses avec son idée de tout transformer en fafiots, espèces sonnantes et trébuchantes. Au début, ils n'ont pas dû y croire, pas vu le danger, sinon il se serait manifestement trouvé quelqu'un de bon sens pour le pendre par les couilles sans autre forme de procès. Sûr que nous pourrions recommencer à zéro après avoir fait un feu de joie avec le stock de biffetons. Soumettre un plan de démonétisation mondiale. Plus de riches, plus de pauvres. Serre-moi la main, c'est un grand jour, on va être frères. Pas qu'en paroles. Comme tout s'éclaire ! L'amour abonde, l'amour déborde ! C'était juste entre nous l'épaisseur d'un portefeuille qui nous braquait. Apparemment, même Doux Jésus qui n'a pas eu cette idée simple. Ç'aurait pourtant été bien de sa compétence, à cet homme. Mieux que les paraboles. Le point glorieux de son Calvaire. Il a cané lui aussi devant. Trop colossal. Il était pris dans le vieux système. Fallait qu'il croûte dans les déserts. Et ses disciples.

Nourrir douze hommes matin et soir, des gars râblés qui ont marché toute une journée sous le soleil, la canicule de Galilée, devait pas falloir leur en promettre en arrivant au bivouac. C'est son excuse, du moins je crois. Sa triste histoire, à quoi ça tient. Pour trente deniers. Sans ce détail, c'était du velours, il serait mort comme vous et moi dans des draps blancs. Peut-être centenaire.

Jouant spirituellement avec la déconfiture de N.S.J.C., ça m'a conduit plan-plan dans le quartier des grands cafés. Sirotent l'apéro. Quelques gonzesses, jambes croisées sous l'angle approprié. Des jetons modestes. Bourgeois tout ça. Rien qu'un filet d'érotisme. Entre gens bien élevés. Les maris sont là d'ailleurs et ne trouvent rien à redire. Lorgnent la voisine d'à côté. Avec retenue et savoir-vivre. Éducation. Pas des sauvages. Un raffinement indiscutable. On me regarde. Je les surprends. Mes cheveux trop longs. Mon air de guingois. Doivent se demander. Ne cherchez pas, mes petites levrettes ! C'est le génie qui me consume ! Quand ça se saura, vous écarterez mes œuvres d'une main dégoûtée et prendrez soin de les soustraire à la curiosité de vos rejetons chétifs, même si clandestinement vous vous en pourléchez les babines. Ce jour-là, vous aurez naturellement oublié ma silhouette passagère, mais continuez de regarder autour de vous, de repérer dans la grosse meute les quelques rares énergumènes qui tranchent sur le lot. Ceux-là sont mes successeurs directs. A eux est destinée la semence corrosive dont je saupoudre habilement les pages du présent livre, et qui, à coup sûr, échappera à vos masses encéphales gringalettes. A votre santé ! *Est-ce assez glacé ?*

Pas refoutu les pieds dans un café de cette catégorie depuis mon cycle hollandais. Les consommations deux fois plus chères qu'ailleurs. Vous servent des sandwiches mignards. Au pain de mie. Tient pas au ventre. Un triangle de jambon de la minceur d'une feuille à cigarette. Ont affaire à tant d'estomacs débiles, tant d'appétits capricieux qui bouffent plutôt pour se passer le temps. Je serais dans d'excellentes dispositions pour compulser la carte. Établir un menu du soir en tenant compte de la température extérieure. Peu chargé, mais consistant néanmoins. Illustré d'un seul vin. Dans la gamme des rosés. M'a pas fait une fleur, le salaud de garçon! La main un peu pingre quant à la dimension de mon sandwich. En quatre bouchées j'en aurai vu la fin. On dirait que le pain va les ruiner. Grigous dans le sang. De ma place, à la terrasse, par la porte ouverte à deux battants sur la salle, je vois le patron grassouillet encastré derrière sa caisse automatique au bout du bar. Je l'ai mauvaise. Moi qui pensais me taper un sandwich maousse. Je dirai au garçon ce que j'en pense en le payant. Impossible d'énumérer ce qu'ils seraient capables de faire, tous, pour quelques malheureux sous de plus. L'Iscariote n'était qu'un minime apprenti, j'en reviens à mon idée de tout à l'heure. Et pire encore qui se mijote pour le proche avenir, on peut prévoir. Je l'imagine, moi, leur surhomme en gestation. Gueule abêtie. Œil de poulet. Au gésier gras. Circulant sur un asphalte insonore broché d'or, taillé entre une rangée de banques aux façades délicatement incrustées d'émaux précieux, de diamants purs, cloutées de perles au cœur mat, sous les reflets de l'infrarouge d'une hallucinante lumière solaire en captivité. Contemplant chaque matin du haut de la fenêtre de son huit cent trentième étage l'agglomérat rutilant d'une ville dominée par la statue massive d'un dieu aurifié et triste perché comme un macaque dans un ciel synthétique au sommet branlant d'une tour de lingots scrupuleusement astiqués par l'équipe de nuit des robots dociles. Et si, par un pur hasard, le dieu mélancolique venait à fondre en larmes, il ne s'écoulerait sur la Cité des Merveilles qu'un orage de miel doux. Leur surhomme futur, bouffant, déglutinant l'or à belles dents. Goulu. Gavé. Repu. Les doigts coulés dans l'or brut en fusion. L'épiderme suintant cette richesse jaune. L'œsophage, la panse et l'intestin distillant l'or sous toutes ses formes. En poussière. En rondelles. En briquettes. En boudins. Assis sur un siège de vermeil et rubis, poussant ses entrailles au-dessus de la lunette platinée pour se vider par à-coups d'un monceau de vieil or récupérable. Polira inlassablement sa société cadavérique et morne. Pour récompense, la matraque du flic de service. Gardien et victime de l'abattoir construit de ses propres mains. Architecte du vide. Copulant avec la machine dans des lits de brindilles métalliques, à la recherche d'un code algébrique de l'amour et du bonheur. Présidant à toutes destinées, sauf à la sienne à laquelle il ne comprendra rien encore, même après avoir domestiqué la souffrance et la mort. Ne trouvant jamais sur son chemin que l'Or. L'Or pourri. L'Or maudit. Dégueulasse. La trahison de l'Or et sa désillusion. Et au bout de ce prodige — rien. L'épouvante de soi. Démence. Désert et Crucifixion. Quelqu'un ne va-t-il pas bientôt songer à opérer la tumeur ? Avec la tournure d'esprit qui est mienne en ce moment, j'assisterais volontiers à la déflagration. Ne bougez plus d'un poil, ladies and gentlemen ! C'est la minute ! L'instant fatal ! La fin promise ! Les cavaliers déboulent l'avenue, chevaux écumants, brandissant le drapeau noir dans une tourmente de meurtres accumulés sur leur passage. Un gnome femelle, rabougri, va se camper en place publique, nu, accroupi, hurlant devant la foule terrorisée, les cuisses écartelées, obscène, le regard dilaté, tout entier recroquevillé sur le trou distendu de son sexe en gésine tenu au ras du sol, accouchant, déchiré, du long corps révulsé de l'Antéchrist prêchant aux hommes rassemblés, immobiles de stupeur, la révolte et la haine des jours derniers. Viendra la morsure de cette pluie de sel et de feu. Plaie noire de l'anéantissement. Dans la pesanteur étalée du silence, une fois le brasier apaisé, se soulèvera d'entre les morts un couple sans mémoire, épargné, hôtes fantomatiques de ces lieux arides, hébétés, gémissants, ne reconnaissant pas encore la délivrance de cette pauvreté sainte du dépouillement. Un couple écrasé de peur primitive, se rapprochant craintivement l'un de l'autre, joignant leurs corps brûlés et retrouvant la raison simple des gestes de la tendresse dans cette nouvelle sépulture de vie. Trop tard pour vous en tirer par une grimace de piété hypocrite ! Vive Dieu et bénis soient les testicules du Saint-Père !

J'irai compisser les ruines bleuies d'une urine abondante. En espérant que la catastrophe aura pris soin d'exterminer l'engeance des tauliers, patrons de bistrots, marchands de boustifaille et tout ce qui s'ensuit hiérarchiquement dans la profession.

Cette Apocalypse impromptu brossée entre deux gorgées de bière n'a malheureusement pas eu d'effet direct sur le volume de mon sandwich dont j'achève les dernières miettes. Sicelli m'aurait probablement invité à manger un morceau avec lui ce soir si j'étais allé le trouver à son domicile. Ça me gêne toujours un peu de m'amener chez un copain aux heures des repas. Pique-assiette. Pourvu que Sicelli puisse lancer un emprunt ce soir même. Demain je serai ce qui s'appelle raide comme un passe-lacet. Ce sont les minuscules emprunts répétés qui vous sapent le moral. Obligé de se traîner de mille balles en mille balles. Pas grand-chose à faire avec mille balles. Passé par les cigarettes, le sandwich, un métro, un coup à boire, à peine entamé, c'est foutu. Vous les devez. Mille de plus. On repart en chasse. Le cercle s'épuise vite. Les types rechignent, deviennent durailles. Entré avec l'intention de leur extorquer de quoi vivre pendant huit jours, on s'en va l'oreille basse avec juste la monnaie du métro, et encore pas toujours. Ils vous poussent amicalement vers la porte. C'est dans les choux. Ça m'aurait plu de les voir par un petit trou dès qu'ils ont réussi à se débarrasser de vous, la porte refermée sur vos talons. Les entendre soupirer de soulagement ou se frotter les mains en estimant qu'ils ne s'en sont pas mal tirés. Leurs réflexions, leurs commentaires, les entendre raconter la séance à leurs connasses chéries, le soir à table, en famille, avec les greluchots qui demandent qui était le monsieur mal habillé qui est venu voir papa. On ne pose pas de questions à table, mes amours. Mangez vos nouilles, et toi, mets ta serviette autour du cou, tu vas tacher ta petite cravate. Ce monsieur est quelqu'un qui trimbale un univers entier dans sa tête mal coiffée, si ça peut vous édifier. En outre, il se permet de temps à autre d'établir des dialogues d'amitié avec des gens aussi célèbres que Zosime ou Lao-Tseu. Il peut, en deux coups de cuillère à pot, faire surgir devant vos yeux émerveillés des choses bien oubliées, comme vous diriez le Temple de Salomon, la noble figure de Uitziliuitl, empereur des Aztèques, ou plus couramment bâtir pour vous des villes ultra-perfectionnées, et encore les détruire d'un revers de la main, comme en se jouant, sans se soucier des populations ni des splendeurs architecturales dont s'enorgueillissait cette ville qu'il rend au néant si l'idée lui en vient, tout à fait à la façon du Dieu qu'on vous enseigne au catéchisme, mes chérubins. Que, par surcroît, ce monsieur soit un peu fou, cela ne fait aucun doute. Mais vous apprendrez plus tard beaucoup de choses troublantes concernant la folie. Voilà pour ce monsieur, mes petits lapins. Après cela, ai-je besoin d'ajouter que votre papa n'est qu'un attristant spécimen de l'espèce la plus courante des culs qui peuplent en surnombre et sans utilité définie les climats tempérés de notre hémisphère ?

L'ineffable serait évidemment de pouvoir emprunter une grosse somme en une fois, mais, comme disait Trimalcion l'antique, ça ne se trouve pas sous les sabots d'un cheval. Ce bon Dieu d'argent ! Ne pas manquer d'en toucher un mot dans mon bouquin. La part du fric, c'est la part de l'homme. J'accoucherais là-dessus d'un traité pertinent si je m'en donnais la peine. Le garçon qui virevolte dans mes parages, l'air aigrelet. Voudrait que je le paie et que je les mette. Trouve ma station un peu longuette. Sans renouveler les consommations. Il m'est déjà apparu il y a un quart d'heure, sa lavette au poing, pour soi-disant astiquer ma table. Je ne suis pas petzouille, mon gros mignon, j'ai bien pigé, mais figure-toi que j'en ai encore pour un moment.

La terrasse s'est garnie peu à peu. Un trio de vieilles et leur barbeau à côté de moi. La conversation roule sur les inconvénients des animaux en appartement. Chiens, chats, oiseaux, tortues. Le vieux est contre, deux vieilles pour, la troisième s'en tape. Elle a apporté ses biscottes avec elle, dans un sac en papier, elle grignote, piano, mâchouillant, évasive. Devant moi, deux gros types débordant de la chaise. N'arrêtent pas de se repasser un dossier depuis qu'ils sont arrivés, je compulse, je prends des notes. A une table plus loin, une femme en compagnie d'un jeune type. Je la vois de dos. Nuque incurvée, d'une minceur fragile, avec quelques bouclettes qui vacillent au brin d'air. Je distingue la bretelle de son soutien-gorge, la bosse du fermoir sous la maille légère du tricot. Glisser ma main sous le tricot et rencontrer la peau, la chaleur, ce corps vivant de femme. Je fixe les mèches folles de sa nuque. Comme de la plume. Comme de la poussière sur ce cou frêle. Ces détails chez une femme me troublent chaque fois profondément. Je saurais mal définir ce qu'ils éveillent en moi. Un goût de pureté. Un goût d'amour. Il m'arrive souvent de ressentir comme une brève décharge émotive à la vue d'un visage de femme qui se penche d'une certaine manière, une façon de baisser les paupières, de sourire, de regarder, de poser une main sur son genou. Il y a dans ces gestes naturels une sorte d'abandon involontaire de la femme qu'on n'approchera jamais. Comme si l'on commençait de la dépouiller du mystère qu'elle représente. Ne bifurque pas trop, troupier. De fil en aiguille, tout à l'heure, tu te retrouveras barbotant des quatre membres dans le chaudron des fées utérines. Et quelle est l'âme charitable qui s'élancera à ton secours ? Pas trace de grognasse pour ce soir, fût-elle borgne et accablée de pertes blanches. Le garçon qui revient m'emmerder. Ça le turlupine, décidément. Sa tronche de pain bénit. Un toupet blond à la cime du crâne, la moustache vermicelle. Il a transpiré sur son col blanc. La journée a été chaude. Doivent avoir les panards en compote au baisser de rideau. Il essaie de se faire entendre, par télépathie visuelle, la moue réprobatrice. M'a l'air buté, ce jeune larbin. Ne prise manifestement pas ma clientèle. C'est réciproque. Il fonce aux ordres en bout de terrasse, des gens qui barrent, qui veulent payer. Si je comprends bien, ils font aussi restaurant dans la maison. Je voyais des gens se planter devant un petit panneau, là-bas, lire un moment et entrer dans la salle. M'amuserait de savoir ce qu'il y a au menu de ce soir. A titre purement indicatif. Consommé froid, c'est la saison. Et quoi encore ? Des filets de soles ? Fonds d'artichauts à la romaine ? Je sentais des odeurs fluides, du beurre grillé, un fumet de sauces, que par réflexe j'attribuais à mes sens abusés. Non point. Ça doit sourdre de quelque part en provenance des cuisines. Le tas de nourritures qui se préparent dans le sous-sol, là, sous mes pieds, si près de moi, cloquantes de beurre, finement hachées, saisies au vif, à petits bouillons, un jet d'épices, passées au four, sous un gratin, une grande friture, ou fricassées, longuement recuites et rissolées et casserolées, de mille et une façons, alors qu'est-ce que c'est que mon bout de sandwich fluet à comparer ! Je ne voudrais pas trop insister, mais j'ai le sentiment qu'il serait recommandable dans mon cas que je prisse sans tarder un repas complet, des hors-d'œuvre jusqu'au dessert, en ne sautant aucun service. Ou sans ça, merde, ça va tourner à l'obsession. Serais-je anormalement enclin aux choses de la table ? Si on allait se vidanger la vessie, ce serait une occasion de pousser une pointe vers le fond de la salle, voir ce qui se trame côté restaurant. Le temps de me lever, quoi ! une fraction de seconde, la veste blanche est plantée devant moi. Non, je ne m'en vais pas. Pas encore. Désolé. Veuillez m'indiquer le chemin, je vous prie ; par là, merci. Je le laisse grognon sur le pas de sa porte. Il commence à me courir, ce pédé.

Il fait nettement plus frais dans la salle, meilleur

que dehors. Le restaurant est séparé du reste par trois marches que je m'apprête à escalader, lorsque je sens une main me tomber sur l'épaule. Exclamation derrière moi. Le petit faciès d'écureuil pâlichon, le nez en carotte, les yeux pipés, lavasses, bleu vierge derrière les lunettes, le front bossu, les grandes oreilles, les épaules plates, la voix crochue, il m'arrive sous le menton, ça me rappelle quelqu'un, de toute évidence, mais qui? Vois pas. Je cherche un nom dans la collection. On se serre la main. Chaudement. Il paraît content, plutôt enthousiaste. Au moins quelqu'un à qui je ne dois rien. Je fais naturellement comme si je l'avais remis du premier coup. Et comment ça va, qu'est-ce que je fabrique, ça va, ça marche, et toi-même? Bon, qu'est-ce que je fais ce soir, on ne va pas se quitter comme ça, ce que c'est que le hasard, il pensait à moi il n'y a pas deux jours, se demandait ce que j'avais bien pu devenir. Pélissier. J'y suis. Raymond. C'est le costume boudiné qui m'a mis sur la voie. Le bas de la veste ondulant, les taches sur les revers, les épaulettes trop basses d'un cran. C'est bien ça. Pour le reste, il m'a l'air d'en avoir pris un sacré coup en quelques années. Le crâne qui se dégarnit sur le devant. Un ramis de rides autour des yeux et la bouche avachie, dégringolée, comme s'il n'avait plus de dents. Je ne pense pas que je l'aurais reconnu s'il ne m'avait abordé le premier. Maigre comme un coucou. Il flotte dans son froc. Une poche, là-devant, à la ceinture. Il a toujours été fringué à la mords-moi le zob, autant que je me souvienne. Il m'entraîne vers un recoin de la salle où il était attablé avec deux amis à lui. Des copains de travail, m'explique-t-il en me précédant. Selon les apparences, Pélissier n'est pas encore le mécène tant espéré. Ma mémoire rafraîchie me rappelle très opportunément que Brandès l'a bien connu. Un certain air de parenté entre eux. Puent le ratage jusqu'à la moelle. Ça ne me coûtera rien de le taper. Un ancien copain si emballé de me ravoir dans le giron. Devant les deux autres, ne fût-ce que pour flamber, il n'osera pas me refuser. En être, moi, réduit à ponctionner un avorton ! J'en ai un pincement au cœur, passez-moi la défaillance. Un garçon m'interpelle. Il paraît que j'ai une consommation à la terrasse qui n'est pas réglée. Rien de plus vrai. J'allais pisser quand j'ai rencontré cet ami. Je laisse Pélissier rejoindre sa table. Le blondinet de la terrasse ne me perdait pas de vue, à ce que je constate. Si j'avais pris la poudre d'escampette par la bouche des chiottes ! Le pourliche sera pour une autre fois, pas besoin de vous faire un dessin. Il s'arrache un fin sourire en coin qui lui remonte son filet de moustache. Le type qui savait d'avance à quoi s'en tenir. Crispant. Mûr à point pour se faire claquer la gueule occasionnellement.

Demi-tour en direction de la table où l'on m'attend. Ça me fait un drôle d'effet tout à coup d'être tombé sur Pélissier. Pourquoi ce soir ? Jamais plus repensé à lui. C'est déjà loin. Il incarne une période guère moins calamiteuse que l'actuelle. Je travaillais à l'usine quand nous nous sommes connus. Chez Ponthivier et Durnheim, instruments de pesage et accessoires de précision. Pélissier atterrissait dans ma sphère par l'intermédiaire direct de Brandès. Nous avons dû nous voir la première fois chez le bougnat où Brandès prenait son repas de midi avant l'apparition de miss Worms la toute chatoyante qui devait nous chambrer notre petit Alfred en un tournemain, comme le plus docile des enfants de chœur de la paroisse. La balalaïka nostalgique sanglote sur la vaste steppe désolée. *Où êtes-vous, neiges d'antan ?*

Ne pas manquer Sicelli. A l'heure du coup de feu

dans son dancing, il devient presque impossible de lui parler longuement. C'est de l'argent qu'il me faut, pas des relations automnales émergeant de la consigne. Un tantinet de mauvais poil en m'approchant de la table. Ça ne me plaît qu'à demi de l'avoir retrouvé. Je sais maintenant ce qui m'a aidé à le situer. C'est son col. Son col de chemise derrière le cou. Graineté de taches ténues, sur la lisière, à hauteur des cheveux, des pois rouge-brun, de la grosseur d'une chiure de puce. Et c'est très certainement de chiures de puce dont il s'agit. Seuls Brandès et lui, à ma connaissance, donnent cette impression de crasse blême, de crasse huileuse, maladive, comme si elle émanait de la peau elle-même. Le teint blafard, quelques poils de barbe noire éparpillés en plaques, une lunule de roseur sur chaque pommette, maquillage funèbre dans tout ce blanc atténué. Il se lève pour me présenter aux deux autres qui soulèvent vaguement leurs fesses en me tendant une main par-dessus la table. Rien compris à leurs noms respectifs. Je retiens seulement au passage que l'un d'eux répond à Marcel. Pour ce que j'en ai à foutre !

Ils sont tous les trois devant des Ricard. Sensiblement de mon âge, correctement vêtus, l'air avenant. Qu'est-ce que je prends ? Un siècle que je n'ai pas trempé les lèvres dans un apéro. La couleur moirée, consistante, le cube de glace qui flotte dans leurs verres, légère odeur d'anis, j'ai envie d'y goûter. Ricard. N'est-ce pas extraordinaire cette rencontre ? On a passé de bons moments, hein ? Il me tritouille le bras en signe d'amitié. Le nœud de sa cravate comme un bouchon de tissu essoré. Selon qu'il reçoit la lumière sous une inclinaison donnée, on y voit reluire un vernis uniforme qui s'est depuis longtemps amalgamé aux fibres et confondu avec la couleur lie-de-vin d'origine. Nous trinquons. A notre rencontre. Les deux autres n'y voient pas d'objection. Descendent la moitié du verre d'une seule gorgée. Pélissier de même. En les regardant de plus près, il me semble, aux sourires lippus qu'ils m'adressent quand nos yeux se croisent, il me semble que ces deux gaillards-là ont déjà largement dépassé le cap Nord et que le navire va maintenant comme il peut. Ce qui me fait me souvenir que Pélissier pintait raide jadis. Ça non ! Je ne suis pas venu ici perdre mon temps avec des poivrots ! Saoulez-vous la gueule si ça vous chante, mais moi, mon verre fini, salut, bonsoir, je me trisse, non sans faire appel tout d'abord à sa générosité.

Ça l'a secoué de me revoir, brusquement, au beau milieu de la salle. Il explique aux autres comment nous sommes devenus copains. Leurs verres déjà liquidés. Combien en ont-ils ingurgités avant mon arrivée ? Il ne verra peut-être pas d'inconvénient à m'avancer deux, trois mille francs ? Peut-être plus. Cinq mille. Je demanderai cinq mille, il sera toujours temps de rétrograder. Et les deux autres ? Ce serait la manne. J'ai idée que le dénommé Marcel est juste assez cuit pour sortir le portefeuille au nom de l'amitié. Ils remettent la tournée. Moi exclu. Un verre me suffit. Pélissier passe les gauloises autour de la table. C'est Marcel qui nous tend son briquet allumé, la main vacillante. Son compère, l'épaule calée contre le mur, éprouve de la difficulté à ajuster le bout de sa cigarette à la flamme qu'on lui présente. J'aurais intérêt à ne pas remettre à plus tard le coup de sonde que je me propose de hasarder en vue de la pêche miraculeuse. L'instant est proche où tout effort de conversation suivie sera hors de portée du trio. Déjà Marcel, les yeux plombés, s'enfonce en pente douce vers un début de léthargie. J'y vais franco. Cinq mille ou rien. Cette graine de nabot se sent galvanisée par mon aveu. L'œil vif comme un gardon du jour. Il va douiller. Affaire conclue. Ça ne le gêne pas. Mais il aimerait bien savoir comment il se fait que je sois raide à ce point. Qu'est-ce que je bricole ? Pourquoi ne resterais-je pas avec lui ce soir, nous irions manger ensemble en discutant le coup.

A quoi bon contrarier le destin ? Le sandwich est déjà loin et je ne suis pas homme à reculer devant un gueuleton qui s'annonce sous le signe de l'abondance. Que m'aurait offert Sicelli ? Une misère. Je le verrai une autre fois. Perdre mon temps au dancing ou avec Pélissier, pas grande différence, si ce n'est qu'avec lui je peux m'en mettre plein la lampe sans débourser un sol.

Je me trouve donc en quelque sorte sur la tangente ? Où est-ce que j'habite en ce moment ? Question plus qu'épineuse. Je ne veux pas dire par là que je suis sans domicile ? Ça ne saurait tarder. S'il n'habitait pas l'hôtel, sa porte me serait grande ouverte, sans hésitation. Je n'ai pas des amis qui pourraient me rendre ce service, un mois ou deux ? Nous avions de bons copains autrefois. Cerullier, Gaubert, Cusin. Il est dans les assurances à présent, Cusin. Qu'est-ce que je risque à aller leur dire un petit bonjour ? Qui a-t-il rencontré récemment, qui lui a parlé de moi ? Gaubert, justement.

Réentendre ces noms me fait l'effet d'une exhumation au clair de lune dans la nécropole olympienne.

Les gens qu'on connaît, qu'on fréquente, et qui s'effacent brusquement comme s'ils passaient à travers le décor. Si j'ai bonne mémoire, Gaubert avait rogné sur ses économies pour éditer à ses frais un petit bouquin de poèmes dont j'ai dû avoir un exemplaire dédicacé à mon nom. Pourrait peut-être faire quelque chose. Le fait est que l'idée ne me serait jamais venue de me rabattre sur ces connaissances d'un temps révolu. *Pourquoi pas ?*

Gamma

7

Escale salutaire s'il en fut.

De quelle façon je leur présentai mon histoire en gros, je n'en ai gardé qu'un vague souvenir, mais ce que je me rappelle, c'est qu'avec ces deux-là, Gaubert et sa femme, j'eus immédiatement la sensation de m'être engagé sur la bonne piste. A quoi cela pouvait-il bien tenir, peut-être simplement à l'atmosphère paisible de la pièce où l'on m'avait d'abord fait entrer en attendant de passer dans le bureau de Gaubert lorsqu'il arriva ce soir-là de son travail et que Simone, sa femme, lui annonça ma visite.

Je me revois, assis sur l'un des sièges de leur salle à manger recouverts de reps vert, face à une grande fenêtre encadrée de rideaux de voile qui recevaient du dehors, dans leurs plis, une longue traînée de soleil mûr glissant comme une huile limpide jusqu'au parquet blond, vivant d'une chaleur interne, pâte croustillante du bois entretenu. On avait affaire à une cellule étonnamment douillette, protégée par sa propreté lustrale. Les bibelots, quelques petits chevaux de faïence blanche dans des postures diverses, une coupe, un vase, une soupière de porcelaine décorée, sur la cheminée deux grosses lampes anciennes surmontées de leurs boules de verre dépoli, chaque objet était disposé dans un ordre calculé d'où personne ne songerait plus jamais à le déplacer. La tapisserie neuve, jaune paille, illustrée de petits motifs champêtres enrubannés de fleurs tarabiscotées. La table ronde, au milieu, exactement au milieu de la pièce, recouverte d'un tapis en paille de riz, une corbeille de fruits au centre, gros raisins noirs, si ma mémoire est bonne. La desserte longeant un panneau du mur, les ferrures effleurées de biais par la clarté du jour. Décor qui m'aurait tiré les larmes des yeux, habitué que j'étais à la ternissure uniforme des cambuses de meublés, escaliers veules, fonds de couloir, lumière chafouine des cours d'immeubles, pesanteur invisible d'une crasse tenace, d'une crasse profonde dévorant en silence, tant et si bien que sans s'en apercevoir on finit par lui appartenir corps et âme. Moi aussi, si j'avais sérieusement envisagé de me mettre à la recherche d'un travail, avec le minimum de prévoyance j'aurais pu dans quelques années avoir ma salle à manger, le lampadaire, la grosse potiche, un bout de tenture, un bout de famille, une femme à moi que je peloterais dans mes draps blancs, sous Jésus-Christ épinglé au mur, un brin de rameau derrière l'oreille. Le tout payé de mes deniers. Content. Bouffi. Sans idées folles. Qu'est-ce que j'attendais ? N'étais-je pas assez convaincu de la brièveté de notre existence ? On a à peine vu clair que c'est déjà la fin. Batailler, s'imaginer qu'on va bouleverser le monde pour avoir torché quelques milliers de pages et raconté, et décanté sa petite tranche de vie en long et en large. La belle affaire ! Contente-toi de manger ta soupe en regardant les étoiles. Toujours semblables à elles-mêmes dans le soir azuré. Depuis le vieil Adam. Et avant le vieil Adam. Et avant ce qui était avant qu'il n'y eût rien. Splendides et immuables, nos petites frangines les étoiles. Ont présidé à ta naissance. Présideront à ta mort. T'ont vu vagissant dans les langes, laid comme un ouistiti. Te verront chenu, planté sur deux cannes, cadavérique, figé, couleur de suif, empaqueté dans ta caisse, aspergé d'eau bénite. Et il n'est pas impossible que par les nuits d'été un de leurs rayons scintillants aille s'égarer et te tenir compagnie dans ta demeure éternelle. Regarde bien. Se fendent la pipe, là-haut, de glace, avec une magnifique arrogance. Voient tout ce petit monde se démener hardiment. A quelles fins ? Bernique.

Pendant que j'attendais, me parvenait d'un recoin de l'appartement un ronron de voix qui, par instants, s'interrompait ou augmentait en force, se prolongeait, cessait, remplacé alors par un pas tapotant qui se déplaçait, s'arrêtait, repartait en s'éloignant, un bruit de porte, le heurt métallique d'une casserole, puis la conversation recommençait, murmurante, chuchotis, un bourdonnement au bord du sommeil. Il me semble encore que j'aurais pu rester ma vie entière baigné dans ce silence incolore et pris peu à peu dans le moule de la nuit.

Au moment où Gaubert entra, j'étais dans un tel état de fléchissement que s'ils m'avaient opposé un refus, j'imagine que je les aurais tous deux adjurés à genoux de me garder chez eux au moins pour la nuit.

Dès les premières paroles que nous échangeâmes, je crus discerner que l'appellation d'écrivain et tout ce qui s'y référait avaient sur Gaubert une emprise magnétique. Et à plus de minuit, le ventre calé, un verre d'alcool devant mon assiette sur laquelle s'éternisait un morceau du gros gâteau qui avait couronné un repas d'une cuisine riche, des cigarettes en pagaille, largement renversé sur ma chaise, me laissant diriger par l'inspiration, un peu gris de nourriture et de vin, je tenais encore le crachoir devant ce couple qui ne donnait apparemment aucun signe de fatigue à m'écouter ciseler depuis le début ma conception de l'écrivain et de l'art d'écrire. N'en revenais pas moi-même. Il y avait simplement eu un court entracte vers les neuf heures pour coucher Nadine, leur petite fille, une gosse de huit ans ni belle ni laide, que je m'étais ingénié à séduire pendant toute la première moitié du dîner. Une question me revenait par intervalles à l'esprit. *Ont-ils l'habitude de manger tous les jours aussi bien ?*

J'avais notamment apprécié la manière libérale dont on pouvait se servir et se resservir de tous les plats. Pays de Cocagne, pas d'erreur. Gaubert, effectivement, était rondouillet, replet. Le cou plissé dans son encolure. Courtaud. Boulot. Les épaules trapues. L'estomac sous le gilet. La brioche. Ses petites mains dodues qui empoignaient le verre avec délicatesse. Des mains de caissier. Blanches. Proprettes. Des ongles courts. Quelques poils noirs sur le dos et les phalanges. Les manchettes de la chemise s'harmonisant toujours avec cette netteté presque prophylactique.

Je venais d'entrer *glissendo* dans un monde coagulé, comment dire ? dans l'aura lactée du Jardin Céleste à la dernière aube de la Création, quand le travail est fini, qu'on a donné l'ultime coup de plumeau et qu'il ne reste plus qu'à faire entrer les invités de la garden party du dimanche.

Curieux comme vont les choses. Pour peu que la chance s'en mêle, et c'était le cas, plus n'est besoin de vous tourner les sangs, tous les problèmes de l'heure se présentent accompagnés du modèle type de leur solution au bas de la page. Suffit de vous conformer aux prescriptions, et si jamais elles ne vous conviennent pas, il y en a encore des tas de rechange. Présent des dieux, en un mot. Ce que je comparerais au voyage en sleeping dans le ventre de la baleine.

Pendant tout le temps que j'habitai chez eux, je disposai du fond de la grande entrée séparée par une cloison du reste de l'appartement. Ainsi, il avait été entendu que je pourrais lire ou écrire sans risquer d'amener de perturbations au climat de la famille. J'avais même eu droit à une clef et libre à moi de sortir ou de découcher si tel était mon bon plaisir. La maisonnée fonctionnait sur un vieux fonds d'entente cordiale, ce dont je devais être le premier à bénéficier et largement.

Simone m'avait aidé à installer mon coin. Le divan qui m'était destiné s'y trouvait déjà avant mon arrivée. Nous rajoutâmes une table contre le mur, dans le prolongement du lit, une petite lampe, et Gaubert, profitant d'une de ses journées de campos, remonta de la cave, un après-midi, chargé d'une vieille étagère qu'il scella lui-même dans un angle afin que je puisse ranger les quelques bouquins que j'étais allé récupérer en même temps que mon linge à mon ancien hôtel.

Gaubert perché sur l'escabeau et moi en bas, lui faisant passer les clous et les tampons de bois. Nous trouvant seuls, je me hasardai à lui demander la permission de déplacer un sous-verre accroché dans une encoignure de l'entrée, près de la porte, à l'abri des regards. Je désirais l'avoir au-dessus de ma table depuis des semaines, mais, conscient de l'ordre rigoureux qui régnait dans tout l'appartement, même l'objet le plus insignifiant n'ayant visiblement pas été posé à la légère, c'est timidement que je formulai ma demande. Cette reproduction du Christ de Dali était la première chose que j'avais remarquée dans la maison. Encadrée de bois clair, un entourage de carton gris projetant un relief de profondeur sur le dessin, l'image me fascinait.

Comme médusé, Gaubert, s'arrêtant net de clouer, fit un demi-tour sur l'escabeau pour jeter un regard dans la direction du tableau suspendu plus loin. Un ami auquel il avait rendu service lui en avait fait cadeau. S'en souciait comme de sa première chemise. *Pas très porté sur la peinture en général, ni surtout sur les sujets religieux.* Telle fut sa réponse que j'enregistrai fidèlement, me promettant de la caser un jour ou l'autre dans l'une de mes pages. Pourquoi diantre aimais-je cette peinture ? C'était un Christ comme il y en avait des centaines. Par contre, avais-je vu dans son bureau ce tableau représentant un petit village de pêcheurs méditerranéens sous le soleil ? Pour le Dali, je pouvais coucher avec si le cœur m'en disait.

M'observant, le marteau ballant au bout du bras, il hochait la tête, un sourire compatissant au bord des lèvres. En dépit des années, je n'avais pas changé, hein ? Pas d'un pouce. Toujours attiré par le lugubre, le macabre, l'insolite, les trucs plus ou moins agressifs, les cas, les idées, les gens extrêmes. Tout ce qui était une provocation, un défi ou un outrage était certain de recevoir mon accord, n'est-ce pas ? Pourvu que dans les choses qu'on me montrait je puisse détecter comme une odeur de poudre fraîche ou un vieux relent de mort suspecte, me voilà à mon affaire, enfourchant le coursier au triple galop. Me mettaient en transe, naguère, les œuvres marquées par le label du mystère, de l'inconscient, en principe tout ce qui frôlait l'au-delà, le surnaturel, superstitions, anxiétés, maniaqueries, perversions, recherches biscornues teintées d'une goutte de paranoïa. (Et sexe, oubliait-il d'ajouter à son énumération.) Oui, oui, il me retrouvait bien tel qu'il m'avait connu. Il s'en était fait la réflexion le soir même de mon apparition chez eux, à la fin de la longue discussion qui nous avait menés tous les trois presque jusqu'à l'aube. Je tenais à peu de chose près le même langage de vitriol qu'autrefois. Se référant au passé, il m'avait écouté parler avec une pointe d'amusement. N'aurait pas cru qu'un homme pût rester si authentiquement fidèle à lui-même, à certains chevaux de bataille, voulait-il dire. Au fond, ce que j'adorais, c'était me voir en dynamiteur, bien que toujours paisiblement assis dans un fauteuil, le soir à la veillée après un bon repas entre amis. Et si l'on me donnait le moyen d'allumer la mèche, je prétexterais ne pas savoir me servir des allumettes. Par exemple, il se souvenait de mes goûts en littérature. Jamais je ne prêtais attention aux gens reconnus, ou célèbres. Les maîtres de l'heure n'étaient, à m'entendre, que des pantins soufflés. On aurait dit que j'avais le don d'aller pêcher des écrivains dont personne jamais n'avait eu vent, leurs écrits, soit dit en passant, étant habituellement indigestes pour un cerveau de moyenne capacité. Comme cet hurluberlu de l'île Maurice dont je raffolais littéralement à une époque. Affublé d'un nom pas ordinaire. Comment donc, déjà ? *Malcolm de Chazal*. C'est ça ! Sa Seigneurie ne vivait-elle pas nue sur son île, le front ceint de lauriers et déclamant ses propres œuvres face à la mer, ou quelque chose d'approchant ? D'ailleurs, on n'avait jamais vu un livre de ce prétendu géant, mais il me suffisait de savoir que c'était un excentrique pour l'inclure dans la galerie des Intouchables. Naturellement, ce Chazal faisait encore partie de mes admirations ? *Naturellement*. En compagnie d'autres flibustiers du genre Elolini, Navel, ou de Karim Zroumbra, le poète syrien, qui, les uns et les autres, n'avaient guère brillé au firmament de la littérature mondiale. Savait-on seulement ce qu'ils étaient devenus ? Dans une assemblée où je prenais la parole, on pouvait se préparer à m'entendre jongler avec des anecdotes que, du reste, je devais inventer aux trois quarts sur des écrivains ou des peintres dont la renommée n'avait jamais franchi le cercle de l'amitié. Tous personnages anormaux, cela allait de soi. Des maudits de tout poil et de tout calibre, lâchés dans l'espace une torche incendiaire à la main, vêtus de façon extravagante, buvant, bâfrant comme des ogres, sacrifiant femme et enfants pour mener une vie abracadabrante en concordance avec leurs visions intérieures, et de préférence dans des lieux aussi mal connus que les Indes ou quelque autre endroit de l'Extrême-Orient d'où ils avaient rapporté, outre la relation de contacts humains avec des trafiquants d'espèce dangereuse, une étonnante élévation de pensée directement puisée aux sources de la traditionnelle sagesse. J'avais vraiment le crâne farci d'histoires à dormir debout !

Et à présent, voici que j'étais chez lui, ici, dormant sur ce divan, me servant de cette table et sollicitant comme une faveur d'accrocher à portée de mon regard ce tableau sinistre d'un farceur qui gruge le monde. Sacrebleu, peut-on savoir ce qui se produira dans une vie d'homme ! Il était heureux que je me sois adressé à lui pour m'héberger. Comme j'avais pu le constater, son existence avait pris une autre tournure. Quand on a une femme et un enfant, il y a tout un côté de la vie qui bascule dans l'ombre. Certes, il avait eu l'ambition d'écrire, mais, entre nous, en était-il capable ? A tout prendre, il vaut mieux savoir se garer prudemment en temps opportun. Séduisant de prétendre vivre en artiste, mais vient un moment où l'on n'a plus l'âge où plus le droit de se tromper sur soi-même.

Pérorant, tout rond, tout court, le ventre en avant, les manches retroussées, cravate desserrée et son gros cul proéminent ajusté dans le fond de culotte. Les pantoufles de drap écossais en contrepoint ajoutant, pour ainsi dire, un piment spécial à la tonalité ambiante.

Encore un joyeux drille à qui la vie de famille avait rogné les ailes. De quel ton d'amertume contenue avait-il fait allusion à nos merveilleuses, à nos passionnées discussions de jadis, pleines de projets fantasques, pleines de force, de vie, d'insouciance, d'irrespect, de jeunesse, sans retenue, sans mesure, exaltantes, promesses de foi intransigeante et de grandissement de soi! Pourtant, cela à son idée, n'avait été qu'un éblouissement passager. Finirait certainement un jour par ne même plus se rappeler pourquoi il avait fait imprimer son nom sur la couverture d'un livre.

La discussion avait d'ailleurs tourné court, suivie d'une espèce de malaise entre nous à la suite de ses dernières paroles.

Ce besoin qu'il avait eu de justifier devant moi son genre actuel de vie, me laissant entendre que, quelle que pût être mon opinion, j'étais néanmoins bien aise d'en profiter. *Ouais*. Admettons. N'empêche que, s'il avait apporté tant de sollicitude à m'installer chez lui, c'est que je personnifiais bel et bien la réincarnation de son vieux rêve écroulé. Terre ferme en vue. On se sentait de nouveau tout revigoré. Ma présence, que je sache, n'avait pas d'autre motif. Quelqu'un avec qui on pourrait s'épancher en risquant d'être compris, quelqu'un qui maniait enfin le même idiome. Et s'il avait pu se tromper sur les raisons qui le faisaient agir, en ce qui me concernait, je n'avais pas été dupe une seule minute.

Ce même soir, qui devait être un samedi, seul jour de la semaine où le repas traînait en longueur, Gaubert n'ayant pas à se lever le lendemain, une fois la table desservie par les soins de Simone aidée de sa fille, l'histoire du tableau se glissa comme incidemment dans nos propos.

Simone s'était déjà installée pour tricoter dans son petit fauteuil d'osier sous la lumière, la gosse près d'elle feuilletant un illustré et Gaubert accoudé face à moi, de l'autre côté de la table, remplissant une pipe dans la blague ouverte devant lui avec cette série de gestes menus, attentionnés, qu'il répétait soir après soir pour la même opération. Je l'observais chaque fois comme on observe le patient travail de la fourmi laborieuse. Son air d'infinie sérénité plaqué sur son visage gras. On aurait dit qu'il n'y avait plus que cette pipe dans sa pensée, dans cette pièce, dans sa vie, partout. Rien qui surpassât en importance ce fourneau de pipe à bourrer correctement. Il tassait et retassait le tabac sous son pouce, la pipe dans le creux de la main, vérifiant le tirage en suçotant à petits coups, du bout des lèvres, puis ramassant d'abord les miettes de tabac éparpillées qu'il reversait ensuite soigneusement dans la poche de la blague avant de frotter l'allumette et de se décider enfin à fumer. Ni sa femme ni sa fille n'accordaient jamais d'attention à son petit manège qui s'accompagnait pourtant le plus souvent d'une interruption au milieu de la conversation comme s'il avait dû se concentrer sur cette besogne infime qui me mettait les nerfs en boule. Qu'on puisse consacrer tout ce temps rien qu'à bourrer une pipe ! Sourdement exaspéré, j'imaginais avec délices ce qui se produirait si, tout à coup, sans prévenir, au plus compact de l'atonie générale, j'avais le culot d'abattre mon poing sur la table, floc ! coup de massue, et que je me prenne à gambader comme un jeune cabri dans l'espace libre de leur glorieuse salle à manger, grimaces et cris d'animaux à l'appui, un tas de singeries soutenues au besoin par quelques convulsions obscènes de mon invention. Leurs gueules stupéfaites. Leur étonnement. Leur désarroi. Mais peut-être essaieraient-ils simplement de me calmer avec douceur, en amis exemplaires qu'ils étaient, Simone, sans perdre la tête, préconisant vite un bol de tilleul ou un verre d'eau à la fleur d'oranger. J'avais des chances de me retrouver rapidement bordé dans mon plumard comme un grand malade, une bouillotte sous les pieds et Gaubert inquiet à mon chevet, attendant l'arrivée du médecin de famille.

Ces gens pacifiques, chacun dans son coin, chacun sur sa chaise, à l'abri de la pièce empaillée de lumière et de larges zones de pénombre douce, réunis entre eux par les maillons accidentels des circonstances, puis par la force de l'habitude. Il m'arrivait certains soirs de me représenter par quoi se solderait la mort si l'un des deux venait à passer l'arme à gauche. Un chagrin de quelques mois. La vie reprend le dessus. Ça devient une ombre impalpable. De l'épaisseur d'un souvenir. Nuage de cendre. Quand on n'a rien de mieux à faire et qu'on se sent dispos, les reins au chaud et l'âme vacante, il y a un agrément indéniable à évoquer ses morts, reconnaissant sans déplaisir au fond du cœur la saveur langoureuse des vieilles tristesses amorties. Simone serait une jeune veuve encore fort acceptable à tous points de vue, sauf peut-être les hanches qu'elle avait un peu fortes. Marche pour le cul qui en valait d'autres. A part quelques rides prématurées qui fripaient déjà légèrement la peau dans l'angle des yeux, malgré ce soupçon de bouffissure commun aux blondes en marche vers la trentaine, elle n'était pas mal. Traits réguliers, le visage bien fait. Encore de belles années devant elle, même si son conjoint du moment venait à lui claquer brusquement entre les pattes. Ne tarderait pas à se laisser basculer dans le lit d'un autre. Gaubert ne s'en tirerait pas aussi aisément, placé dans la même situation. On sentait que pour lui ce foyer serait irremplaçable. Pas cavaleur de tempérament. Timoré auprès des femmes, autant que je me le rappelais. Bien qu'à plusieurs reprises nous eussions librement bavardé ensemble de tout et de rien, pas une fois le thème n'avait été abordé entre nous. Sous ce rapport, sa vie devait être étonnamment vierge d'aventures. Du genre à tirer son coup à date fixe, nuitamment et sans excès. Le dernier que l'on pût imaginer s'embarquant dans les complications d'une liaison. Trop mouvementé pour lui. J'étais convaincu que si jamais je lui avais posé la question d'homme à homme, il m'aurait objecté avec calme et bon sens qu'il était marié, père de famille, heureux tel quel, alors pourquoi aller chercher ailleurs ce qu'il avait à domicile sans se tracasser ? Quant à la routine journalière, elle ne risquait guère de prédisposer aux galipettes. Réglée au quart de tour. Quittant son travail à six heures et demie le soir, il était de retour moins de trois quarts d'heure après. Lorsque, par hasard, un travail supplémentaire devait le retarder, Simone en était aussitôt avertie par téléphone et venait à son tour me prévenir qu'exceptionnellement nous mangerions un peu plus tard.

Presque enivrant de songer que j'avais réussi à m'immiscer au sein du cocon. Comme de lamper à petites gorgées la coupe d'hydromel. Souvent après dîner, la chaudière à ras bord, je me laissais volontairement pénétrer, annihiler par le fluide liquoreux de l'atmosphère. D'un œil appesanti je contemplais ce couple devant moi. Gaubert et sa femme, personnages d'époque figés sur l'image fanée de la légende dans la grande salle de repos du château féodal tapi au fond de la forêt murmurante. Simone à son tricot, Gaubert épluchant le journal du soir, et leur fille Nadine, la jeune princesse du sang, dormant du sommeil de l'innocence dans son berceau à colonnes sous la protection de fée Caroline. Si aucun messager du dehors ne galopait dans notre direction avec mission pour lui de nous secouer de notre torpeur, nous risquions de passer tous quatre sans tarder à l'état de fossiles. Heures moutonnantes entre la fin du repas et le moment d'aller se mettre au lit. Aux frontières mordorées de la catalepsie.

Toujours est-il que le nom de Dali roula dans la conversation, lancé par Gaubert, non sans un léger sourire d'ironie à mon adresse. La résonance de ce nom n'était pas tout à fait inconnue de Simone qui suspendit un instant son ticotis d'aiguilles et tourna la tête vers son mari, s'informant de qui il s'agissait au juste. Salvador Dali. Ce peintre moderne qui avait fait le Christ qui était dans l'entrée. En effet, ce nom lui disait quelque chose. Mais quelle idée le prenait subitement de parler de ce peintre? Comme, de mon côté, je ne m'empressais pas de mordre à l'hameçon aussi vite qu'il l'eût souhaité, Gaubert, qui entendait poursuivre l'escarmouche, ne put réprimer un air de bonne humeur à la question posée par sa femme. Innocemment, elle venait de lui tendre la perche.

Bien assis, déployé, il s'étala encore un peu plus lourdement sur sa chaise, l'estomac au large, les joues écarlates sous l'effet de combustion de la nourriture qui, une fois de plus, avait été abondante, puis, après avoir aspiré du bout des lèvres une grosse bouffée au tuyau de sa pipe, il retraça avec complaisance notre discussion de l'après-midi. Je le sentais chercher mon regard que je dérobais intentionnellement, me tenant en silence, assis contre le rebord de la table, les doigts occupés à triturer quelques chiffons de poupée que la gosse avait apportés pour s'amuser.

Pauvre face de croupion ! Qu'espérait-il de moi avec son Dali ? Que je leur fasse un cours ? Muet, renfrogné, je l'écoutais débobiner ses appréciations nébuleuses sur telle ou telle œuvre picturale de sa connaissance, car, privé de ma contradiction et un peu éberlué par mon attitude, il pataugeait des deux pieds dans un dédale de considérations générales de son cru d'où le Dali de l'origine était étrangement absent. Va toujours, petit bonhomme !...

Ne pigeait rien à la peinture, le pauvre bougre. Rien et moins que rien. En retard d'un siècle au bas mot. Pour parler de gens comme Klee, Kandinsky, Chirico, Chagall ou d'un peintre aussi célèbre que Picasso, lui-même, il employait le genre de formules rabâchées comme des slogans, traînant de bouche en bouche sans que ceux qui les prononcent aient seulement jamais mis les pieds dans une exposition, vu de près le tableau ou l'œuvre dont ils parlent, ni ne se soient risqués au moins une fois dans leur vie à penser par eux-mêmes. Cette hargne imbécile contre tout ce qui présente le monde et sa vérité sous une lumière nouvelle, brutale, tragique, délivrée du vieux moule de l'ordre établi qui permet à la multitude de s'endormir chaque soir sur ses deux oreilles jusqu'au sommeil dernier dans la parfaite apothéose de la nullité triomphante. Cette haine de l'idée qui ne répond à rien que de personnel. Cette haine de la création qui n'emprunte pas les passages cloutés prévus à cet effet. Ils sentent pourtant, ils devinent bien au fond d'eux-mêmes et sans vouloir se l'avouer qu'il y a là quelque chose, quelque chose qu'il est impossible de réfuter par la seule dérision ou d'un simple haussement d'épaules indifférent. Une sorte de teigne implacable qui colle à l'épiderme et dont il n'est pas facile de se débarrasser, même par la colère, même par l'ignorance. Même par le mensonge. Le monstre à têtes innombrables prolifère en secret, n'importe où, puissant, à l'étage au-dessous du vôtre, sous vos pieds, pendant que votre femme chérie vous sert le potage aux fines herbes, ou que vous vous inquiétez des amygdales de votre rejeton. Quelqu'un fait le vide autour de lui, détruit, déblaie, brûle, meurt dix fois, cent fois s'il le juge nécessaire, afin de pouvoir un jour pousser son cri de détresse qui n'aura plus de fin ici-bas et retentira longtemps encore après que la planète en délire aura oublié querelles et massacres qui sont présentement notre pâture quotidienne.

Agacé au début par le ton de raillerie voulue qu'il insinuait dans ses propos et aussi par son désir apparent de me cuisiner sur mes goûts et mes idées en présence de sa femme, peu à peu je commençais à me délecter en l'entendant s'embrouiller, se contredire d'une opinion sur l'autre, chevaucher les noms, les époques, les œuvres, abandonner rapidement un sujet lorsqu'il sentait que le terrain devenait trop casse-gueule, ou s'empêtrer lamentablement au milieu de paradoxes insoutenables, produits directs du bourbier où il était allé se fourrer jusqu'au cou depuis le commencement de la soirée avec la secrète intention de me voir danser la danse du scalp.

De Dali, il n'était plus question qu'incidemment, par des retours fugaces de sa pensée de plus en plus compliquée à suivre, mentionné simplement à titre d'exemple. J'étais dans la tribune d'honneur, comptant bien assister à la mise à mort. Et il le savait. Et il voyait que je le savais. Penché vers lui, j'affichais un air de profonde attention comme si j'avais été captivé par ses paroles. Il avait posé sa pipe dans le cendrier. Trop affairé pour fumer. Se tortillonnait le cul sur sa chaise. La flammèche goguenarde qui lui éclairait l'œil au départ avait fait place à une sorte de qui-vive alarmé en opposition avec le reste de son gros visage poupard congestionné. Dès qu'il reprenait ses esprits ou semblait en passe d'exécuter un redressement de dernière minute, je lui lâchais une question perfide sur un point de technique que j'avais retenu de mes conversations avec Wierne ou Sicelli. Là-dessus, il repartait à fond, faisant feu des quatre fers.

Encore une petite heure de corde raide, pensais-je, et il va te saquer de chez lui comme un vulgaire merdeux sans le sou que tu es. Demain, tu iras coucher dans les pâquerettes. Tout cela en l'honneur du génial Salvador qui n'en aura cure, luxueusement installé dans son capharnaüm d'étoiles de mer agonisantes, de mains torturées et de dés à coudre en trompe l'œil. Soit! Le jeu n'en valait-il pas la chandelle? C'était en fait ma pauvreté que je défendais du haut de la barricade. Les privations subies depuis des années maintenant. Les humiliations sans nombre reçues avec le sourire, les espérances continuellement déçues, continuellement renaissantes, mais avec chaque fois un peu moins de fraîcheur d'âme. C'étaient les chambres crasseuses. Ou pas de chambre du tout. Les soirées de cafard. Les longs périples sans but dans les rues hostiles de la ville. L'idée de suicide chevillée derrière le crâne. La femme que j'aimais et que j'avais laissé prendre par un autre, craignant de me couvrir de ridicule si j'osais me présenter à elle pour lui offrir, en guise d'avenir, la perspective de mon dénuement et en cadeau de fiançailles les cinquante premières pages d'un livre auquel j'étais seul à croire. *Cela et d'autres choses encore.*

L'intervention de Simone sur un ton d'acrimonie intentionnelle qui n'était pas le sien d'ordinaire provoqua une brusque accélération du débat. Lorsque je m'entendis donner de la voix, dressé devant eux et rétorquant en termes cinglants, il était déjà trop tard pour sauter sur le frein à main ou hisser le drapeau blanc. Elle venait de jeter dans la balance l'argument de réserve, la pièce lourde que je m'étonnais n'avoir pas encore entendue tonner parmi ce fatras d'absurdités. D'après elle, c'était enfantin. L'équation se résolvait au pifomètre. Si les peintres d'aujourd'hui faisaient de telles horreurs, c'était parce que ça les arrangeait de barbouiller en dépit du bon sens ; une gosse de huit ans, Nadine par exemple, en aurait fait autant. Ils avaient trouvé le filon pour gagner de l'argent à la pelle puisqu'il y avait des gens assez bêtes qui achetaient leurs cochonneries. Et de se gausser entre eux de ces naïfs, bien entendu. La foire d'empoigne !

Putain de sale grognasse ignare, avec sa pelote de laine sur les genoux et son interminable tricot ! Qu'avait-elle fait, elle, qui l'autorisât à porter un jugement sur ces hommes qui, pour la plupart, avaient mené une jeunesse misérable à travers le monde, en quête d'un bout de pain ou d'un paletot chaud pour l'hiver, dont des dizaines étaient morts comme des médiocres, écrasés de détresse morale, doutant d'eux-mêmes jusqu'à leur dernière lueur de vie et adressant peut-être un pauvre sourire de compassion à leur œuvre invendable entassée dans un coin de la chambre, au rebut ? Les plus courageux, comme Van Gogh, avaient pris le revolver, les autres s'étaient laissés doucement descendre vers la déchéance ou avaient choisi l'exil solitaire, la maladie et la camisole de force. Ce long chemin de croix uniquement dans l'espoir de couillonner leurs contemporains !

Elle se sentait particulièrement grugée, n'est-ce pas, elle, une petite bourgeoise le nez dans ses casseroles du matin au soir, délimitant l'univers aux proportions d'une salle à manger bien astiquée, claustrée entre une enfant de huit ans et un mari qui avait eu, lui aussi, son heure de rêve, mais avait trouvé quand même plus prudent de s'organiser pour passer à la caisse à la fin du mois. Sûr et certain que Modigliani, crevant dans sa soupente, avait dû penser à des pouffiasses de sa sorte en maniant ses pinceaux ! Quant à ceux qui s'en étaient tirés et avaient aujourd'hui encore la chance de compter tous leurs abattis en bon état, pourquoi les couvrait-on d'or au lieu de les pousser au suicide comme leurs anciens compagnons de galère ? Du fric à ne savoir qu'en faire, plein les poches, ne vous en déplaise ! C'est ainsi, il faut vous y habituer. Même si ça vous crève le cœur. Car, dans l'hypothèse où cette grosse grappe humaine risque de s'élever d'un pouce au-dessus de terre et d'échapper à l'extermination qui la guette, c'est à eux qu'elle le devra. A eux et à quelques autres. Mais pas à vous, belle effarouchée, quoi qu'il doive se produire dans l'avenir. Votre rôle à vous sera toujours de suivre aux talons celui qui vous précédera dans la colonne bêlante. Pensez à emporter votre tricot, la marche peut être longue.

J'eus comme qui dirait l'impression très nette que mes vitupérations leur avaient momentanément ôté l'usage de la parole. M'écoutaient tous les trois, y compris la petite, en proie à un saisissement grandissant peint sur leurs figures défaites. Par d'imperceptibles mouvements de tête que je captais au passage Gaubert essayait comme il pouvait de rassurer sa femme qui, maintes fois déjà, l'avait prié du regard de faire quelque chose afin de mettre un terme à mon emportement. « Ce n'est pas grave, semblait-il dire, ce n'est rien, il est comme ça, un peu original, je t'avais prévenue, ma chérie. » Message de conciliation. En code secret, s'entend. Néanmoins, ce langage de neutralité bienveillante n'était apparemment d'aucun effet sur elle. Outrée de mon comportement et ne cherchant guère à m'épargner ce qu'elle pensait de moi. Il était clairement inscrit dans son regard qu'elle m'aurait défiguré avec plaisir. Inopinément, après un bref et dernier coup d'œil vers son mari, elle se leva, vint poser sa corbeille à ouvrage sur la desserte, passa devant moi en m'ignorant et ordonna à sa fille de la suivre. La porte claqua sec derrière elles. Un objet vibra pendant quelques secondes du côté de la petite console.

Dégrisé, je regardai Gaubert qui n'avait pas eu le temps de soulever son derrière. Sourire embarrassé. Succédant à mes coups de gueule, le silence devenait énorme dans la pièce. J'hésitai un instant, puis, échangeant le bonsoir avec Gaubert, je quittai les lieux à mon tour. Simone et la gosse étaient dans la cuisine. La porte vitrée éclairée se découpait dans l'obscurité du vestibule.

Je ne sais pourquoi je me déshabillai dans le noir et retrouvai mon lit avec soulagement. Mais un moment après, en récapitulant ce qui venait de se passer, j'éprouvai le besoin intense de revoir le tableau de Dali qui avait servi d'amorce à la tempête. La loupiote dans l'angle de ma table profilait une clarté géométrique sur toute la moitié supérieure du dessin. La Croix baignait dans la lumière. Nue et violente. Comme j'avais bien fait de leur dire ce que je pensais et sans mâcher mes mots ! S'ils ne comprenaient pas le sens de ma colère, tant pis pour eux ! Le genre de sainte colère dont on n'a pas à rougir. S'ils me jetaient à la porte le lendemain, tant pis pour eux ! Ils pouvaient boucler leurs portes, tous, tous autant qu'ils étaient, je me situais, moi, du côté de cette Croix. Monde clair et difficile où une porte fermée en ouvre mille autres instantanément.

L'oreiller en boule derrière la tête, je me laissai lentement hypnotiser par ce Christ présent, la tête penchée en avant au-dessus d'une mer de gomina laquée bleu-noir qui enduit l'ébauche d'un paysage de côtes africaines. Christ paraissant dominer à lui seul de sa force le tragique de sa destinée déjà accomplie dans la durée et l'étendue, tant il entre de vigueur calme, de puissance indomptée dans toutes les parties de ce corps aux muscles d'émail. Grande et pure beauté païenne. Sereine. Extraordinairement charnelle aussi. A la fois homme, père, fils, époux et amant du monde. Corps dessiné, conçu par Dieu pour soutenir l'effort gigantesque qu'il lui faudra subir sur terre face à la cruauté et à l'incompréhension de ses frères de race de qui il doit nécessairement tenir sa mort et sa glorification. Corps superbe, cimenté de jeunesse. Fait pour l'amour des corps et les étreintes des amours humaines. Encore intact. Sans la souillure du sang après qu'il eut cependant éprouvé la torture. Sa chevelure de bélier roux comme offerte aux caresses, aux peignes des doigts de femmes, et c'est à Marie que l'on songe, tenant pressé ce doux cadavre contre sa poitrine lacérée de souffrance, les yeux secs, éperdus d'avoir longtemps pleuré, venant à peine de franchir en elle le dernier cap de la peur et de l'incertitude. Durcie. Blessée. Et jouant, inconsciente, comme une maîtresse comblée, avec ces boucles de cheveux entre les doigts. Christ de vie. Christ-Roi. Christ de vérité et de plénitude heureuse qui semble appeler en vain quelques pêcheurs occupés dans le port autour d'une barque, comme s'il avait à leur confier de toute urgence une ultime parole qui dénouerait pour nous le sens absolu de son sacrifice. Sur le fond d'un ciel de ténèbres, la Croix seule illuminée par le début d'une aube qui monte vers elle depuis cette terre contient le symbole exaltant de notre force, de notre toute-puissance. Ces pêcheurs affairés n'auraient qu'à cesser un instant de s'occuper de leurs filets, tourner sur eux-mêmes leur regard et se mettre à entendre pour que leurs terreurs et les nôtres fassent soudain place à la sagesse et à la paix. Mais, comme au jour du martyre, ces hommes restent sourds, frères de ceux qui, au Calvaire, n'esquissèrent pas le moindre geste de salut et firent en tout silence, accablés peut-être, mais résignés et portant leur part du meurtre. Ces hommes restent froids, intouchables, debout à mi-jambes dans l'eau, en posture de recevoir un mystérieux baptême qui les rendrait à la vie vivante. Obtus, ladres, assoiffés de possessions infimes, ils vaquent tranquillement à leurs affaires du moment sans se douter qu'on les appelle pour être délivrés. Pestant probablement contre un filet déchiré, soucieux uniquement de ce ciel encombré du matin qui ne leur facilitera pas la tâche qu'ils pensent devoir remplir jour après jour pour assurer leur subsistance qui les laissera pourtant sur leur faim. Dressée sur le rivage, *proue vers la terre,* la barque fraîchement repeinte paraît leur indiquer le chemin à suivre, qui s'engage à l'encontre des habitudes dont il n'y a rien à attendre que la même misère haïe, la même désolation, le même vide. La barque est prête pour un long voyage circonférentiel qu'elle n'a jamais fait encore sous la main de ces hommes. Voyage clos, sans distance et sans fin, qui les conduirait vers la limpidité des espaces intérieurs, bien au-delà de cette mer étale prisonnière d'une cuvette de collines. Le tout serait d'appareiller au plus vite pour l'inconnu après s'être soi-même oublié, la barre maintenue ferme sur un point sidéral invisible qui est le centre même du vertige de la renonciation. Précipice d'accomplissement où tout se façonne indéfiniment, se lie, se confond, ce qui est assemblé aujourd'hui en ce monde d'ignorance et devra se disjoindre ailleurs, ce qui se cherche aujourd'hui en gémissant et trouvera ailleurs son unité et son repos sous le signe de la réconciliation.

Ce que j'avais voulu exprimer et rendre sensible, c'était un peu de tout cela qui aurait dû transparaître s'ils avaient su m'écouter. La simple magnificence des purs élans d'inspiration quand l'homme qui crée se sent brusquement comme arraché à sa propre condition, bouté hors de lui-même, porté, survolant les autres d'une seule pensée d'amour, témoin et disciple de Dieu dans sa solitude. Ce que j'avais voulu leur dire aurait pu se résumer par cette phrase : « Hissez le grand mât, mes amis, à quoi bon attendre davantage, prenez le vent d'où qu'il vienne et cinglez droit sur l'ouragan, au plus fort du grain ! Il ne vous arrivera rien, l'œil est ouvert en vous. »

Mais pourquoi vouloir lancer des invitations à tort et à travers ? C'est uniquement en mon nom que je vous saluais, ce soir-là, vous tous, magiciens de la beauté et du mystère des œuvres vives, que vous vous nommiez Dali ou que votre nom doive rester sans écho. Vous seuls êtes ma patrie d'homme, ma terre d'élection. J'ai oublié les accents de ma langue maternelle pour me conformer à votre langage. Je vous reconnais pour ancêtres à l'exclusion de tous les miens. De vous, je tiens la vie. Non du père que le hasard m'a attribué. Certain que si je dois naître un jour, ce sera du fécondement de vos rencontres au cours des années. Peut-être faudra-t-il soixante ans de votre travail et soixante ans de ma vénération pour qu'il me soit donné de prendre forme à mon tour, mais quel âge un homme a-t-il lorsqu'il s'éveille à la vie ? *L'âge de l'immortalité.*

Et dans quel but Gaubert rôda-t-il ensuite longtemps derrière ma porte sans se décider à frapper ? Je l'entendais aller et venir dans son bureau, contigu au couloir où je couchais. Il devait apercevoir la lumière sous l'interstice de ma porte. Attendre que je l'appelle. Je n'avais qu'un mot à dire pour qu'il accoure et que nous reprenions seul à seul la discussion, dans un registre différent cette fois, je l'aurais parié.

Lorsque je remue ces souvenirs et qu'il me semble vraiment réentendre le pas de cet homme qui me faisait signe, cette nuit-là, de l'autre côté de la cloison, je ne comprends pas pourquoi je ne lui ai pas crié d'entrer. Pourquoi je ne l'ai pas convié à venir vider son sac puisque c'était ce qu'il espérait de moi. Non que cette séance qui n'eut pas lieu eût été susceptible de m'apprendre grand-chose, mais il n'est pas dans ma nature de tirer les verrous au nez des autres.

Exception à la règle, Gaubert resta de son côté et moi du mien. Je me souviens même avoir éteint ma lumière avec une arrière-pensée de représailles. M'avaient par trop cassé les pieds, lui et sa femme ! Le fait de m'héberger et de me nourrir depuis des semaines ne justifiait pas que je doive mettre la sourdine en toute circonstance. Avait-on jamais vu pareille péronnelle jacassante ?

Moins que rassuré du tour que risquaient de prendre les événements à mon apparition dans la cuisine où nous avions coutume de déjeuner tous ensemble le dimanche matin, j'avais retardé le moment de me lever. L'œil sur la fenêtre, du fond de mon lit, je spéculais sur mes chances probables.

La radio roucoulait déjà plein tube depuis pas mal de temps, me semblait-il, signe annonciateur que la maison était en marche selon le rituel dominical.

Endossant mes fringues, je repassai mentalement toutes les formules d'excuses et de contritions incluses dans mon vocabulaire. Devais-je ou non attendre que quelqu'un fît allusion à la discorde de la veille pour sauter sur l'occasion de me confondre en regrets, alléguant un instant de nervosité que j'étais certes le premier à déplorer ?

Gaubert qui beurre minutieusement une rondelle de pain du plat de la lame de son couteau tout en adressant une réprimande à la gosse qui a renversé du café au lait sur la table. Simone, le dos tourné, est occupée devant la cuisinière. C'est Nadine qui me voit la première et signale ma présence. Gaubert, souriant à demi, le regard un peu fuyant, me fait signe de m'asseoir, me tend la main. Mon bol est encore vide. La cafetière à la main, Simone vient me servir. Le bonjour que nous échangeons, légèrement mêlé d'amertume, n'en demeure pas moins assez engageant. Gaubert me fait passer l'assiette des tartines. L'odeur du café qui semble se mélanger au poudrage de soleil tapissant la blancheur des murs et la disposition rectiligne du mobilier moderne de cette cuisine créent un climat heureux, net, propre, clair. On est bien. Et l'appétit vous vient, non pas tellement de l'estomac, mais plutôt d'un enchantement de l'âme engendrant le besoin de mordre dans des choses aussi bonnes que le pain et le beurre.

Simone s'est assise à côté de moi, à ma droite. Nous nous touchons presque autour de la table étroite. Les retrouvailles que je redoutais se sont passées dans une cordialité proche de la normale. Laisse bien présager de la suite. Pour l'instant, la petite fait diversion en me criblant de questions parce que ici personne d'autre que moi n'a la patience de toujours lui répondre, quelle que soit sa curiosité et même si parfois ses demandes enchevêtrées doivent me contraindre à lui confesser ma propre ignorance.

La dernière goutte de café avalée, les miettes de pain groupées à côté de la soucoupe pour faciliter le travail de Simone, les serviettes glissées en cylindres floches dans leurs ronds de couleur, Nadine quitte la table, pressée par sa mère en direction du cabinet de toilette. C'est le bain du dimanche qui ne va jamais peu ou prou sans criailleries, simulacre de larmes, menaces de punition, suivis ordinairement par quelques minutes d'extrême précipitation auxquelles nous sommes mêlés malgré nous quand Simone crie à son mari, depuis la chambre où elle achève de se préparer, de veiller à ce que Nadine, amidonnée des pieds à la tête, ne trouve pas le moyen de se salir, a-t-elle pris son livre de messe et son chapelet, où sont ses gants, dans le deuxième tiroir de la commode, quel temps fait-il, aura-t-elle assez chaud à l'église avec sa robe, qu'elle aille chercher sa veste de laine jaune, celle avec le col, sans mettre toute la commode en l'air comme d'habitude, Gaubert ne voudrait-il pas aller voir dans le cabinet de toilette, on a dû laisser le chauffe-eau allumé, nous allons être en retard, on dirait que la gosse le fait exprès, à lambiner tant et plus, au lieu de se laver rapidement, dimanche prochain elle se lèvera une demi-heure plus tôt, ça lui apprendra, où est-elle, dans l'entrée, elle est allée chercher sa veste, alors qu'elle prenne un mouchoir propre, il faut penser à tout pour elle, il reste du poulet froid, avec une salade ça ira, en sortant de la messe elle achètera un peu de charcuterie, des aspics et quelques bricoles, des cornets de jambon ou des tranches de pâté en croûte, ça les retardera un peu; chez Savignat, le pâté en croûte n'est pas bon, on en a pris plusieurs fois, on n'a pas pu le manger, elle fera un saut jusque chez Desmortières, ce n'est pas sur le chemin, on mangera un peu plus tard, tant pis, si en leur absence quelqu'un voulait ranger la vaisselle qui est sur l'égouttoir, elle est essuyée, Gaubert s'en chargera, une exclamation, qu'on lui envoie Nadine immédiatement, le petit chameau, elle a fourré son linge sale en boule sur la chaise de la chambre au lieu de le porter dans la panière, cette enfant a le vice dans le corps, combien de fois faudra-t-il lui répéter qu'elle doit elle-même s'occuper de ses affaires, la gosse part en grognant, Gaubert tourne le bouton de la radio, il voudrait pouvoir écouter le bulletin d'informations, sa femme l'appelle, n'a-t-elle pas laissé sa montre quelque part dans la cuisine, elle a dû la poser sur la table, non, pardon, elle était derrière la lampe sur la table de nuit, Gaubert se réinstalle auprès de la radio où la voix de Simone vient le harponner entre deux nouvelles du dernier raz de marée qui a dévasté les côtes nippones, est-il allé vérifier le chauffe-eau, mais oui, c'est fait, il était éteint, et quand, quand se décidera-t-il à passer enfin chez le gérant pour lui parler de l'humidité du mur qui fait cloquer la tapisserie dans l'angle de la fenêtre de la chambre, on ne va pas supporter ça encore tout un hiver, ils doivent soi-disant envoyer les ouvriers, mais personne ne bougera tant qu'on n'aura pas relancé le gérant qui y met manifestement de la mauvaise volonté, ça y est, elle est prête, dépêchons-nous, vêtue de frais, à quatre épingles, le tailleur des dimanches, talons hauts, pas un grain de poussière, elle embrasse Gaubert sur les deux joues, a-t-elle assez d'argent, oui, elle achètera un gâteau, ou bien aimerions-nous mieux des fruits, il reste encore des pommes et des noix, Nadine s'appuie contre le chambranle de la porte, une trouvaille pour ternir sa robe, tourne-toi, époussetage de la main, passe devant, prends les clefs, ne tords pas les pieds comme ça, je te l'ai dit cent fois, deux tranches de pâté en croûte chacun suffiront, c'est entendu, elle passera chez Desmortières, au revoir, à tout à l'heure.

Nous les escortons jusqu'à la porte. Nadine m'envoie un radieux sourire.

Ordinairement, les femmes parties, Gaubert et moi, nous nous faisons réchauffer une tasse de café. Autour de laquelle, prenant notre temps comme des célibataires, nous perdons une petite heure à converser amicalement.

L'embarras, ce jour-là, nous laisse plantés, l'espace d'une minute, devant la porte qu'il vient de refermer. Je vois mon lit défait au fond du couloir. Mes livres en piles sur la table. Ce recoin qu'on m'a abandonné va avec ma façon de concevoir l'écriture. Le divan, la table, la chaise, la lampe, les bouquins — et le Christ de Dali, ne l'oublions pas ! Nid exigu où tout ce dont on a besoin pour travailler ou se reposer tour à tour s'offre en permanence dans votre entourage immédiat. Les choses sont amoureusement tassées, rapprochées entre elles. Me rappelle la photo d'un des cabinets de Dostoïevsky. Celui de Pétersbourg, je crois. Somme toute, l'endroit idéal pour affronter le chef-d'œuvre. *Quand vais-je m'y mettre ?*

Soudain, je ne sais comment, la modification s'opère. Un accès de fraternité qui s'empare de nous deux au même instant. Nos regards se trouvent face à face. Se lient. Je voudrais lui dire quelques mots qui traduiraient ce que je suis en train de ressentir. Je ne trouve rien. Nous faisons demi-tour vers la cuisine. Sensibles comme deux pucelles séquestrées, m'est avis !

C'est lui qui allume le gaz sous la casserole de café.

Pour conclure, disons que Dieu m'avait en sympathie. (Et l'attelage Gaubert la vocation de l'amitié conciliante.)

Toutefois, dans la période qui suivit, je crus devoir manœuvrer avec prudence. Spécialement vis-à-vis de Simone. Me faire un peu oublier. Dans l'ensemble, je n'avais pas eu à me plaindre d'elle, ce n'est pas ce que je veux dire. Mêmes prévenances, même gentillesse égale, le caractère que je lui connaissais depuis le début. Mais avec quelque chose en moins. La cote avait baissé en Bourse, voilà ce qu'il en était. Pourtant, soucieux de ne pas laisser sombrer l'histoire sur une triste impression, je m'étais tout de suite mis en quête de quelque monnaie, dont Sicelli avait fait les frais, pour offrir à la gosse un jouet qu'accompagnait, dans un but tactique, un modeste bouquet de fleurs destiné à sa mère, acheté comme par hasard dans la rue au marchand des quatre-saisons sous le prétexte que je n'avais pu résister en passant à l'astucieux assemblage de ces coloris chatoyants. Pour cousue de fil blanc qu'ait été ma ruse, elle fut prise en bonne part et reçue pour ce qu'elle était, une manière d'excuse élégamment formulée. Le soir même, mon bouquet se trouvait à la place d'honneur sur la desserte de la salle à manger.

Le peu de ressentiment qui traîna ensuite jusqu'à mon départ de chez eux entre Simone et moi ne fut, je crois, véritablement perceptible que de nous deux. Une flèche dans son regard, parfois. Rapide. Ou, au milieu d'une conversation, une allusion vague à la fougue que je mettais habituellement à défendre mes convictions. Rien de plus. Je suis sûr que Gaubert, ravi de l'entente qui régnait, n'y vit jamais malice. Fine mouche, la petite bourgeoise. Ne devait pas manquer de mordant à l'occasion. Tempérament de garce domestiquée. C'est ce que j'avais retenu de la leçon. Autant se concilier ses bonnes grâces et faire en sorte de ne pas l'encombrer trop.

Tombait au poil d'ailleurs. Je commençais de m'encroûter dans leur berceau de famille. Lire, fainéanter, traîner mes savates dans l'appartement résumait l'essentiel de mes occupations de la journée. Je finissais obligatoirement par déboucher sur la cuisine où Simone se tenait la plupart du temps, raccommodant, repassant le linge, préparant le goûter de sa fille qui allait rentrer de l'école, surveillant le lait à bouillir, épluchant les légumes pour le soir, donnant un coup de balai, essuyant, frottant, astiquant, lustrant, sans une minute de répit, plumeau, chiffons, son matériel éparpillé autour d'elle. *Femme d'intérieur, pas de doute!* A vous foutre le tournis. Ne prenant même pas le temps de lever le nez quand j'apparaissais. Difficile dans ces conditions d'axer sur un sujet et de réussir à faire palpiter la conversation. En face d'elle, souris industrieuse continuellement à trottiner des deux pattes, ici, là, un petit coup sur une tache, elle grimpe sur la chaise, en redescend, voulez-vous me passer l'éponge là-bas, merci, est-ce qu'on dirait que j'ai fait la poussière à fond avant-hier, c'est infernal, et il y a une toile d'araignée là-haut dans le coin, vous la voyez, on n'arrive pas à se débarrasser de ces sales bêtes, même dans une maison bien tenue, excusez-moi, je vais chercher la tête-de-loup — merde ! Mieux valait laisser choir et retourner dans mon coin en compagnie de Kierkegaard le Viking émasculé et me farcir une de ces pages dans la tournure ésotérique qui avaient le don de me peloter agréablement les nerfs. Ce passage, tout particulièrement, que j'avais appris par cœur malgré la difficulté, peut-être parce qu'il me semblait en rapport avec ma situation de l'heure, et que j'aimais me réciter à mi-voix lorsque je me sentais défaillir d'ennui, reclus dans mon couloir : « Dans la forêt de Gribskov se trouve un lieu qui porte le nom de « coin des huit chemins » ; seul le trouve celui qui le cherche avec beaucoup de soin, car aucune carte ne l'indique. Son nom même semble renfermer une contradiction, car comment une rencontre de huit chemins peut-elle constituer un coin, comment les voies publiques, des voies fréquentées peuvent-elles se concilier avec un site isolé et caché ? Ce qu'un solitaire évite reçoit déjà son nom de la rencontre de trois chemins : la trivialité ; alors, combien plus triviale encore doit être la rencontre de huit chemins ? Il en est pourtant ainsi : il y a réellement huit chemins, mais, malgré cela, quelle solitude ! perdu, dérobé en secret, on se trouve, là, tout près d'un enclos qui s'appelle l' « enclos fatal ». La contradiction du nom rend seulement encore davantage le lieu solitaire, comme toute contradiction rend solitaire. Les huit chemins et le trafic intense ne sont qu'une possibilité, une possibilité pour l'esprit, car personne n'y vient, sauf un petit insecte qui se dépêche *lente festinans* pour traverser le coin ; personne ne s'y aventure, sauf ce voyageur errant qui, sans cesse, regarde autour de lui avec le désir, non pas d'apercevoir quelqu'un, mais d'éviter tout le monde ; ce fugitif qui, dans sa cachette, n'éprouve même pas le désir qu'a tout voyageur de recevoir des nouvelles de quelqu'un ; ce fugitif que seule atteint la balle mortelle qui explique bien pourquoi un silence de mort règne autour du cerf, mais non pas pourquoi le cerf était si agité ; personne ne fréquente ce lieu sauf le vent, dont on ne sait d'où il vient ni où il va. Mais celui qui se laisserait tromper par l'appel séducteur avec lequel le silence de ce lieu isolé essaie de captiver le passant, même celui qui suivrait l'étroit sentier qui vous invite à pénétrer dans l'enclos de la forêt, même celui-là n'est pas aussi solitaire que celui qui se trouve au coin des huit chemins, que personne ne fréquente. Huit chemins et pas de voyageur ! C'est bien comme si le monde s'était éteint et que le survivant soit dans l'embarras, car il ne trouverait plus personne pour l'enterrer ; ou comme si le monde entier s'était engagé sur les huit chemins et vous avait oublié ! Si la parole du poète est vraie : *bene vixit qui bene latuit*, alors j'ai bien vécu, car j'ai bien choisi mon coin. »

Dites-moi si ça n'est pas carrément sublime ! Une mère pourceau n'y retrouverait pas ses petits, dût-elle fouiner de son groin la prairie alentour sa vie durant. Qu'une pareille bouillie de chèvrefeuille odoriférante puisse couler et pisser inlassablement et se répandre ainsi et remplir des milliers de pages grand format et faire rêver des milliers d'individus comme moi égarés dans des milliers de familles comme celle de Gaubert, sans que pour autant cette masturbation méningitale du troisième degré suscite à travers le monde une vague d'écouillement général, cela me mettait le ciboulot à l'envers. C'était comme si on avait servi un plat de champignons vénéneux aux noces de Cana !

A mon point de vue, lire Kierkegaard était un moyen onirique de se faire hara-kiri à l'aide de son propre membre en érection planté jusqu'à la garde dans la trompe d'Eustache. Ce texte et sa suite me rendaient fou. Je l'avais incrusté mot à mot dans ma mémoire pourtant infidèle. Phrase par phrase. Avec les virgules, points-virgules, les tirets, les guillemets, parenthèses, les deux points. Tout. En bloc dans la tronche. Et m'en gargarisais. Le transposais en rengaines. En litanies. En psaumes pleurnichards. Tantôt dolorosa, tantôt la tyrolienne. Avec plumes au chapeau et claques sur les cuisses à assommer un bœuf. Selon l'humeur. Ou en prophéties d'ivrogne du samedi soir. Démentiel. Excitant. Frénétique comme les convulsions du ver rouge sous un jet d'urine. C'était tout ce qu'on pouvait imaginer d'hallucinant, y compris la lente existence cauchemardesque du ténia adulte dans son bain de mucus viscéral. J'aurais pu en tirer des slogans publicitaires en dialecte moldovalaque si j'avais voulu. Un tel texte permettait au moins deux millions huit cent mille et une variantes, toutes plus inédites, originales, baroques, monstrueuses, toutes plus somnambulesques et ectoplasmiques les unes que les autres. On pouvait, rien qu'avec ça, faire sauter le Saint-Siège, embouteiller la perspective Nevski ou assécher le Potomac sans bouger de son lit. La raison était ébranlée. Dans l'œuf. Et quand on savait, en plus, que ces purs joyaux de la schizophrénie ambulatoire avaient été soi-disant réunis et servis croustillants par un prétendu gars du nom d'Hilarius qu'on avait gratifié du titre de relieur, il y avait de quoi escalader jusqu'au sommet l'Empire State Building, et une fois arrivé là-haut, se déculotter sans hâte pour lâcher son étron tout frais sur la tête du passant en redingote. Nom de Dieu de nom de Dieu ! si jamais le Saint Patron des écrivains m'autorisait un jour à pondre quelques pages de cette substance, je jurerais bien de me saouler la gueule à mort. *Auf einmal einzhumen !*

Pas besoin d'ajouter, je pense, qu'avec Kierkegaard susnommé j'en étais aux prémices de la découverte. Le premier rendez-vous, si vous aimez mieux. Avant mon entrée chez Gaubert, Kierkegaard n'était pour moi qu'un nom connu parmi quantité d'autres. Jamais je n'avais eu la curiosité ni le temps, ni peut-être le courage, d'éventrer un de ces volumes plutôt rebutants par leurs dimensions et leur densité typographique. Qui plus est, de tous mes amis de l'époque, Brandès avait été le seul à me chanter les louanges de ce géant nordique qu'il portait au pinacle, main dans la main, avec son confrère en maçonnerie lourde, le poitrinaire de la onzième heure, Franz Kafka, *de Prague*. Ce qui fait que même dans le cas peu probable où j'aurais été tenté de pousser un mouvement de reconnaissance dans cette direction, l'engouement de Brandès aurait suffi à sabrer mon désir à la racine, car, d'une façon générale, il n'y avait rien dont je me défiasse comme de ses appréciations littéraires. Échaudé trop de fois pour avoir suivi ses conseils les yeux fermés.

En l'occurrence, le désœuvrement qui me pesait avait fini par me lancer sur la voie. Faisant allusion à sa bibliothèque, Gaubert arborait toujours cet air de modestie pudique qui sue l'orgueil à grosses gouttes. Or, après avoir compulsé les rayons du haut en bas comme je n'avais pas manqué de le faire, on se demandait bien pourquoi. Beaucoup de livres, beaucoup trop et rien qui vaille une mention spéciale dans le lot. Son bureau où il n'avait que rarement le temps de s'attarder, la vie familiale se déroulant entre la cuisine et la salle à manger, était garni de livres sur les quatre faces à mi-hauteur des murs. Romans en majeure partie. Les séries classiques des bibliothèques de bon aloi, ce que, pour ma part, je classais sous la rubrique jus de concombre. Plastron et queue-de-pie. Ayant de la moralité et de la religion. Pas un mot plus haut que l'autre. Tempérance du fin sourire de courtoisie. Les friandises du buffet conviennent aux estomacs les moins robustes. Pourquoi se mettre martel en tête ? Laissons de côté ces esprits pervertis qui éprouvent le besoin de rédiger des bouquins comme s'ils fabriquaient des bombes à retardement. Il est si reposant de s'imaginer le monde à travers la gaze déformante et d'entendre partout autour de soi le chant balsamique des jeunes filles en fleur. Comment diable pouvaient-ils, lui et sa femme, trouver encore de la saveur à cette platée de fromage de tête, diversement accommodée d'ingrédients de circonstance, mais de même goût fade quant au fond ? C'était à proprement parler un miracle que de rencontrer là-dedans les noms de Dostoïevsky et de Tolstoï. Pour Kierkegaard, Kant, Schopenhauer, Nietzsche et quelques autres, qui ornementaient un rayon bien à part, je reçus à demi-mot de la bouche même de Gaubert l'explication de leur présence inattendue. Se les réservait pour le jour mirifique où il aurait tout son temps à lui. A l'âge de la retraite. Ou sur son lit de mort. Kierkegaard à lui seul était un de ces zigotos à grosse caboche qui demandent réflexion. Plutôt coriace, le zèbre ! Et que dire de Nietzsche, auquel cas ! On ne pouvait pas s'attaquer à des types comme ça à la légère. Il faut les lire crayon en main et suspendre sa lecture si jamais une idée personnelle suggérée par leurs théories venait à vous traverser le bourrichon. N'étais-je pas aussi de cet avis ? Le temps qui manque. Voici la raison qui faisait que, depuis des années, il remettait le pensum à plus tard. Et puis, il n'était tout de même pas mauvais d'avoir ces fortes têtes en rayon. Le genre de titres qui rehaussent une bibliothèque. Servent de référence à défaut d'autre chose.

Un peu ennuyé, Gaubert, que je veuille précisément taper dans le tas, aucun des volumes en question n'étant découpé au-delà des vingt ou trente premières pages. Sûr que si mon choix s'était porté vers les romans, comme il l'espérait en m'ouvrant sa bibliothèque, j'aurais certainement continué d'ignorer que la philosophie et lui ne faisaient pas bon ménage.

Petite minute de confusion qu'il voulut dissiper au plus vite par une libéralité en m'autorisant à disposer de son bureau à ma convenance. Puisqu'il n'était pas là dans la journée, je n'avais qu'à en profiter. Un excellent fauteuil de cuir, qu'il me recommandait pour d'éventuelles lectures en son absence. Quant aux bouquins, bien entendu, je pouvais puiser à volonté.

Je ne me fis pas prier. Moquette sous les pieds, le paquet de cigarettes à ma portée, le fauteuil tourné vers la fenêtre grande ouverte par où m'arrivait la tiédeur attendrie des après-midi ensoleillés, un livre sur les genoux et les yeux perdus dans l'espace bleu liquide d'un ciel lamé, je me serais volontiers offert chaque jour cette jouissance d'une détente totale, corps et esprit, qu'un cadre propice contribue si bien à favoriser.

Je dois peut-être mentionner au passage que posséder un bureau à moi, une pièce de bonnes proportions, pleine de livres du haut en bas, une grande table, des objets aimés, était un désir très cher, vieux de plusieurs années. Une ambition que je n'avais pu réaliser nulle part encore. Dans mes chambres d'hôtel généralement grandes comme des mouchoirs de poche et encombrées des meubles de première nécessité, inutile d'envisager une installation qui, de près ou de loin, ressemblât à un bureau. Le fouillis. Le désordre. Les rangements à la sauvette. J'avais toujours vu mes livres et ma paperasse entassés sur un coin de table ou sur une étagère d'armoire, quand ils n'étaient pas simplement empilés dans une valise poussée sous mon lit pendant le jour pour faire de la place.

Me représenter le bureau que j'aménagerais si j'en avais un jour les moyens faisait partie de ma clef des songes secrète. A force d'y penser, d'y rêvasser des heures entières, j'en avais dressé le plan avec un soin minutieux comme si je n'attendais plus que le décorateur. Les livres seraient arrangés de façon à presque m'entourer à ma table de travail. Les auteurs que je tenais en haute estime placés à ma droite sur la longueur du panneau mural. En face de moi, tout ce qui avait trait à l'occultisme, à l'astrologie et à l'enseignement des doctrines théosophiques ou mystiques. Saint-Martin, Grillot de Givry, Boehme, Gébelin, Guaita, Krishnamurti et consorts, le Sepher Ha-Zohar et son frère de lait, le Sepher Ietsirah, saint Augustin, Thomas d'Aquin, Pascal l'ambivalent, et aussi Gandhi, et aussi les douces divagations de Steiner et d'Ivanov. Une large place réservée aux mémoires ou aux œuvres de caractère autobiographique pour lesquels j'avais une faiblesse marquée. Sade, bien sûr. Et Casanova. Nerval. Rousseau. Lautréamont. Silvio Pellico. Et même Restif de la Bretonne, annoncé par les fonctionnaires scrofuleux préposés à la rédaction du dictionnaire de langue française comme : « Mauvais, mais très fécond romancier ». Nerval ayant droit à cette phrase laconique : « Mena une vie errante et bizarre ».

Tous ces brandons resplendissants dans l'éternelle nuit des hommes. En allongeant le bras, je pourrais ramener Maupassant, ou Blake, ou le cher Antonin Artaud, Corbière, Lorca, ou les volumes de lettres de Flaubert que je ne me lassais pas de lire et de relire depuis des années. Grâce à eux et à d'autres, grâce à ces livres l'orgie commencerait pour moi. Une orgie permanente. A la dimension cosmique. Vague et précise à la fois comme un scintillement d'étoiles par une soirée d'août. Qui vous instille dans les veines un feu de mercure propre à vous consumer des pieds à la tête jusqu'à la dernière parcelle de chair vivante, pensante, car les grands écrivains ont ce pouvoir de vous administrer les saints sacrements cent fois dans votre vie avec résurrection garantie à l'autre bout du corridor. Les espaces libres sur les murs seraient décorés de reproductions d'œuvres que j'aimais. Une reproduction d'un tableau par peintre choisi, sélectionnée selon mes préférences parmi celles que j'avais remarquées sur les planches en couleurs des livres consacrés à l'art. Galerie intime qui dirait mieux que des centaines de pages de froide analyse ce que j'étais réellement *sous l'écorce de l'âme*.

Dans ce bureau imaginaire, je me voyais toujours bossant comme un nègre, huit, dix heures par jour, abattant régulièrement mes dix pages d'affilée, sollicité, stimulé, soutenu par tous ces écrivains, tous ces peintres de renom disposés en carré de bataille autour de moi. Carré magique. (Quel était le bon génie compréhensif qui avait réglé la quittance du loyer pour trois mois et fait emménager le mobilier indispensable? *That is the question.* Que j'évitais de me poser.)

Ainsi, me prélasser dans le bureau d'un autre, même s'il ne correspondait pas exactement à l'image originale, m'emplissait d'une joie calme, ample, véritablement profonde et heureuse. J'avais l'impression de me tenir au bord d'une rade magique dans les landes d'Uroboros, le vent marin titubant à mes oreilles.

Fleur de rhétorique, mon gars! Prends plutôt la brosse à chiendent et frotte un grand coup, ça fait circuler le sang!

La maîtresse de céans, elle, voyait les choses d'un autre œil. En femme positive. Gente tarentule du foyer m'observant de ses huit yeux à facettes. Avec mon air de ne pas y toucher, allais-je finir par envahir tout l'appartement? Le bureau de son mari pour commencer. En quel honneur ce privilège? Mon couloir ne me suffisait-il pas? N'en fiche pas une rame de toute façon. Somnole, bouquine, se laisse vivre, grille cigarette sur cigarette et vient faire un tour à la cuisine au milieu de l'après-midi dans le cas où il y aurait quelque chose à consommer. Parasite-né. J'avais fait mes preuves.

Cette histoire de bureau la chiffonnait. Sentiment d'usurpation ou je ne sais trop quoi. Chaque fois que je m'y installais dans l'idée de m'accorder un bon après-midi de relâche comme j'en avais envie, ça ne ratait pas, j'étais sûr de la voir se radiner dare-dare, en catimini, moelleuse à l'excès, comme pour mieux me faire comprendre que j'étais la cause directe de ces accrochages entre nous. Désolée, mais comment faire autrement, puisque je persistais à me trouver aux endroits où je n'aurais pas dû être? Elle frappait à la porte, passait le museau. Pouvait-elle me déranger un instant ? Avait besoin d'une enveloppe, manquait d'encre ou de papier à lettres. A moins que ce jour-là, comme par un fait exprès, elle n'eût justement projeté d'entreprendre le nettoyage en grand. Si je le désirais, je pourrais revenir m'asseoir et bramer à la lune dès qu'elle en aurait terminé avec le plumeau et la balayette. Mais comment donc ! Je repasserai sans faute le lendemain matin au déluge voir si tout est en place. En attendant, je vais faire une virée chez mes petits acolytes les poissons-scies. Salut bien !

Le maigre sourire qui se dessinait, estafilade sur ses lèvres, en disait long à lui seul. Une façon polie de me renvoyer à ma niche. Qu'est-ce que cela pouvait bien lui foutre de me laisser savourer quelques heures de tranquillité tête à tête avec mes idées vagabondes ? Mystère, mais toujours est-il que par ses manigances, préméditées ou non, elle réussissait à faire naître chez moi peu à peu une drôle de sensation de culpabilité. Climat de gêne à vous couper la chique. N'aurait-on pas dit que je me conduisais comme un profanateur de première classe ! Lubie de gonzesse. Me savoir seul dans ce bureau devait être au-dessus de ses forces. Physiquement intolérable. Il fallait qu'elle vienne faire son tour, qu'elle entre, qu'elle soit là, qu'elle m'ait à l'œil. Surtout ne pas me lâcher pendant mes stations dans le sanctuaire. A bourdonner dans mes parages avec tant d'insistance éloquente qu'au bout d'un moment je prenais de moi-même le parti de décamper. Tête de mule comme je l'étais, il tombe sous le sens que je me serais fait une joie de l'envoyer chier sans ménagement. Mais mon intérêt le plus immédiat me conseillait une exceptionnelle souplesse d'échine. Pas de pétard. Je suis du bois dont on fait les flûtes. A quoi m'aurait servi d'engager les hostilités sur ce front du moment qu'elle avait résolu de délimiter des zones interdites dans l'appartement? *Gardons les distances!*

Vous n'aurez pas ma peau, fillette, si c'est cela que vous espérez. D'autres avant vous s'y sont essayés et y ont perdu leur latin, j'aime autant vous prévenir tout de suite. Le cuir tanné. Rhinocéros centenaire. Il faudrait me toucher entre les deux yeux. Ni trop haut ni trop bas. Voyez le boulot! Admettons même que demain vous me reléguiez dans le grenier ou dans la souillarde, sur un grabat, je serais encore capable de vous baiser les pieds en criant au miracle. Miracle d'être casé. De bouffer votre pain. De salir vos draps. J'ai une telle dose de candeur en moi qu'aucun revers ne m'enlèvera ce sentiment d'être un perpétuel miraculé. Veillé d'En Haut par Sidonie Malavoine, patronne des scolopendres déshérités.

Naturellement, le grain de folie qui métamorphose les existences les plus mornes et apporte un baume efficient aux emmerdements faisait cruellement défaut dans cette famille, mais, en revanche, on restait comme fasciné devant cet admirable effort de continuité mené de front par un type et sa bonne femme d'épouse, jour après jour, semaine après semaine, et foutre de garce il n'y avait pas de raison pour que cela prît fin avant leur dernière heure sonnée au tocsin de la paroisse.

La vie sous cette forme, uniquement ponctuée par les heures fixes des repas, la trêve des dimanches et de temps à autre quelques expéditions au-dehors en corps constitué, revêtait pour moi un caractère presque sacré, presque mythique. Du diable si je n'avais pas par instants la sensation enivrante d'assister à un tableau vivant au musée des cires, dont j'aurais pu être le spectateur et l'un des acteurs. Exactement comme quand on se trouve débordé par les reflets mouvants de sa propre image dans le couloir des glaces grossissantes.

Lorsqu'il m'arrivait d'en avoir vraiment marre de leur familistère, je prenais discrètement le chemin de la sortie et personne ne cherchait à me retenir. Wierne, Sicelli ou Pélissier que je voyais à peu près régulièrement faisaient à leur insu fonction de contrepoids. Cures de rajeunissement que ces virées extérieures en compagnie de joyeux lascars qui, dans leurs propos courants, ne faisaient état ni de la hausse saisonnière du prix de la viande et des primeurs, ni des ribambelles de lettres recommandées au gérant visant à lui signaler, de façon impérative, un léger éboulement du plâtre dans la montée d'escalier, cause de cette poussière blanchâtre, tenace, qui imprègne le parquet après s'être collée sous les semelles.

La simplicité, la sorte d'abandon confiant en la toute-puissante Providence avec lesquels vivait un garçon comme Sicelli, pas un rond devant lui et derrière un paquet de dettes rondelettes, vous réconciliaient sur-le-champ avec le reste du monde. Toujours le même sourire goguenard et un clin d'œil amical quand il vous revoyait, et quoi, qu'est-ce qu'on en a à foutre, ça tourne, les filles ne pensent qu'à ça, la vie est belle. Une heure ou deux à ergoter ensemble sur une foule de sujets ou quelquefois seulement sur la valeur respective des traitements d'une chaude-pisse plutôt salée qu'il avait ramassée dans la semaine avec une de ces saintes nitouches, les roulures, regard chaste, si maman savait, tout un bordel pour le leur mettre, font comme si elles n'en avaient jamais vu un de près, et voilà le résultat. Quelle était mon opinion sur les vaccins ? Remède de cheval, hein ? Vous secoue le sang. Des boules grosses comme des œufs d'oiseaux à l'emplacement de chaque piqûre. Et les glandes de l'aine qui enflent. Pas moyen de rester ensuite sur ses jambes, le poids de l'accordéon en plus. Les pilules, c'est encore ce qu'il y a de mieux. Conjuguées avec des lavements répétés au permanganate. Mais la vie qu'il menait ne lui permettait pas des soins assidus. Ne pouvait quand même pas s'administrer un lavage de verge en plein dancing ! Encore une sacrée chance que cette putain n'ait pas été complètement pourrie. Elles se trimbalent avec ça dans le bide et ça ne les gêne pas plus qu'un bouton derrière l'oreille. Incroyable ! Et surtout celle-là, si j'avais été à sa place à lui, je ne me serais pas méfié, ça ne m'aurait absolument pas effleuré l'esprit, j'y serais allé force rames. Une vraie jeune fille, quoi ! Quelques mots encore sur son travail et sur le mien avant de nous séparer, on pouvait dire que j'étais verni d'avoir raccroché un brave mec qui m'hébergeait si généreusement, espérons que pour une fois je n'allais pas me mettre en sommeil jusqu'à ce qu'on me foute à la porte, les meilleures choses ont une fin, je devais m'en souvenir. Pas de soucis pour la bouffe, c'était donc le moment de me cramponner ferme. Acheter une rame de papier et gratter de la plume sans débander un seul instant du matin au soir. Je ne retrouverais plus une si belle occasion avant longtemps. A moi de foncer tête baissée.

Le quittant sur les marches du métro où je l'avais accompagné, ou à la station de taxis s'il avait un peu de fric à balancer, l'aidant à enfourner son accordéon par la portière, notre poignée de main appuyée, encourageante, son sourire qui florissait, le clin d'œil, tout était conforme, je le regardais partir, et, me retrouvant seul sur le trottoir, je réalisais, dans une minute de transport qui me semblait se condenser à hauteur du plexus, que le brin de discussion que je venais d'avoir avec Sicelli avait suffi à me remettre dans le bon sillage. Des dizaines de fois, je m'étais juré qu'au lieu de m'éterniser dans la salle à manger jusqu'à ce que Gaubert ou Simone décrète la levée du camp qui variait en principe entre dix heures et demie et onze heures, je sauterais à ma table tout de suite après le dîner pour reprendre le bouquin à la phrase où je l'avais laissé quelques mois plus tôt.

Sans effort, la coloration des mots s'opérait déjà en moi en songeant à un épisode de ma vie qu'il était d'ailleurs urgent de consigner sur le papier pendant que je me rappelais encore tous les détails. Souvenir qui en amenait un autre. Cent autres. Heureux carambolages. Le moteur lancé. Dix mille tours-minute au bas mot. Sicelli avait rechargé la pile. Je fonctionnais à plein. Je revoyais quantité de scènes du temps passé qui me paraissaient soudain enfantines à raconter, à faire vivre par le scintillement des mots. Des descriptions de lieux que j'avais apparemment oubliés, mais la mémoire répondait au premier appel, docile, méticuleuse, restituait plus encore qu'on ne lui demandait. Je mettais une marque distinctive sur chaque visage d'autrefois. L'étiquette de référence. Date, provenance, objet, durée du séjour et destination probable, encore que nul ne puisse jurer de rien. Par exemple, il se pouvait que j'eusse éprouvé un plaisir intense à caresser du bout des doigts pendant une soirée les cheveux d'une femme dont je n'avais peut-être jamais su le nom. C'était cette jouissance strictement épidermique qui se réimprimait en moi, aussi vive. Nombre de particularités du même ordre qui se présentaient à l'inventaire. L'odeur d'une peau, d'une rue déterminée à une certaine heure de la journée ou de la nuit. Il y avait de la sorte maintes sensations qui s'étaient greffées d'elles-mêmes dans le souvenir, l'atmosphère d'une chambre par un jour de grand froid, un éclat dans la faïence grisâtre d'un lavabo, de longs fragments de conversation avec des amis, qui me revenaient distinctement, presque mot à mot. En me concentrant davantage, j'avais l'impression que j'aurais pu répéter ma dernière réplique sur le ton exact qui avait été le mien, trois ans, quatre ans, cinq ans plus tôt. Quelqu'un me parlait d'abondance cette nuit-là, c'était une nuit, et j'essayais vainement de détourner mon regard du petit bouton à germe blanc qui se gondolait dans les plis de la bouche de cet interlocuteur, disloqué, bringuebalé par le mouvement des lèvres, suivant la forme abstraite des mots prononcés, gigue diabolique qui accaparait toute mon attention, tandis que les noms de Blake et de Fuselli traversaient l'air et restaient un long moment suspendus au-dessus de nos têtes comme des chapeaux oubliés sur la patère d'un portemanteau de brasserie après l'heure de la fermeture.

Blake et Fuselli. Encore cet animal de Brandès qui faisait de la broderie au crochet autour d'un motif occulte dans lequel il était le seul à pouvoir distinguer le fil conducteur. Est-il *sur le point* d'écrire une monographie de Blake, ou vient-il *justement* d'y renoncer? Vu de près, Blake est trente mille fois moins passionnant que ne le laisse supposer sa légende. Brandès peut fort bien vous expliquer pourquoi si vous avez deux ou trois nuits entières à lui consacrer. Il vous fera asseoir sur une chaise dépaillée, Alice, sa dame de cœur, s'emparera d'un tabouret, vous aurez Brandès en face de vous, étendu sur son lit défait, et, l'écoulement des heures étant exclu de son optique philosophique, il vous prouvera, comme toujours, la voix flasque, désabusée, qu'il n'avance rien à la légère. Un regain d'animation se produira en lui lorsque son embarcation se trouvera bloquée en plein golfe Persique par la canicule kafkaïenne. Car il sera fait mention de Kafka. Un peu plus tôt, un peu plus tard. Quel qu'ait pu être l'itinéraire choisi et si éloigné fût-il de Prague la dorée. Kafka est l'un des ornements traditionnels de l'isba messianique du mage Brandès roulé dans une couverture sale. Va de pair avec le bouton de pus près de la lèvre. Ou sur la pointe du menton. Ou carrément sur le bout recourbé de son tarin. Ou à n'importe quel autre endroit qu'il vous plaira d'imaginer : boutons, abcès dentaires, débuts d'anthrax, champignons de peau et conjonctivite épisodique plus ou moins aiguë étant le lot normal de ses petites misères corporelles. C'est un volume entier qu'il aurait fallu lui consacrer. D'ailleurs, tous ceux à qui je pensais, qui rappliquaient au galop, tous ne méritaient-ils pas un volume particulier ? Puisque c'était sur eux tous que je voulais et que je devais écrire. Puisque à l'aide de leur ombre déjà fanée c'était l'épure de mon portrait fidèle qui se dessinerait en transparence. Pas la simple rédaction d'un écrit ordinaire, mais la fusion de la vie dans la vie. Comme la vie elle-même sait le faire. Cacophonie humorale. Les lampions s'allumaient sur les deux rives du fleuve Jaune. Et rien ne m'empêchait, si je le voulais, de provoquer en même temps un embrasement général de Baltimore.

Comment expliquer ce qui se passe dans le coffre pendant ces brusques poussées de déflagration qui règlent les battements de vos artères sur les pulsations secrètes du monde ? Sensation de devenir pour tout de bon le centre hyper-réceptif de l'univers en gestation. La pensée quitte avec éclat le siège de la captivité. Résout, comprend, élucide au micropoil. Les équations mathématiques les plus ardues, si elles lui étaient proposées, se trouveraient résolues comme de vulgaires additions de deux chiffres. Le mystère se déchirait autour de moi. J'émergeais de ma glaise. Mes ailes récurées, j'allais prendre mon vol triomphal. Bien que mon apparence d'homme n'ait pas changé et que personne ne fût capable de me distinguer dans la foule. Cette foule d'êtres en déplacement s'était résorbée sous son plus faible volume, de la grosseur d'une noix, disons, afin de s'agglomérer sans histoire à mes propres cellules, circuler dans mon réseau sanguin avec la même force nutritive qu'une injection de liquide vitaminé. La foule, c'était moi. Contenant de toute forme vivante. De là à m'annexer Dieu par la même occasion, il n'y avait qu'un pas. J'étais donc le réceptacle de Dieu. Et puis Dieu lui-même. Et puis l'Esprit de Dieu. Et puis plus rien que l'Esprit. Légère volute de fumée bleue qui paresse, indécise, au-dessus des toits de la ville. Ne faisais qu'un avec l'éther. Ce qui restait en moi de plastique devenait sphérique. Comme les astres. Comme l'orbite invisible de la roue. Comme le serpent et la carcasse de la destinée. On n'entendrait désormais ma voix que par l'intermédiaire du souffle de l'animation. Je veillerais à l'onction du baptême. Qu'il soit d'eau ou de feu. Et si je devais revenir parmi vous un jour, je me présenterais aux portes de la ville monté sur un âne robuste et paisible. Pour recommencer, mais cette fois victorieusement, le combat des marais contre l'hydre.

Pourtant, à peine de retour dans l'enclos familial, je savais que ma soirée serait foutue. Celle-là comme toutes les autres. L'éruption créatrice qui m'avait envahi dans la journée finirait en feu de paille. Un vide lourd la remplaçant brusquement. Plus trace d'un élan. L'âme comme asséchée. Je sentais chaque fois monter le dégoût, la tristesse d'une impuissance que je n'étais pas de taille à maîtriser. Toujours le vieux fantôme du ratage qui rôdait dans l'ombre, menaçant.

Pourquoi à cette époque ne parvenais-je pas à me tirer de cette torpeur intérieure qui agit sur l'esprit à la façon d'un anesthésiant ? Des années durant que je menais la lutte, frôlant le fond de quelque chose qui devait ressembler aux dernières secondes de résistance avant l'agonie. Entre la volonté de vivre et l'obligation de mourir. Chute pleine d'abandon. Un trait sur l'ambition de s'exprimer. Renoncer. Se reconnaître pour nul et tâcher ainsi de vivre en paix si on le peut. Ce que vous désireriez se situe tellement au-delà de ce que peuvent imaginer même ceux qui seraient tout disposés à vous encourager. Personne ne vous accompagnera jusqu'à ces hauteurs déroutantes où ne règne qu'une solitude transie. *Qu'étais-je de plus que les autres ?* La somme inexprimable de ténacité cruelle, impitoyable envers soi, qu'implique ce tour de force de devenir créateur. Après tout, écrire n'est rien d'autre que s'avouer malheureux. Il serait si commode de ne jamais ruer dans les brancards.

Lorsque je me noyais dans ce genre d'élucubrations intimes, j'aurais aimé savoir si les hommes dont j'admirais le talent, peintres ou écrivains, avaient subi les mêmes à-coups de dépression. L'œuvre achevée, tout a l'air si judicieusement en place, mesuré, prémédité, aisé et naturel. *Mais pendant la durée du travail ?* Et avant de mettre la main à la pâte ? S'étaient-ils parfois sentis dégringoler sans rémission vers l'abîme qui risquait de les ensevelir à jamais ?

Avaient-ils éprouvé ce sentiment d'être condamnés à faire de l'équilibre au bord du précipice et de pouvoir rater leur vie sur une seule maladresse ? Rares étaient ceux qui avaient cru bon de s'expliquer sur eux-mêmes et sur ce qui pourtant avait été leur seule raison d'être. Où était la preuve écrite de leurs doutes, de leurs échecs, de ce surpassement final de soi par une victoire durement payée ? Sans doute serait-il sage, dès le commencement, de se considérer comme un doux maniaque.

En dix ans, j'avais dû connaître une bonne vingtaine de types de tous bords qui se prétendaient tourmentés par le démon de l'écriture. Gaubert ici présent n'était pas le moins affirmatif du lot. Brandès, Stols, Morillo, et Vercel à ses heures. Hécatombe de grande envergure. Ne restaient en définitive que de pauvres bougres qui défendaient chèrement leur croûte. Pourquoi aurais-je eu le privilège de tirer mon épingle du jeu ? Pourquoi moi ?

Je finissais par me demander s'il n'était pas aussi raisonnable de rester sur ma chaise, attablé en famille, à ma place assignée par l'habitude, Gaubert devant moi, la serviette passée dans le col, le buste calé contre la table, un éveil de jouissance gourmande lui éclairant le visage et les yeux à la pensée de cette nourriture promise.

Il y avait chez cet homme, lorsqu'il se préparait à manger, quelque chose de dominateur, de conquérant, comme s'il allait chaque fois devoir arracher de haute lutte son repas. Rien de surprenant à ce qu'il se fût, par exemple, laissé tenter, en revenant du travail, par une bouteille de vin cachetée, idée subite, il avait eu envie d'un coup de bon pinard et nous allions voir ensemble ce qu'il valait, la grande affaire de la soirée. La bouteille encore intacte trônant sur la nappe, détachée comme un bibelot de valeur. Dans cette maison, pas de confusion possible, la famille au complet était parfaitement charnelle. Tricotait de la fourchette avec une énergie empreinte de sérieux. Il aurait été vain, presque dérisoire, de vouloir les troubler par des considérations verbeuses ayant trait à l'inspiration et aux feux de l'esprit. Simone vous eût probablement décoché un regard de désapprobation choquée comme si elle vous avait pris en flagrant délit d'obscénité. Simone qui avait acheté deux sortes de jambon. Jambon de Paris et jambon fumé. Dans deux charcuteries. Le jambon fumé sortant de chez Desmortières, naturellement. Premier choix, provenance directe. On pouvait acheter les yeux fermés. Depuis que Desmortières s'était installé dans le quartier, les charcutiers du coin devaient s'en mordre les doigts. Figurez-vous qu'il n'y avait pas moins de quatre vendeuses maintenant ! *Quatre vendeuses !* disais-je, sur un ton d'exclamation mi-admirative mi-incrédule, comme si cette nouvelle avait irrémédiablement dû bouleverser une part de mon destin futur.

Ainsi orientée, la discussion suivrait son bonhomme de chemin, entrecoupée de remarques sur la saveur de ce que nous étions en train de nous envoyer de si bon cœur derrière la cravate, ou quelquefois légèrement dérivée par une question inopportune de la gosse que le dialogue des grands ennuyait ou qu'elle suivait avec peine. Le chapitre Desmortières entériné, ce qui aurait sûrement déjà pris un long quart d'heure, c'est le jambon de Paris qui se glisserait à son tour sur la sellette par la magie d'enchaînements que je ne parvenais jamais réellement à situer dans le cours de la conversation menée en souplesse par Simone lorsqu'il s'agissait de cuisine ou de problèmes ménagers. Maniait le gouvernail de si experte façon qu'on avait souvent l'étrange impression de s'être lourdement assoupi entre deux escales comme sous l'effet d'un abus de narcotique.

L'ordre du service ne variait pratiquement jamais. Simone coupait une moitié de tranche pour Nadine et prenait le reste dans son assiette. Du bout de la fourchette, je piquais la tranche qui se trouvait devant moi, ramenais deux coquillettes de beurre et faisais passer le plat à Gaubert. Gaubert, mastiquant, savourant, tournant et retournant sa bouchée. Il avalait. Passait un bout de langue sur ses lèvres rondes. Pas mauvais, hein ! ce petit jambon ? Mon appréciation se traduisait, toujours en langage mimé, par une moue fortement accentuée qui allait dans le sens de l'acquiescement. La cause était entendue. Gaubert et sa femme ne chipoteraient plus maintenant que sur des questions de détail, l'arôme de fumé était peut-être un peu corsé, mais c'était affaire de goût personnel. Pour avoir l'air de ne pas me désintéresser tout à fait du débat, je prétendais parfois qu'en ce qui me concernait, au contraire, je le trouvais juste à point. C'est qu'on est tellement habitué à se voir refiler de la saloperie de tous les côtés ! Dans l'ensemble, le commerce était devenu un coupe-gorge. Gaubert avait des tas d'idées là-dessus. Ses parents n'étaient-ils pas du bâtiment ? Dans la bonneterie. Bon sang ! il se souvenait encore de son père, avec quelle probité il avait tenu boutique pendant trente-trois ans. Voilà un caractère ! Droit. Intègre. Pas d'histoires. D'ailleurs, sa mère en avait vu de dures avec lui. Un sou était un sou, il ne sortait pas de là. N'est-ce pas, Simone ? Elle l'avait connu dans les dernières années de sa vie. Elle pouvait dire quel homme c'était. (Par une phrase qu'elle avait dû répéter plusieurs centaines de fois depuis son mariage, j'entendais Simone témoigner en faveur de son beau-père, commerçant exemplaire occis dans sa dignité sans reproche.)

En marge de ces évocations, je roulais distraitement une boulette de mie de pain entre le pouce et l'index.

L'univers familial de Gaubert, auquel il faisait allusion chaque fois que s'en présentait l'occasion, ne suscitait en moi qu'un chapelet d'images mornes, grumeleuses, d'un mortel, d'un insurmontable ennui chronique, sans une goutte de sang, sans un pétillement de vie. Portraits d'ancêtres datant du Neandertal et recouverts d'une épaisse couche de poussière protectrice qui vous enfume la bouche dès qu'on se mêle de les déplacer. Papa, maman, la noce, l'anniversaire. Dans des cadres de bois noirs festonnés. Que nul, jamais, n'ait la pensée baroque de faire revivre ma mémoire un soir en famille ou devant des amis, c'était la grâce que je me souhaitais. Du train où ça allait, il y avait du reste peu de chance pour que je laisse de la graine après moi. Personne pour déconner à mon sujet. Paix à mes cendres. Je suis tout seul, je me débine, rideau, on boucle. Ça ne regarde que moi. Le grotesque de ces morts qu'on balade sans arrêt sous le nez des autres à titre d'exemple, de méditation, de souvenir attendri. A force d'être exhibés de la sorte, les malheureux finissent par ne plus savoir comment se tenir en société. Dans leurs vêtements d'époque. La mode macchabée. Avec la moustache en crocs. Le veston riquiqui. Les principes tartinés sur la gueule. Si minables. Laissez-moi roupiller d'un vrai sommeil de détente !

Nadine demandait si papa parlait de grand-père. Oui, ma chérie. De grand-père le boutiquier austère qui se serra la ceinture et la serra à sa connasse de femme pendant quarante ans de vie conjugale lugubre en prévision de l'avenir essentiellement incertain, transses épouvantables, de peur de la sauter plus tard. Donnez-nous notre pain quotidien et puis, à côté, un petit surplus pour les économies du ménage. Notre pain de rapine, si amer, si chichement découpé en rondelles parcimonieuses, qu'il vous reste ensuite sur l'estomac comme un sac de plâtre. Additions, décomptes et vérifications tous les soirs au coin de la table dans la cuisine sans aération empuantie par les odeurs persistantes de graillon. Un enfant à nourrir et à élever dignement, petit bourgeon pansu sur la branche généalogique. Porte toutes nos aspirations, tous nos rêves en veilleuse. Fils unique. Qui moisit aujourd'hui dans l'un des innombrables bureaux de l'entreprise industrielle aux multiples succursales dispersées à travers le monde. Figure au registre des salariés sous un matricule de configuration anonyme. Serait remplacé demain au pied levé par n'importe quel outil perfectionné. Tire néanmoins ses huit heures sans rechigner pour élever à son tour la gentille petite Nadine au sourire délicat qui, un jour prochain, dans les dix ans à venir, se fera enfiler avec bonheur par le coco de ses amours qui ne manquera pas de l'enceinter, la cascade continue et de cette façon les hommes n'ont pas de fin sur terre, hop-là ! (Essayez d'imaginer comme je le faisais la matrice d'une gosse de huit ans quand elle sera en état de fonctionner. Rien que pour la particularité de l'impression qu'on en retire.)

Imaginer Gaubert enfant, c'était aussi ce à quoi je m'employais tandis qu'il poursuivait à l'intention de sa femme et de moi-même l'exposé de ses conceptions théoriques. Gros gamin soufflé. Le teint blême. Cette pâleur de la graisse précoce. Un petit bide rebondi dans sa culotte courte. Avec de fortes cuisses et des bas de coton retenus par un élastique en dessous du genou. Limaçon. Une larme de morve claire en chandelle sous le nez par temps d'hiver. Je me le représentais se tenant à l'écart des autres dans la cour de l'école pendant les récréations. Récoltant de-ci de-là quelques magistrales raclées d'origine absolument gratuite, inexplicable, sauf que, certains jours où l'imagination est en panne pour inventer des jeux, on a toujours la ressource de tabasser le gros lard qui se dandine tout seul dans un coin de la cour. Et il faut bien avouer que si la torchée est réussie, c'est une de ces distractions qui vous réjouissent les nerfs au plus profond de soi. Gaubert larmoyant. Le nez en compote. Allant se plaindre au maître et désignant nommément ses persécuteurs. Tête à gifles. Je le voyais avec l'intensité d'une scène réelle. On avait envie de mordre dans ses joues pommelées. Il ne parlait jamais de camarades ou de coups d'éclat perpétrés avec sauvagerie. S'il embrayait sur le passé, c'était invariablement sa vie confinée entre son père et sa mère dans la boutique modèle qui surgissait aussitôt. Tout un assemblage étriqué de matériel de mercerie qui semblait s'édifier autour de son enfance. Réseau désuet, fait de marques de fil à coudre, de couches imperméabilisées, de tricots de corps, d'ensembles indémaillables pour dames, qui constituent le stock de fond d'une bonneterie en plein essor. Le replacer au milieu de ce déballage de linge, des tronçons de mannequins de vitrine sur lesquels on expose la culotte ou le soutien-gorge en vogue, levait en moi une sorte de répulsion à son égard. A cause de cet amoncellement de blancheur que j'imaginais, vraisemblablement. Comme dans les chambres mortuaires où la glace de l'armoire et tous les miroirs ont été voilés d'un drap flottant. Ce gros gosse rentrant de l'école, poussant la porte du magasin, accueilli par la sonnerie crissulante et voyant son père droit et raide derrière le comptoir, tel qu'il nous l'avait maintes fois dépeint, s'évertuant à décider une emmerdeuse qui hésite entre deux formes et deux couleurs de combinaisons, le visage amène, le sourire marchandard comme tatoué sur les lèvres, mais dans ce miel professionnel l'œil sévère que le môme connaît bien et qui lui enjoint pour l'instant de traverser sans bruit le magasin. On est déférent. Poli. On est fils du bonnetier. Et les traditions ne se perdent pas. Se transmettent par générations. Comme les véroles. Nadine aussi savait comment se comporter devant les étrangers simplement en lisant dans le regard de son père. J'avais eu droit à la démonstration.

Ça, au moins, ça s'appelle de la viande ! Juteuse. Se coupe comme du beurre. Fond sur la langue. Rôti de bœuf, en l'occurrence. Baignant dans la laque de son jus brun agrémenté d'oignons émincés, la garniture de petites pommes de terre croustillantes disposées tout autour formant comme une dentelle de molle dorure. Le grésillement se prolonge dans le plat chauffé, dégageant un fumet de bonne graisse qui plane par touches au-dessus de la table. Moment crucial du dîner. Comme si nous avions eu la révélation soudaine que les amuse-gueule qui avaient précédé n'avaient pas plus d'importance que les exercices d'échauffement du virtuose en vue de l'exécution des quatre grandes sonates. Corps du délit, si j'ose dire.

Gaubert mangeait, parlait, avec une même avidité. M'avait l'air de doubler son plaisir gastronomique en commentant ce qu'il ingurgitait. Sa bouche poupine dessinant les mêmes avancées goulues pour happer le morceau de viande au bout de sa fourchette que pour arrondir ses mots. Petit trognon de chair en mouvement. Sensuel comme la pulpe de l'abricot. Impeccable, la viande, impeccable ! Simone recevait ce genre de compliments non sans une apparente satisfaction. Bon Dieu ! ces deux-là allaient ensemble comme les deux doigts de la main. Abstraction faite du sentiment d'étroitesse qu'ils m'inspiraient, les regarder vivre était un régal de l'âme. Les rares copains mariés que j'avais connus étaient en perpétuels démêlés avec leurs chères moitiés, scènes et désordre à tout bout de champ. Quand, par exception, l'orage ne tonnait pas, c'est qu'il y avait anguille sous roche et qu'on ne tarderait pas à faire usage des griffes ou des fugues provisoires qui prendraient fin par un raccommodement temporaire, sorte de pont suspendu enjambant la tranchée de plus en plus large, de plus en plus profonde, ces temps de pause pleins d'animosité réciproque brusquement pulvérisés par une nouvelle et inévitable explosion dont ni le mari ni la femme ne pouvaient prévoir les conséquences. Quelques-uns d'entre eux avaient d'ailleurs trouvé plus sage de divorcer après des expériences d'une brièveté surprenante. Pélissier était de ceux-ci. Les deux frères Lévy également. Et Stols. Tout à l'opposé, Gaubert m'avait laissé entendre explicitement qu'il aurait répugné au divorce et bénissait le Ciel de n'avoir pas à se débattre au milieu de pareils déchirements. La vie peut être si harmonieuse, voyons ! *Oui. Et puis plus loin dans la dernière galerie à gauche, vous trouverez la table des dix commandements.*

Bonne pâte, ce Gaubert, quand j'y repense. Dans la tonalité pastel. Avec un rien d'émouvant quelquefois.

Par bien des côtés, sa femme lui ressemblait. Peut-être avec les années avaient-ils modelé l'un sur l'autre sans le savoir quelques traits saillants de leurs caractères jusqu'à ne plus les différencier. On les aurait crus unis par une espèce de consanguinité spéciale. Rien de commun avec l'amour tel qu'on se l'imagine. Je pense que Gaubert aurait roulé des yeux étonnés si je lui avais posé la question en ces termes. Qu'il aimât sa femme, cela était sous-entendu, et il en allait de même pour elle. Mais que cet amour, qui n'avait jamais eu à subir de violences, ni à souffrir de soubresauts, se fût peu à peu mué en affection de frère à sœur assortie d'une totale confiance, de dévouement, de bienveillance vigilante, le tout créant entre eux une sécurité ressentie de façon intime, voilà qui approchait la vérité d'assez près. Ils se connaissaient, ils s'appréciaient, se complétaient sans effort. Dans chaque manifestation courante de leur existence je les avais vus se témoigner ces attentions discrètes, presque pudiques, issues d'une tendresse latente. En cas de danger grave, il y en aurait toujours un qui interviendrait pour sauver l'autre *in extremis,* et tous deux, après l'alerte, reprendraient la route comme si aucune menace n'était susceptible de les faire dévier du but fixé, un jour, longtemps auparavant.

Il y avait de quoi me démonter, moi qui surnageais péniblement, soulevé tantôt par des larmes de joie surhumaine et tantôt jeté sans force sur les récifs hostiles. Commotions et convalescences se succédant à un rythme périodique, n'espérant rien trouver d'autre devant moi, au jour de l'échéance, que l'épouvante et la fatigue du chaos.

Sans ironie aucune de ma part, je trouvais cela fabuleux. Attirant et monstrueux comme le vide. Ces deux êtres accouplés qui semblaient s'alimenter à un même orifice d'oxygène. Gaubert était heureux. Ces gens-là étaient heureux. Ça crevait les yeux. Aussi devaient-ils respectueusement demander dans leurs prières du soir une simple prolongation du bail. Au nom du Père, du Fils et de la Sacrée Sainte Trouille bleue que nous portons tous plus ou moins enfouie profond dans les moelles à la seule pensée des désolations innombrables qui pourraient fondre sur nous sans prévenir. Satisfaits donc tant que le Seigneur prêterait main-forte en épargnant le foyer de l'épidémie annuelle de croup, bronchite, impétigo, de dysenterie, influenza, de scarlatine, de gourme, de gale, rougeole, sarcome, érysipèle, d'apoplexie, de sinusite et d'eczéma, des vents de goitres, de varicelles, de coryzas, la gingivite, les oreillons, coqueluche, zona, les écrouelles, béribéri, les humeurs froides, la fièvre quarte et la métrite, le prurigo, la thyphoïde, endocardite, hypocondrie, la folie douce, kystes, hydarthrose, danse de Saint-Guy, de l'emphysème, de l'ostéite, la gastralgie, le tétanos et les descentes de matrice, crises d'urticaire et rhume des foins, pour ne rien dire de la cirrhose, du mal de Pott ni des hernies simples ou doubles. En somme, et c'était ce qu'il fallait se répéter sans cesse, le cataclysme sous toutes ses formes ne tenait qu'à un fil, suspendu au-dessus de nos têtes chétives.

Ave Maria. Pater noster. Tout est consommé. Plus qu'à s'endormir sur les deux oreilles.

Dormez. Dormez, heureux mortels. De ce sommeil qui sera peut-être le dernier. Bouche entrouverte. Lèvres molles. Un limon de salive plaqué aux commissures. Comme un sang pâle. Comme du sang blanc. Râ-râ-râle du mort-vivant. La vie s'avorte au cœur ralenti. Heures de la nuit et des cadavres. Toute une partie de la terre s'achemine en même temps à pas de velours vers l'archipel des gisants. L'homme expire approximativement dans son rêve. Demain est une abstraction de haute mathématique. Demain, qui n'a de sens que vécu.

Quant à toi, vieux canasson couturé de blessures, ne regarde pas vers les portes du paradis. Le ciel est trop haut et l'herbe trop verte. Continue de brouter au passage, lorsque tu en as l'occasion, les chardons piquants du bord de l'ornière. Ta course désordonnée est une quête d'amour et de mort. Le jour viendra peut-être où, d'un hennissement formidable jailli malgré toi de ta poitrine, tu glaceras le sang de tous ceux qui en percevront l'écho. Ce jour-là, sois sans crainte, comme jadis les murs de la forteresse orgueilleuse, le paradis dans lequel tu rêves d'entrer n'aura plus de défenses, et si tout va bien je te prédis une délégation d'anges en liesse qui te précéderont sur la voie de lumière en faisant retentir les sept trompettes de la prophétie.

Maintenant encore il me paraît étrange d'avoir été incorporé à cette famille. Cela, sans raison. Sans raison organique, veux-je dire. Brève halte, toute de repos et de bonheur. Qui demeure dans ma mémoire comme un arpent de terre promise. Or, sans m'en douter, cette nouvelle étape allait mettre un terme à l'une des périodes les plus chaotiques de ma vie en me livrant finalement pieds et poings liés aux griffes d'une femme qui ne tarderait pas à vouloir me domestiquer dans le plus pur style de la femelle dévoreuse avide de chair fraîche.

A dater de ce moment, en effet, le cycle allait se refermer. Comme si quelqu'un se chargeait pour moi de tracer une croix à l'encre rouge sur le passé. La rupture, désormais, n'irait que s'élargissant d'année en année, et peut-être n'a-t-elle atteint son point culminant qu'aujourd'hui, à cette heure même où je rédige ce livre dans une grande pièce aménagée en bureau de travail au premier étage d'une maison de campagne. Ce livre qui est à mes yeux comme un tribunal intime devant lequel je me serais moi-même assigné à comparaître. *Afin de mieux me tourner le dos.*

Si l'on me demandait de dire à présent quel homme j'étais à cette époque, je répondrais sans hésiter : *Fils aîné de l'Insouciance.* Habitué depuis toujours à être cahoté de mal en pis. Uranus l'alternant solidement perché en haut de mon ciel de nativité et menant la danse comme un vieil escogriffe échevelé. Me prétendant écrivain sans avoir pu conduire à bien un seul livre, même manqué, même inconsistant. Mendigot jusqu'au bout des ongles. Mes armoiries familiales surmontées de la devise flamboyante : « Rien ne rebute. » Ma force à moi, ma force vraie, inébranlable, étant le mépris. Total. Global. Hargneux. Bonté, générosité, dévouement, solidarité, désintéressement et la suite, autant de formules creuses. N'ont pas cours dans mon vocabulaire. Ici, c'est l'enfer vert. Un œil assassin vous guette, dissimulé derrière chaque brin d'herbe. Dieu n'est pas mort. Moi je sais. C'est bien pire. Dieu dégueule de nausée. Dieu n'en finit pas de vomir sa progéniture vicelarde. Il laisse faire. Débecté. C'est sa honte. Son remords. Ça l'assomme. Il écume. Se tord les mains dans l'abomination. Et tous les chérubins de chialer à l'unisson. La peste est sur la terre. Dans le rognon des âmes. Incurable. Rien à tirer de ce troupeau de bourriques meurtrières. A l'arnaque. Au pognon. Au petit sexe giron. J'achète. Je banque. Je suis preneur. Faites vos prix. Chèque barré, la vie. La vie telle que nous l'avons déformée, telle que nous l'avons acceptée, telle que nous la propageons. Paie en nature ou en espèces. Amène ta fille si t'as pas de liquide. Encore pucelle, c'est une fortune. Wall Street en chœur en perd la boule. J'avais compris de bonne heure, moi, mézigue, les froids calculs du genre humain. La vie m'avait dressé à l'aube de mon premier soleil. Planque tes arpions et ce sera déjà une manche de gagnée. Le plus dur est de faire le saut. De s'insérer à nouveau chaque matin dans le tumulte. Autrement dit, de renoncer à soi. Ce qui est l'affaire de quelques minutes ou de toute une existence. Ce passage franchi, c'est ensuite la simplicité même. Fétu sans importance, la masse en érosion est là pour vous porter au gré des vents contradictoires. Jetons-nous solennellement dans la mêlée. Vous ou moi, c'est tout comme. Je suis, comme vous, d'essence divine. Petite forme vagissante tombée par inadvertance de la main du Très-Haut. Ni vous ni moi ne sommes indispensables en ce monde gorgé de splendeurs naturelles, de nourritures en boîtes stérilisées, de femmes appétissantes qui ne demandent qu'à se laisser enfiler pourvu qu'on procède avec le tact et la discrétion voulus. *En parlant philosophie, par exemple.* Bon pied bon œil, ce monde est paré pour des lustres. Les réserves sont pleines. Tout a déjà été fait et refait. Dit et redit. Avant même que nous soulevions pour la première fois les paupières. A quoi bon s'échiner jusqu'au sang? Pouvez rentrer dans la coquille. Tout est tranquille. Le glas ne sonnera pas. C'est aujourd'hui comme hier le Nouvel An d'Apocalypse, mais sans doute ne se passera-t-il rien de bien essentiel. Ni pour vous ni pour moi. Journée creuse et plans sur la comète.

De mon côté, rien à signaler sinon que j'examine à la loupe les circonstances qu'il a fallu ajouter les unes aux autres en plus de trente années de vie pour obtenir une entité qui porte maintenant mon nom, a mes manies, mes plaisirs, mes colères, mes vices, pense selon des normes qui lui sont particulières et la distinguent entre toutes. Si la girouette vient à tourner, il se peut qu'on me retrouve à la chasse à l'éléphant, béat comme un nouveau-né, m'octroyant en temps voulu de longues siestes agrémentées d'érections involontaires suivies, au réveil, d'une collation froide avec assortiment de grands crus d'origine. Ne négligeant rien non plus sous le rapport du baisoir, de jour comme de nuit, délibérément. Un souffle imprévu, et je rejoins les écrivains qui ont partie liée avec le Verbe à l'état pur, apôtres du vide repensé, conscients ou fous, folie consciente, conscience tragique de la folie en mouvement. Aveugles de la pleine lumière. Marchant à rebours de la foule sur l'avenue transversale au moyen du sixième sens, à la rencontre des perspectives interdites. Esprit incarné de la trinité des eaux, j'accumule çà et là. Moisson d'idées stupéfiantes. J'engrange pour dix siècles au moins. Matière à quantité de volumes. Micromacrocosmogonie. Jeux de mosaïques sous le soleil. Nombre cabalistique de l'être. Je m'assimile l'ordre magique du monde vivant pour le recomposer enrichi d'une goutte de sécrétion personnelle. Transfusion magnétique nutritive par le truchement du tube ombilical occulte branché sur la valve fémorale de l'univers en gestation. Toute page écrite me rapproche de l'élucidation de mon mystère. C'est dire qu'elle contribue à en épaissir la densité. Je deviens peu à peu le catalyseur de quelques manifestations vitales. Comme le nœud principal de la ligature. Un jour je disposerai peut-être des quatre clefs et de leur pouvoir, templier du milieu impérissable voué à coaguler la solution de ce monde déposé en moi par privilège céleste.

Quoi encore? Souvent repris par l'envie de fouiller

dans ce vieux tas de papiers que je traîne avec moi depuis des années. Carnets d'adresses et de noms oubliés. Relation en style télégraphique d'un fait anodin d'il y a je ne sais plus combien de temps, mais qui m'avait fortement impressionné. Ordinairement, ia rencontre d'une femme et la discussion qui s'ensuivit jusqu'aux larmes de la séparation après l'intermède du lit à durée variable. Nom d'un vieil hôtel où je n'avais fait que passer, numéros de téléphone de bistrots, dates et heures de rendez-vous, titres de films, de livres, factures, photos, avis de décès d'amis lointains dont je n'ai plus qu'à peine le souvenir, additions de restaurants, pour deux, pain et couvert compris, prospectus vantant la méthode Ogino, formule pharmaceutique datant de l'époque des règles difficiles d'une quelconque femelle occasionnelle, et des bouts de nappes en papier crayonnés de dessins, de chiffres, d'opérations qui n'ont plus pour moi de signification. *Signification.* Quelle signification peut donc bien avoir l'arriéré d'une existence d'homme? Tout est en place pour l'éternité. Avec les trous de mites, les chaussettes sales, le corps des femmes. Et leurs âmes. Toujours si intuitives. Si fragiles. Vous sont passées par les mains et en sont ressorties chiffonnées, gravées d'une ride supplémentaire dont vous êtes directement responsable. Tout le passif et le complémentaire. Gueules de bois. Indigestions. Oreillons et papier-chiottes. Le passé commence tous les jours. C'est là le fin mot de l'histoire. Paperasse et vie morte, voilà ce que tout cela *signifie.*

Je retrouve aussi des liasses de feuillets couverts de mon écriture rabougrie à l'encre verte. L'une des cinq ou six moutures différentes et inachevées de ce fameux livre que je me proposais d'écrire sans retard chaque matin que Dieu fait. Mais combien j'étais loin de deviner le sens de la démarche qui serait la mienne! Croyant m'engager sur la voie de mon accomplissement, j'allais, en écrivant, m'apercevoir qu'il n'en était rien. Chaque fois, c'est une marche de plus à descendre vers les ténèbres extérieures. Le point de mire fixé se déplace, recule, s'enfonce dans le noir, se fait imperceptible, et l'écrivain n'est lui-même que le jour où il comprend, désespéré, que tout se limite pour lui à une expérimentation de plus ou moins longue durée. Le temps d'une vie. Mirage. Illusion. Et illusion de l'illusion.

Le parcours est fertile en tempêtes d'une rare violence, sœur Anne!

Car lorsque les mots ont fini de couler de soi, c'est qu'ils ont réussi à vous ensevelir vivant. L'homme reste comme englué dans la chrysalide du livre qu'il a écrit. Et sa renaissance à travers le temps est si multiple, si permanente dans des milliers d'esprits, que sa mort à lui est plus certaine, plus immuable, plus définitive que n'importe quelle autre mort. Chaque mot écrit est une tombe ouverte. Remplir des pages et des pages revient à saluer d'un incessant adieu sa propre dépouille sur le bord de la fosse fraîchement creusée. L'entreprise n'a pas de fin. Ne peut avoir de fin. De combien de mutilations l'écrivain n'est-il pas secrètement stigmatisé? De toute façon, le type qui se décide un jour à brailler plus fort que les autres peut être certain de se foutre le monde à dos. Irrémédiablement. *J'ai trois mille cadavres embaumés sur les rayons de ma bibliothèque. Ecco! Souvenez-vous des colosses morts dans la détresse de l'oubli.*

Créer, c'est dénoncer. Se retirer. Couper les ponts. Être contre. La révolte, le mépris, le cynisme, le scandale, l'hermétisme, la démesure ou le délire marquent la poignée des grands livres que nous admirons. Les lieux que des hommes de cette envergure ont hantés et sillonnés en profondeur leur vie durant deviennent pour longtemps inutilisables. Ils nous forcent à émigrer de nous-mêmes. A aller voir au plus tôt l'état du terrain dans le voisinage. Leur mission salvatrice en ce monde réside dans un travail de sape impitoyable. Voici le cratère que je laisse après moi en héritage. Sous l'amoncellement des décombres se cache, sommeillante, l'étincelle de tout renouvellement. Ouvrez l'œil et, à votre tour, perpétuez la vie !

Vivre.

Vivre. Être la vie. Se saisir du monde, comme d'un bien personnel, et en jouir, librement. Se dépouiller, se gonfler, s'épuiser de vie et arriver nu jusqu'à Dieu. Dieu qui n'est peut-être que l'extrémité de soi. Se présenter les mains vides, volontairement pauvre, mais l'âme plongée dans un ravissement de joie.

Quand oserons-nous lever la tête et voir ? Et qu'arrivera-t-il alors d'imprévisible ? Quelle foudre et quels juges implacables ? Ou ne sera-ce que béatitude ? Le grand mur des lamentos parlera-t-il alors de la longue peine des hommes, saura-t-il entonner, au jour de la révélation, le chant rauque de la souffrance et des tortures, ou ses pierres resteront-elles silencieuses, accablant l'homme de cette détresse de connaître que tout de l'homme est vain ? La Glorification, ou seulement ce néant vaste, plat, pareil aux étendues de sable blanc que les larrons de Christ devaient apercevoir, hissés au Golgotha, ravagés de douleur, lentement écartelés, ruisselants de sueur et de sang, l'âme déchirée d'entendre leur compagnon de potence supplier, réclamer, appeler son père comme un enfant éperdu qui a peur. Ils avaient avec eux, ce jour-là, un enfant fragile qui ne savait pas pourquoi il allait mourir. Tout leur semblait confusion, chaos. Il n'est pas dans l'ordre qu'un enfant soit crucifié au milieu des larrons. Peut-être le père allait-il venir et faire que ce néant de sable livide soit autre chose enfin qu'un mont pelé et pauvre. Ils se mirent à appeler, eux aussi, à glapir dans le vide, dans cette fournaise d'un après-midi étranglé de soleil. Ils se mirent à gueuler leur foi et, rugissants d'amour, ils prirent sur eux les péchés des vivants pour que l'enfant seul soit sauvé et qu'il y ait une fois au moins ce miracle de l'innocence. Mais rien ne vint. Il fallut bien se préparer à mourir dans l'aveuglement et les cris d'un enfant abandonné. Alors tous se résignèrent. Et rien non plus ne prit ensuite racine sur Golgotha muet. Les croix sont de bois mort. Le ciel, un instant peut-être, eut-il des entailles écarlates, mais la terre resta ferme et close. Indifférente.

Et ce soir-là, les femmes de l'endroit, échauffées par tout ce sang de la journée, par toute l'horreur du jour, les femmes, transportées, ouvrirent larges leurs ventres, cuisses ceinturées, jambes nouées sur les reins solides de leurs fiers légionnaires, et ce ne fut pas la mort qui triompha, mais phallus, porteur du germe. Le sexe. Le Père accordait enfin sa Rédemption. Les larmes amères, les larmes de sel pouvaient être étanchées par un peu d'amour. Tout ici est pardon. Ce ne serait plus désormais que l'infernal bouillonnement des désirs. Cauchemar de la peau. Quel est ce hurlement qui se détache, intact, éclaté depuis le sexe cent frois frappé, bourrelé, limé cent fois dans la cadence mécanique de l'amour, blessé, fracturé, et qui se fraie un chemin, taillé net du ventre à la gorge, une plaie d'amour, bouleversant comme un orgue dans une cathédrale déserte, pour exploser enfin et naître dans un râle extatique, infiniment pur, infiniment magique, inégalable ? Plus émouvant qu'aucun autre chant au monde. Le seul cri de l'âme. Quelle plainte est-ce ? De quoi cette plainte s'approche-t-elle ? Profondeurs ou sommets ?

Profondeurs et sommets, le sexe est mort et résurrection.

Sur ce, bonsoir, j'en ai assez dit — *ite missa est.*

DU MÊME AUTEUR

Récits

REQUIEM DES INNOCENTS, 1952, *Julliard*. Collection 10/18, 1980.

PARTAGE DES VIVANTS, 1953, *Julliard.*

NO MAN'S LAND, 1963, *Julliard.*

SATORI, 1968, *Denoël.*

ROSA MYSTICA, 1968, *Denoël.*

PORTRAIT DE L'ENFANT, 1969, *Denoël.*

HINTERLAND, 1971, *Denoël.*

LIMITROPHE, 1972, *Denoël.*

LA VIE PARALLÈLE, 1974, *Denoël.*

ÉPISODES DE LA VIE DES MANTES RELIGIEUSES, 1976, *Denoël.*

CAMPAGNES, 1979, *Denoël.*

ÉBAUCHE D'UN AUTOPORTRAIT, 1983, *Denoël.*

PROMENADE DANS UN PARC, 1987, *Denoël.*

L'INCARNATION, 1987, *Denoël.*

MEMENTO MORI, 1988, *L'Arpenteur (Gallimard).*

Poésie

RAG-TIME, 1972, *Denoël.*

PARAPHE, 1974, *Denoël.*

LONDONIENNES, illustration de Jacques Truphémus, 1985, *Le Tout sur le Tout,* Paris.

DÉCALCOMANIES, avec une lithographie de Pierre Ardouvin, 1987, *Éd. Grande Nature.*

A.B.C.D., Enfantines, illustrations de Jacques Truphémus, 1987, *Éd. Bellefontaine,* Lausanne.

NUIT CLOSE, 1988, *Éd. Fourbis,* Paris.

Théâtre

MÉGAPHONIE, 1972, *Stock.*

CHEZ LES TITCH, suivi de TRAFIC, 1975, *L'Avant-scène.*

LES MANDIBULES, suivi de MO, 1976, *Stock.*

L'AMOUR DES MOTS, C.D.N. de Reims, J.-P. Miquel, 1979.

THÉÂTRE INTIMISTE (Chez les Titch, Trafic, Les Miettes, Tu as bien fait de venir, Paul), 1980, *Stock.*

LES DERNIERS DEVOIRS, C.D.N. de Reims, J.-P. Miquel, 1983, *L'Avant-scène,* 1983.

AUX ARMES, CITOYENS!, baroquerie en un acte avec couplets, 1986, *Denoël.*

Essai

LES SABLES DU TEMPS, 1988, *Le Tout sur le Tout,* Paris.

Carnets

LE CHEMIN DE SION (1956-1967), 1980, *Denoël.*

L'OR ET LE PLOMB (1968-1973), 1981, *Denoël.*

LIGNES INTÉRIEURES (1974-1977), 1985, *Denoël.*

LE SPECTATEUR IMMOBILE (1978-1979), 1990, *L'Arpenteur (Gallimard).*

UNE VIE, UNE DÉFLAGRATION, *entretiens avec Patrick Amine*, 1985, *Denoël.*

COLLECTION FOLIO

Dernières parutions

2421. Claude Brami — *Parfums des étés perdus.*
2422. Marie Didier — *Contre-visite.*
2423. Louis Guilloux — *Salido* suivi de *O.K., Joe!*
2424. Hervé Jaouen — *Hôpital souterrain.*
2425. Lanza del Vasto — *Judas.*
2426. Yukio Mishima — *L'ange en décomposition (La mer de la fertilité,* IV).
2427. Vladimir Nabokov — *Regarde, regarde les arlequins!*
2428. Jean-Noël Pancrazi — *Les quartiers d'hiver.*
2429. François Sureau — *L'infortune.*
2430. Daniel Boulanger — *Un arbre dans Babylone.*
2431. Anatole France — *Le Lys rouge.*
2432. James Joyce — *Portrait de l'artiste en jeune homme.*
2433. Stendhal — *Vie de Rossini.*
2434. Albert Cohen — *Carnets 1978.*
2435. Julio Cortázar — *Cronopes et Fameux.*
2436. Jean d'Ormesson — *Histoire du Juif errant.*
2437. Philippe Djian — *Lent dehors.*
2438. Peter Handke — *Le colporteur.*
2439. James Joyce — *Dublinois.*
2441. Jean Tardieu — *La comédie du drame.*
2442. Don Tracy — *La bête qui sommeille.*
2443. Bussy-Rabutin — *Histoire amoureuse des Gaules.*
2444. François-Marie Banier — *Les résidences secondaires.*
2445. Thomas Bernhard — *Le naufragé.*
2446. Pierre Bourgeade — *L'armoire.*

2447. Milan Kundera — *L'immortalité.*
2448. Pierre Magnan — *Pour saluer Giono.*
2449. Vladimir Nabokov — *Machenka.*
2450. Guy Rachet — *Les 12 travaux d'Hercule.*
2451. Reiser — *La famille Oboulot en vacances.*
2452. Gonzalo Torrente Ballester — *L'île des jacinthes coupées.*
2453. Jacques Tournier — *Jeanne de Luynes, comtesse de Verue.*
2454. Mikhaïl Boulgakov — *Le roman de monsieur de Molière.*
2455. Jacques Almira — *Le bal de la guerre.*
2456. René Depestre — *Éros dans un train chinois.*
2457. Réjean Ducharme — *Le nez qui voque.*
2458. Jack Kerouac — *Satori à Paris.*
2459. Pierre Mac Orlan — *Le camp Domineau.*
2460. Naguib Mahfouz — *Miramar.*
2461. Patrick Mosconi — *Louise Brooks est morte.*
2462. Arto Paasilinna — *Le lièvre de Vatanen.*
2463. Philippe Sollers — *La Fête à Venise.*
2464. Donald E. Westlake — *Pierre qui brûle.*
2465. Saint Augustin — *Confessions.*
2466. Christian Bobin — *Une petite robe de fête.*
2467. Robin Cook — *Le soleil qui s'éteint.*
2468. Roald Dahl — *L'homme au parapluie* et autres nouvelles.
2469. Marguerite Duras — *La douleur.*
2470. Michel Foucault — *Herculine Barbin dite Alexina B.*
2471. Carlos Fuentes — *Christophe et son œuf.*
2472. J.M.G. Le Clézio — *Onitsha.*
2473. Lao She — *Gens de Pékin.*
2474. David McNeil — *Lettres à Mademoiselle Blumenfeld.*
2475. Gilbert Sinoué — *L'Égyptienne.*
2476. John Updike — *Rabbit est riche.*
2477. Émile Zola — *Le Docteur Pascal.*
2478. Boileau Narcejac — *...Et mon tout est un homme.*
2479. Nina Bouraoui — *La voyeuse interdite.*
2480. William Faulkner — *Requiem pour une nonne.*

2482.	Peter Handke	*L'absence.*
2483.	Hervé Jaouen	*Connemara Queen.*
2484.	Ed McBain	*Le sonneur.*
2485.	Susan Minot	*Mouflets.*
2486.	Guy Rachet	*Le signe du taureau (La vie de César Borgia).*
2487.	Isaac Bashevis Singer	*Le petit monde de la rue Krochmalna.*
2488.	Ludyard Kipling	*Kim.*
2489.	Michel Déon	*Les trompeuses espérances.*
2490.	David Goodis	*Le casse.*
2491.	Sébastien Japrisot	*Un long dimanche de fiançailles.*
2492.	Yukio Mishima	*Le soleil et l'acier.*
2493.	Vladimir Nabokov	*La Vénitienne* et autres nouvelles.
2494.	François Salvaing	*Une vie de rechange.*
2495.	Josyane Savigneau	*Marguerite Yourcenar (L'invention d'une vie).*
2496.	Jacques Sternberg	*Histoires à dormir sans vous.*
2497.	Marguerite Yourcenar	*Mishima ou la vision du vide.*
2498.	Villiers de l'Isle Adam	*L'Ève future.*
2499.	D. H. Lawrence	*L'Amant de Lady Chatterley.*

Impression S.E.P.C. à Saint-Amand (Cher),
le 28 juin 1993.
Dépôt légal : juin 1993.
1er dépôt légal dans la collection : février 1990.
Numéro d'imprimeur : 1592.
ISBN 2-07-038227-3./Imprimé en France.
(Précédemment publié aux Éditions Denoël
ISBN 2-207-22970-X)